ABHANDLUNGEN DER DEUTSCHEN AKADEMIE
DER WISSENSCHAFTEN ZU BERLIN

Klasse für Chemie, Geologie und Biologie

Jahrgang 1964 Nr. 5

GÜNTER MÖBUS

DIE GEOTEKTONISCHE ENTWICKLUNG DES GRUNDGEBIRGES IM RAUM ERZGEBIRGE – ELBTALZONE – LAUSITZER GRUNDGEBIRGE – WESTSUDETEN

Abhandlungen zur Geotektonik, Nr. 22

Mit 24 Abbildungen, 2 Tabellen und 1 Tafel

AKADEMIE-VERLAG · BERLIN

1964

Vorgelegt von Hrn. LEHMANN für Hrn. DEUBEL in der Klassensitzung vom 2. Dezember 1963

Zum Druck genehmigt am gleichen Tage, ausgegeben am 14. 8. 1964

Erschienen im Akademie-Verlag GmbH, Berlin W 8, Leipziger Straße 3–4

Lizenznummer: 202 · 100/510/64
Kartengenehmigung: Nr. 323/64, 372/64
Gesamtherstellung: VEB Druckerei „Thomas Müntzer" Bad Langensalza
Bestellnummer: 2001/64/II/5 · ES 18 E 2, 18 F 2 · Preis: DM 23,–

INHALTSVERZEICHNIS

I. Einführung

In dem Bereich Lausitzer Grundgebirge–Elbtalzone vollzieht sich der Wechsel der Leitlinien des europäischen Grundgebirges aus dem NE–SW–(erzgebirgischen) Streichen in die NW–SE–(sudetische) Richtung. Östlich der Elbtalzone sollte die variscische Gebirgsbildung an Bedeutung verlieren, da für die Hauptfaltung der Westsudeten die kaledonische Orogenese angenommen wurde. Die assyntische Faltung blieb nach den Ansichten von STILLE (1958, S. 24) auf den westelbischen Faltungsraum Mitteleuropas beschränkt (Abb. 1 u. 2).

Die Verbreitung und Wirksamkeit der assyntischen, kaledonischen und variscischen Gebirgsbildung im Raum Erzgebirge — Elbtalzone — Lausitzer Grundgebirge — Westsudeten stehen im Mittelpunkt der folgenden Ausführungen.

Das Lausitzer Grundgebirge besteht zu seinem größten Teil aus granitischen Gesteinen. Die weiteste Verbreitung besitzt der Lausitzer Granodiorit, welcher über etwa 100 km von der Neiße im Osten bis zur Elbe im Westen zu verfolgen ist (Abb. 3). An seinem Nordrand wird das magmatische Gestein entlang einer Linie, die durch die Orte Radeburg, Kamenz, Weißenberg und Görlitz angegeben wird, von der Lausitzer Grauwackenserie (Nordlausitzer Grauwackenformation; PIETZSCH 1938) begleitet. Mit dieser steht der Lausitzer Granodiorit im Intrusivkontakt.

Vermutlich aus der Lausitzer Grauwacke ist vor der Platznahme des Granodiorits durch Granitisationsvorgänge (EBERT 1935) der Lausitzer Zweiglimmergranodiorit (früher Zweiglimmergranit genannt) entstanden, dessen heutiges Verbreitungsgebiet die westliche Lausitz

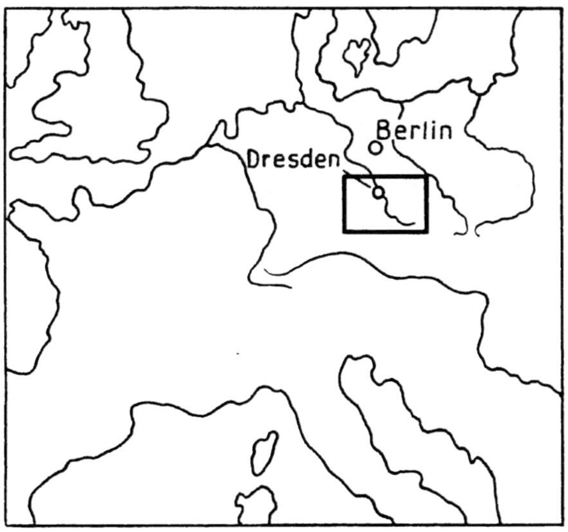

Abb. 1. Die geographische Lage
des behandelten Gebietes (*umrandetes Feld*) in Mitteleuropa

im Bereich der Orte Hohnstein, Löbau, Königsbrück und Dresden ist. Östlich von Löbau ist dieses Gestein abgetragen. Die jüngsten Intrusionen bildet der Stockgranit von Königshain NW von Görlitz und der von Stolpen östlich von Dresden. Diese beiden Granite werden von jeher stofflich und zeitlich mit dem variscischen Riesengebirgsgranit der Westsudeten verglichen (z. B. EBERT 1943).

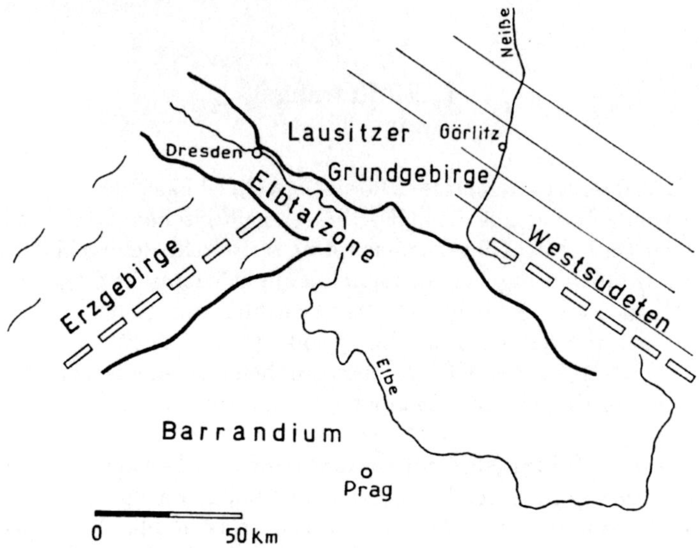

Abb. 2. Schematische Übersichtsskizze zur Lage der verschiedenen tektonischen Einheiten und zur Problematik des Gebietes

Balkensignatur = Leitlinien des variscischen Grundgebirges, *Wellensignatur* = Verbreitung der assyntischen Faltung nach STILLE (1958), *Strichraster* = Wirkungsbereich der kaledonischen Faltung nach BEDERKE (1924) (Lugikum)

Das Lausitzer Grundgebirge endet nördlich von Dresden an der Nordwest–Südost (150°) verlaufenden Westlausitzer Störung. Südöstlich von Dresden grenzen die granitischen Gesteine der Lausitz entlang der Lausitzer Überschiebung (120°) an die Sandsteine des böhmischen Kreidegebietes.

Zwischen dem Lausitzer Grundgebirge und dem Erzgebirge wird als eine besondere geologische Einheit die etwa 10—20 km breite, Nordwest–Südost verlaufende Elbtalzone (EBERT 1932, S. 704) ausgeschieden. Obwohl an ihrem Aufbau Gesteine des Erzgebirges und des Lausitzer Raumes beteiligt sind, ist diese Unterscheidung berechtigt, denn das Elbtalgebiet besitzt als Lineamentzone eine eigene Entwicklung, die sich in einer vorherrschenden Senkungstendenz, einer hohen tektonischen Mobilität sowie in einem eigenen Magmatismus (Syenodiorit–Granit-Massiv von Meißen) äußert.

Das Elbelineament erstreckt sich vom Unterlauf der Elbe bis weit nach Böhmen hinein (STILLE 1947). In den folgenden Ausführungen wird im wesentlichen nur der Bereich dieser tektonischen Zone betrachtet, der zwischen dem Erzgebirge und dem Lausitzer Grundgebirge liegt. Geographisch bilden die Begrenzung die Orte Döbeln, Strehla und Großenhain im Norden sowie Děčín (Tetschen/ČSSR) im Süden (Abb. 3). In diesem Gebiet sind die Gesteinedes Grundgebirges relativ gut aufgeschlossen, während sie weiter nach Norden in immer stärkerem Maße von tertiären und quartären Ablagerungen verhüllt werden. Das gleiche gilt für den Lausitzer Raum nördlich einer Linie, die von Großenhain über Ortrand nach Niesky verläuft. In der Elbtalzone greifen von Süden her die Ablagerungen des böhmischen Kreidebeckens bis in den Raum von Meißen vor und bedecken auf größere Bereiche die älteren Gesteine.

Auf Grund der vorherrschenden Senkungstendenz blieb in der Elbtalzone eine altpaläozoische Sedimentationsfolge erhalten, deren Ausbildung Hinweise über die Auswirkungen der

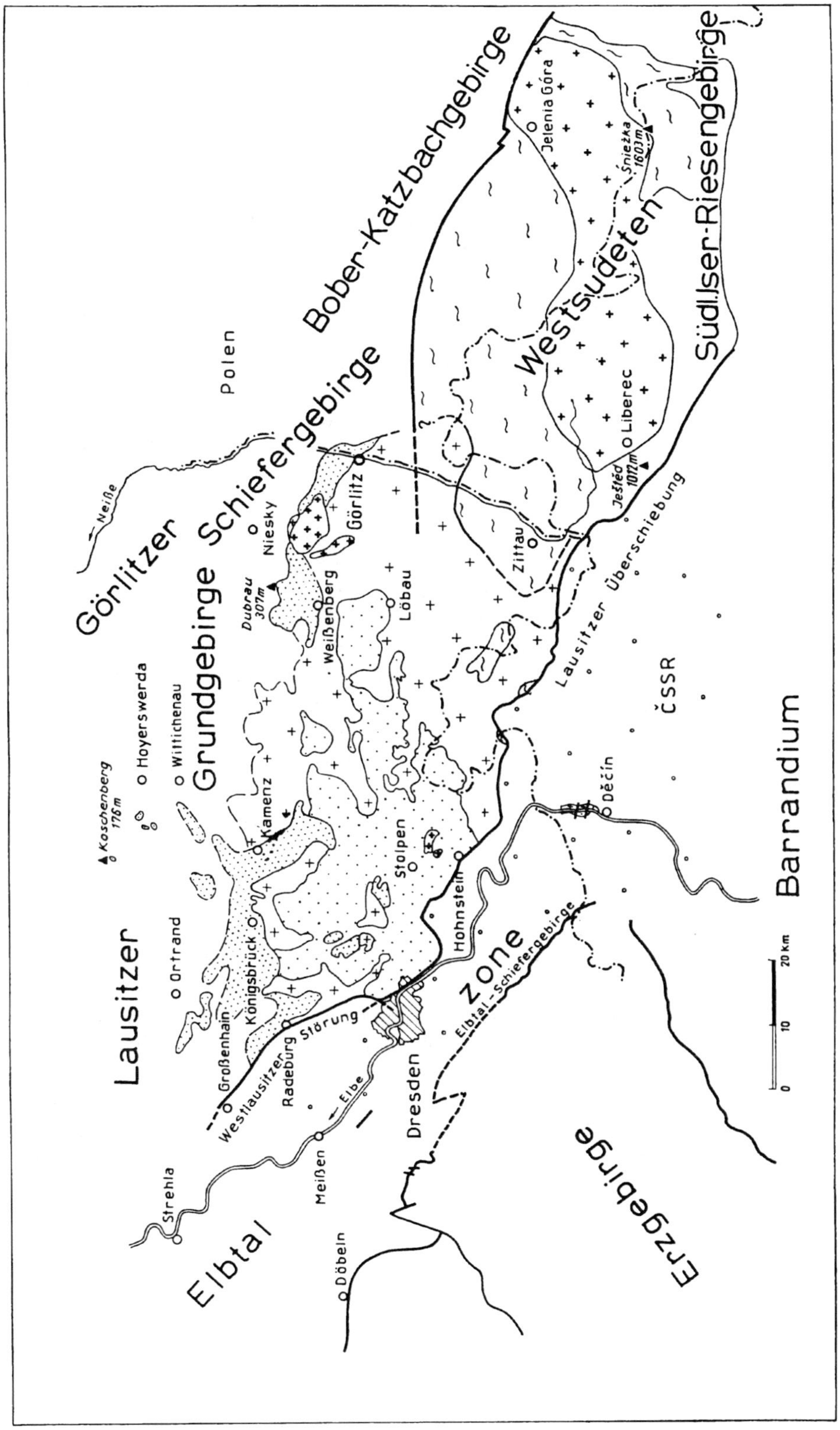

Abb. 3. Übersichtsskizze des Lausitzer Grundgebirges und die Beziehungen dieses Gebietes zu den benachbarten tektonischen Einheiten

Enger Punktraster = Lausitzer Grauwackenserie, *weiterer Punktraster* = Lausitzer Zweiglimmergranodiorit, *weiter Kreuzraster* = Lausitzer Granodiorit, *enger Kreuzraster* = Lausitzer Stockgranite und Iser-Riesengebirgsgranit, *Wellensignatur* = Gneise der Westsudeten, *Kreise* = Oberkreide in der Elbtalzone

kaledonischen Orogenese sowie über die variscische Geosynklinalentwicklung erlaubt. Die variscische Tektogenese ist durch die Wechselfolge von tektonischen Beanspruchungen (Phasen) mit magmatischen Intrusionen bzw. Rekristallisationen im Elbtalbereich gut zu gliedern. Da Gesteine des Lausitzer Grundgebirges in das tektonische Geschehen der Elbtalzone einbezogen sind, können die tektonischen Phasen zugeordneten Bewegungen dieses Gebietes auf das Lausitzer Grundgebirge übertragen werden. Die Elbtalzone liefert somit den Schlüssel für die zeitliche Einstufung der tektonischen und magmatischen Ereignisse im Lausitzer Raum.

Das granitische Lausitzer Grundgebirge wird nicht nur im Südosten, in der Elbtalzone, von einer altpaläozoischen Sedimentfolge umrahmt, sondern auch im Nordosten. Hier ist es das Görlitzer Schiefergebirge, dessen oberflächlich aufgeschlossenes Hauptverbreitungsgebiet zwischen Görlitz und dem Höhenzug der Dubrau (307 m) westlich von Niesky liegt (s. Abb. 3). Die stratigraphische und tektonische Entwicklung des Görlitzer Schiefergebirges kann mit der des Elbtalschiefergebirges verglichen werden.

Zur Abgrenzung des Lausitzer Grundgebirges gegen die Westsudeten ist keine weithin zu verfolgende Störung zu verwenden. Die Neiße kann etwa als Grenze angegeben werden. In ihrem Bereich erscheint erstmalig der Rumburger Granit in größerer Verbreitung. Petrogenetisch steht dieses Gestein zu dem Iser-Riesengebirgsgneis der Westsudeten in einer sehr engen Beziehung.

Das vorordovizisch konsolidierte westsudetische Gneisgebiet wird im Norden und Süden von einer vorzugsweise ordovizisch-silurischen Gesteinsfolge begleitet, deren Hauptfaltung nach den bisherigen Lehrmeinungen in der jungkaledonischen Orogenese erfolgte. Im Norden ist es das Bober-Katzbachgebirge (Gory Kaczawskie/VR Polen), in dem neben den ordovizisch-silurischen Bildungen auch noch ältere, jungalgonkisch-kambrische Gesteine erscheinen. In der streichenden Fortsetzung dieser Einheit liegt das bereits genannte Görlitzer Schiefergebirge. Hier sollte ebenfalls eine jungkaledonische Faltung vorhanden sein (Lee 1938). Im Süden wird der Iser-Riesengebirgsgneis durch den variscischen Riesengebirgsgranit von der altpaläozoischen Sedimentationsfolge des südlichen Iser- und Riesengebirges getrennt. Diese Einheit ist über das Ještěd(Jeschken)-Gebirge westlich von Liberec (Reichenberg)/ČSSR mit der altpaläozoischen Folge der Elbtalzone in Verbindung zu bringen.

Um die Entwicklung der Elbtalzone zu charakterisieren, muß auch das Erzgebirge in die Betrachtungen einbezogen werden. Hier erfolgte während der assyntischen Orogenese eine anatektisch-metasomatische Mobilisation geosynklinaler Gesteinsverbände, ebenso erfolgten Intrusionen granitischer Gesteine. Eine zeitliche Einstufung dieser Ereignisse wird durch den Vergleich der vermuteten Ausgangsgesteine mit den präordovizischen Serien Böhmens annähernd möglich.

Die Grundlagen für die nachfolgenden Ausführungen bilden die Arbeiten des Verfassers im Lausitzer Grundgebirge während der letzten zwölf Jahre. Das Ziel der Arbeit ist — unter Verwendung der neueren Literatur —, die bisher vorliegenden Beobachtungen und Ansichten zu einer Synthese über die geotektonische Entwicklung des Raumes zwischen Erzgebirge–Elbtalzone–Lausitzer Grundgebirge und Westsudeten zu vereinigen. Die Ausführungen sind als eine Arbeitshypothese (sog. Modellvorstellung) zu betrachten, von der der Verfasser hofft, daß sie zu Diskussionen und zu neuen Untersuchungen anregen möge. Sie stellt einen Versuch dar, den heutigen Kenntnisstand in genetisch zusammenfassender Weise zu vereinigen, wobei sich der Verfasser bewußt ist, daß — auf Grund der zahlreichen, zu überbrückenden Kenntnislücken — der Kritik in Form anderer Meinungen weite Möglichkeiten gegeben sind. Die Arbeit spiegelt somit — in dem Aneinanderfügen der verwendeten Angaben — die Ansichten des Autors wider[1]).

---

[1]) Um mit den Problemen nicht näher vertraute Leser auf den hypothetischen Charakter mancher Folgerungen aufmerksam zu machen, wurden im laufenden Text Fragezeichen (?) eingefügt.

Die Deutsche Akademie der Wissenschaften ermöglichte in dankenswerter Weise durch ihre Zusammenarbeit mit der Polnischen Akademie der Wissenschaften Studienreisen in die Westsudeten. Der tschechische Teil der Westsudeten konnte im Rahmen der Vereinbarungen über die technisch-wissenschaftliche Zusammenarbeit zwischen ČSSR und DDR besucht werden.

Für die Führung im polnischen Teil der Westsudeten danke ich Herrn Prof. Dr. H. Teisseyre und Herrn Prof. Dr. Oberc sowie den Kollegen Frl. Dipl.-Geol. Frackiewicz, Dr. Wieser, Dipl.-Geol. J. Teisseyre und Dipl.-Geol. Beresowski. Im Petrographischen Institut der Polnischen Akademie der Wissenschaften in Warschau konnte ich durch Herrn Prof. Dr. Smulikowski mannigfaltige Anregungen erhalten. Für Diskussionen möchte ich ferner Frau Dr. Borkowska-Lydka sowie Frau Dipl.-Geol. Kozlowska-Koch bestens danken. Den tschechischen Teil der Lausitz und der Sudeten lernte ich unter Führung von Dipl.-Geol. Chaloupský und Dr. Fediuk kennen, denen ebenfalls mein besonderer Dank gilt.

Kurz vor Abschluß des Manuskriptes der Habilitationsschrift (s. u.) konnte an der Exkursion „Kristallin des Iser- und Riesengebirges" anläßlich des XIII. Kongresses der Tschechoslowakischen Gesellschaft für Mineralogie und Geologie im September 1962 teilgenommen werden, die von Dr. Svoboda und Dipl.-Geol. Chaloupský geführt wurde. Anregungen brachten ferner die Diskussionen auf der im gleichen Monat erfolgten Exkursionstagung „Nordrand der Böhmischen Masse" der Deutschen Akademie der Wissenschaften zu Berlin in Gemeinschaft mit der Polnischen Akademie der Wissenschaften. Die Leitung der Exkursion lag in den Händen von Prof. Dr. Watznauer bzw. Prof. Dr. Smulikowski und Prof. Dr. Teisseyre. Allen Teilnehmern an den genannten Exkursionen möchte ich für Auskünfte und Hinweise bestens danken.

Das Manuskript wurde von der Friedrich-Schiller-Universität in Jena Ende 1962 als Habilitationsschrift angenommen. Das Habilitationsverfahren fand Anfang Juli 1963 in Jena seinen Abschluß. Es ist mir eine besonders angenehme Aufgabe, Herrn Prof. Dr. Deubel (Jena) für die Förderungen, die er mir zuteil werden ließ, für die Eingabe der Arbeit und sein stetes Interesse daran herzlich zu danken. Mein Dank gilt ferner Herrn Prof. Dr. Smulikowski (Warschau), aus dessen Gutachten ich wertvolle Hinweise entnehmen konnte. Danken möchte ich auch Herrn Prof. Dr. Pietzsch sowie meinen Freiberger Kollegen Dipl.-Geol. Brause, Dipl.-Geol. Hirschmann und Dipl.-Geol. Lorenz, die so freundlich waren, die Habilitationsschrift vor der Drucklegung durchzusehen. Ihre laufenden Arbeiten werden die vorgelegte Synthese hoffentlich bald ergänzen und korrigieren.

Da zwischen der Beendigung der Habilitationsschrift und der Manuskriptabgabe zum Druck ein größerer Zeitraum[1]) lag, wurde die Originalarbeit (Titel: „Lausitzer Grundgebirge — Elbtalzone. Die geotektonische Entwicklung des Raumes zwischen Erzgebirge und Westsudeten") durch Einfügen der neu erschienenen Literatur ergänzt. Stellenweise wurden die Ausführungen gekürzt. Die Hauptgedanken der Habilitationsschrift — einzusehen in den Universitätsbibliotheken — erfuhren dadurch keine wesentliche Änderungen.

II. Die Entwicklung vom Präkambrium bis zum Rotliegenden

A. Das assyntische Geschehen (Algonkium-Kambrium)

1. *Lausitzer Grundgebirge*

a) Die Lausitzer Grauwackenserie und ihre Faltung

Die Lausitzer Grauwackenserie, die als nördliches Rahmengestein den Lausitzer Granodiorit von Radeburg bis Kamenz und von Weißenberg bis nach Görlitz umgibt, besteht aus einer pelitischen, vorwiegend jedoch psammitisch ausgebildeten Sedimentationsfolge, die sich aus Material gleicher Herkunft zusammensetzt (Ebert 1943, S. 106; Lorenz 1962, S. 203). Psephitische Einlagerungen mit Korndurchmessern über 2 mm sind selten.

Die Zusammensetzung psammitischer Grauwacken aus der Umgebung von Kamenz wurde in jüngster Zeit von Landgraf (1961) untersucht. Neben freien Quarzen (35 Vol.-%), Feldspatkörnern (22 Vol.-%) und melanokraten Bestandteilen (2 Vol.-%) sind in dem ursprünglichen Sedimentationsgefüge zu etwa 41 Vol.-% Gesteinsfragmente beteiligt. Es handelt sich dabei um Quarz-Feldspat-führende Gesteine (8 Vol.-%), quarzitische Bildungen (12 Vol.-%), Kieselschiefer (12 Vol.-%) und um Tonschiefer (8 Vol.-%).

---

[1]) Das Manuskript der Habilitationsschrift wurde am 1. 10. 1962 abgeschlossen. Die Abgabe zum Druck erfolgte am 1. 11. 1963. Einige Nachträge sind jüngeren Datums.

Reste von Ergußgesteinen machen nur etwa 1 Vol.-% aus. Die Plagioklase weisen meist ein frisches, unzersetztes Aussehen auf, während die Kalifeldspatreste (vorzugsweise Orthoklas) stark mit Serizitschuppen durchsetzt sind. Nach der Klassifikation von RUCHIN (1958) steht die Lausitzer Grauwacke an der Grenze von Quarzgrauwacken-Arkose und Arkose-Grauwacke. Nach den Definitionen von PETTIJOHN handelt es sich um eine „Gesteinsgrauwacke" (lithic graywackes).

In nördlicher bzw. nordwestlicher Richtung nehmen die durchschnittlichen Korngrößen ab. So fehlen z. B. bei Wittichenau und am Koschenberg nordwestlich von Hoyerswerda (s. Abb. 3), wo Lausitzer Grauwacke inmitten von jungen Lockergesteinen letztmalig zu Tage tritt, gröbere Gesteine als sehr feinkörnige bzw. feinkörnige Grauwacken[1]) überhaupt (G. SCHWAB 1960, S. 9). Die Mächtigkeit der Lausitzer Grauwackenserie ist mit über 1000 m zu schätzen.

Innerhalb der Abfolge sind Sedimentationsrhythmen unterschiedlicher Größenordnung (cm — dm — m) zu erkennen. Ein vollständig ausgebildeter Rhythmus beginnt mit dem Absatz von mittelkörnigen Grauwacken. Über kleinkörnige und feinkörnige Grauwacken leitet die Sedimentation rhythmisch zu sehr feinkörnigen Grauwacken über. Öfters sind einzelne Grauwackenschüttungen unterentwickelt, so daß die Sedimentationsrhythmen nicht vollständig ausgebildet vorliegen (G. SCHWAB 1960).

Gelegentlich sind auf dem, einen Rhythmus abschließenden feinsten Material Marken und Spuren zu finden, so z. B. Rippelmarken in verschiedener Ausbildung (Kleinrippeln, Oszillationsrippeln u. a.), Rieselmarken und Schleifspuren. Submarine Rutschungserscheinungen und Kreuzschichtungen sind im ganzen Verbreitungsgebiet der Grauwacke nicht selten (G. SCHWAB 1960).

Die Grauwackenserie kam in der lithologischen Ausbildung des Lausitzer Raumes auch in der Elbtalzone zum Absatz. Wenige Kilometer südwestlich von Pirna ist sie unter der örtlichen Bezeichnung „Weesensteiner Grauwacke" aufgeschlossen (s. Abb. 4).

Grauwacken vom Typ der Lausitzer Grauwacke sind ferner im nördlichen Teil der betrachteten Elbtalzone bei Strehla als Clanzschwitzer Grauwacke vorhanden (PIETZSCH 1938). Sie setzen vermutlich als zusammenhängender Zug unter jüngeren Gesteinen in südwestlicher Richtung bis in den Raum von Leipzig fort. Dort steht die Grauwackenserie an mehreren Stellen an (GRAHMANN & PIETZSCH 1925, S. 5).

Die Lausitzer Grauwackenserie wurde lange Zeit für kulmisch (Unterkarbon) gehalten (PIETZSCH 1909). Die Aufsammlung organischer Reste (WEISE 1914, BEGER 1914a, HÄRTEL 1929) schien diese Alterseinstufung zu bestätigen. Die Funde erwiesen sich jedoch als anorganisch (ausgewitterte Schwerspatkristalle) bzw. fremder Herkunft (z. B. verschleppte oberschlesische Steinkohle).

Die Altersfrage erhielt eine Wende, als PIETZSCH (1938) die Lausitzer Grauwacke auf Grund lithologischer Vergleiche mit den algonkischen Grauwacken Mittelböhmens parallelisierte, die zur Nachspilit-Stufe[2]) gehören (KETTNER 1917). Diese Einstufung wird durch neue paläontologische Untersuchungsergebnisse sehr wahrscheinlich gemacht.

TIMOFEJEW (1958) fand in Proben von Lausitzer Grauwacke einzellige Algen, Sporen von Pflanzen sowie Fetzen von Pflanzengeweben und -häutchen. Vergleiche mit ähnlichen Funden in proterozoischen und kambrischen Gesteinen des Baltischen Schildes führten TIMOFEJEW zu Altersaussagen für die Lausitzer Grauwacke.

Eine Sporengesellschaft, die der der Laminaritentone der westlichen russischen Tafel ähnlich ist, tritt in der Lausitzer Grauwacke aus dem Gebiet von Görlitz auf. Diese Tatsache, besonders das Erscheinen von Laminaritenhäutchen berechtigt nach TIMOFEJEW, diese Schichten in das Eokambrium zu stellen. Für die Proben aus dem Gebiet von Kamenz und von der Weesensteiner Grauwacke der Elbtalzone wird von diesem Bearbeiter — nach dem Vorkommen einzelliger Algen aus der Familie der Diacroideaceae — ein kambrisches Alter angenommen. Da die ersten Vertreter dieser Algenfamilie nach den bisherigen Kenntnissen am Ende des Unterkambriums erscheinen, müßten diese Grauwacken in das späte Unterkambrium oder in das Mittelkambrium gehören.

---

[1]) Körnigkeitsbezeichnungen nach NIGGLI (1948, S. 150).

[2]) In der Literatur der ČSSR wird der Ausdruck „Stufe" im Sinne der neuen tschechoslowakischen, stratigraphischen Terminologie durch die Bezeichnung „Serie" ersetzt (z. B. RÖHLICH 1961).

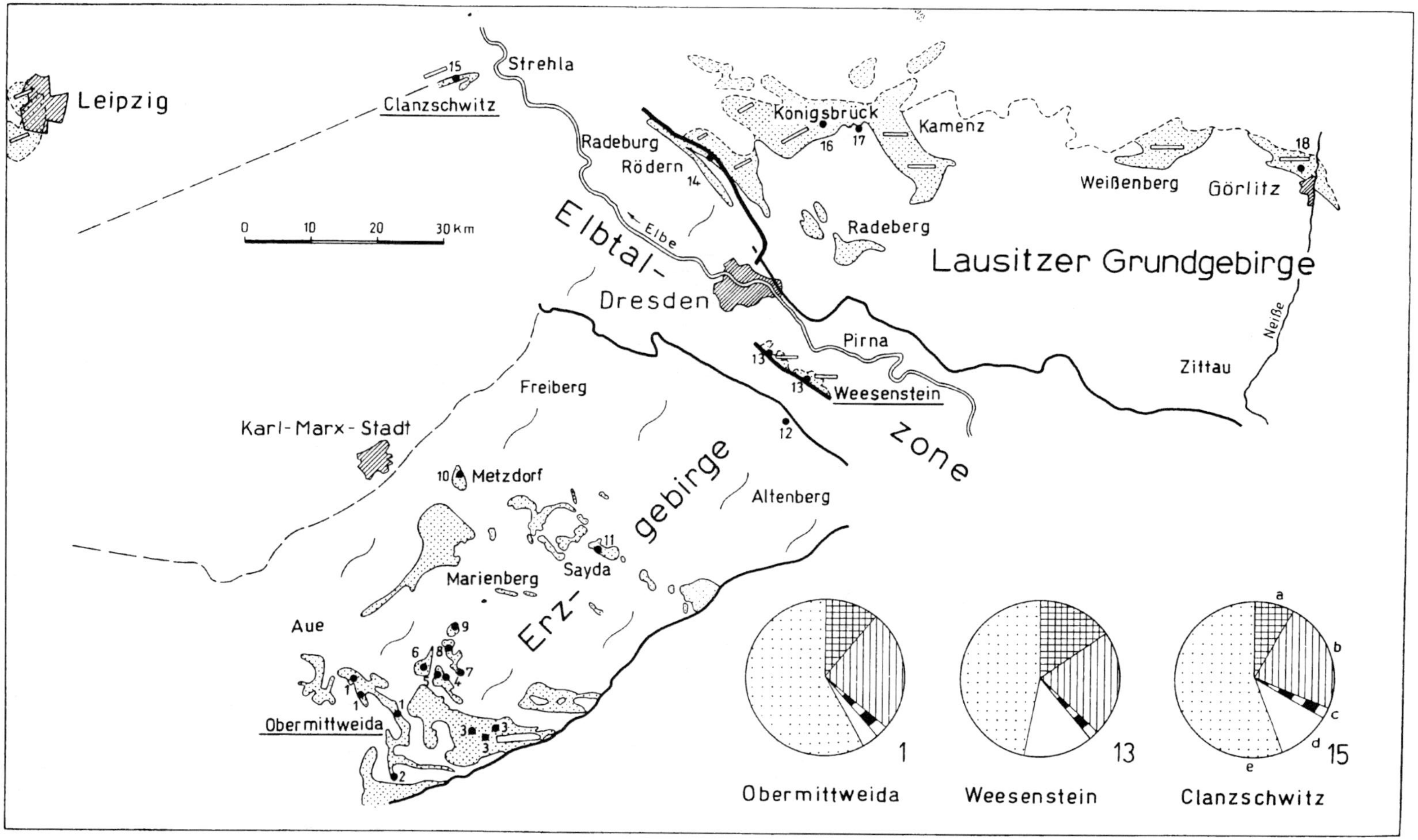

Abb. 4. Verbreitung der nachspilitischen Grauwackenserie

Punktraster = Sedimente der Nachspilit-Stufe, *Balkensignatur* = Faltenachsenrichtung, *1–18* = Fundpunkte sog. Geröllgrauwacken. Erläuterungen zu den Diagrammen quantitativer Geröllanalysen (SCHMIDT 1960a, S. 8): *a* = saure Tiefengesteine, *b* = Ganggesteine, *c* = basische Vulkanite, Lamprophyre, *d* = Gang- und Pegmatitquarze, *e* = Sedimentgesteine

Eine Grauwackensedimentation von Jungalgonkium bis in das Mittelkambrium ist jedoch „im höchsten Grade unwahrscheinlich“ (Pietzsch 1962, S. 792). Auf Grund der geologischen Gegebenheiten scheidet ein kambrisches, ordovizisches, silurisches oder unterkarbonisches Alter für die Gesamtheit der Lausitzer Grauwackenserie weitgehend aus (s. folgend. Text). Die einförmige Sedimentationsfolge ist sicher älter als das fossilführende Kambrium des Görlitzer Schiefergebirges und lag vermutlich bereits vor dessen Ablagerung gefaltet vor. Unter diesen Gesichtspunkten können die Beobachtungen von Timofejew nur als ein Hinweis für die Richtigkeit des lithologischen Vergleiches der Lausitzer Grauwacke mit den Gesteinen der böhmischen Nachspilit-Stufe angesehen werden, indem die gefundenen Mikrofaunen ein nachkambrisches Alter mit Sicherheit ausschließen dürften.

Die rhythmische Sedimentation der Lausitzer Grauwackenserie sowie die neritischen Faziesverhältnisse (schlechte Sortierung, geringer Abrollungsgrad)[1]) bei einer großen Mächtigkeit sprechen — unter Berücksichtigung der orogenetischen Entwicklung — nach G. Schwab (1960) gegen eine Bildung unter Flyschbedingungen. Die Lausitzer Grauwacke ist als eine randliche (?) Molasse (Ruchin 1958) des assyntischen Gebirgssystems anzusehen. Da die Korngrößen generell nach Norden abnehmen, wird die „Lausitzer“ Vortiefe nördlich des orogenetischen Hebungsgebietes gelegen haben. Das Liegende der Lausitzer Grauwackenserie ist nicht bekannt.

In dieser Abhandlung werden mit „Molasse“ solche Sedimente bezeichnet, die nach der orogenetischen Hauptphase als Abtragungsprodukte eines aufsteigenden Gebirges in Vortiefen zum Absatz gelangten.

Die orogenetische Hauptphase, mit der der initiale Magmatismus abschließt, zeigt das Ende einer Geosynklinalentwicklung an. Sie ist stets ein sehr deutlicher und relativ scharf zu fixierender Zeitpunkt innerhalb jeder Orogenentwicklung (Schatski & Bogdanow 1958, S. 11)[2]). Während der beginnenden Bodenunruhe in einer Geosynklinale — vor der orogenetischen Hauptphase — bilden sich als „Flysch“ zu bezeichnende Sedimenttypen.

Von einigen Autoren werden die nachspilitischen Grauwacken als Flyschsedimente angesehen. Beneš (1962, S. 27) z. B. stellt ihre Bildung in das deuterogeosynklinale Stadium, das in Böhmen durch eine schwache Faltung beendet wird.

Die Bezeichnung der einförmigen Grauwacken als Molasse oder Flysch ist im wesentlichen eine Definitionsfrage, auf die nicht weiter eingegangen werden soll.

Die pelitischen Grauwackenausbildungen besitzen fast nirgends eine Schieferung[3]), wie sie z. B. für die lithologisch sehr ähnlichen thüringisch-vogtländischen Unterkarbon-Sedimente kennzeichnend ist. Lorenz schließt daraus ebenfalls (s. o.), daß es sich bei der Lausitzer Grauwackenserie zweifellos nicht um ein Orthogeosynklinalsediment handelt. Es liegt vielmehr eine Vortiefenausbildung vor (G. Schwab 1960, S. 626), die „am Nordrand des assyntischen Gebirgssystems abgelagert wurde“ (Lorenz 1962, S. 205).

In den letzten Jahren ist die Lausitzer Grauwacke von G. und M. Schwab im Rahmen von Diplomarbeiten (1955) bei Kamenz und Weißenberg eingehend klufttektonisch aufgenommen worden. Diese Arbeit wurde von G. Schwab (1960) für den gesamten Grauwackenbereich zu Ende geführt.

In der Lausitzer Grauwacke ist eine zum Teil isoklinale Biegefaltung (gebundene Faltung) festzustellen, deren flach liegende Faltenachsen zwischen Kamenz und Görlitz sowie bei Weesenstein in der Elbtalzone um Ost–West (70—100°) streichen. Im Gebiet zwischen Radeburg und Königsbrück ist ein Ablenken in die Nordost–Südwest-Richtung (50—70°) zu bemerken (Abb. 4). Beide Streichrichtungen gehen westlich von Kamenz flexurartig ineinander

[1]) Fluiditätsfaktor nach Pettijohn 34:66, Reifefaktor 37:67, Herkunftsfaktor 22:41 (Landgraf 1961).

[2]) Auf den neuen tektonischen Karten, so z. B. auf der „Tektonischen Karte der UdSSR und der angrenzenden Länder“ im Maßstab 1:5000000 wird die orogenetische Hauptphase zur Angabe des Faltungsalters eines bestimmten Gebietes verwendet.

[3]) Gesteine von der Art der Pelite der Lausitzer Grauwackenserie (stark verhärtete Tongesteine ohne Schiefrigkeit) werden im englischsprachigen Schrifttum als Argillite bezeichnet (s. Lorenz 1962, S. 204).

über, durchkreuzen sich aber nicht. Die Vergenz der Falten ist schwach entwickelt und wechselt in den verschiedenen Bereichen (G. SCHWAB 1960, S. 16).

Sämtliche Beobachtungen sprechen nach G. SCHWAB für eine Faltung der Lausitzer Grauwackenserie im baldigen Anschluß an die Sedimentation. Für die erste Verformung der mächtigen, einförmigen Abfolge kommt am ehesten der Zeitraum zwischen dem Jungalgonkium und dem Kambrium, d. h. die jungassyntische Phase in Betracht. So besteht zwischen der unterkambrischen Görlitzer Kalksedimentation und den monotonen jungalgonkischen Grauwackenbildungen ein deutlicher fazieller Hiatus. Auch in der Tektonik beider Komplexe scheinen Unterschiede zu bestehen, die nicht allein auf eine disharmonische Faltung zurückzuführen sind. Leider ist die Grenzfläche beider Formationen (Jungalgonkium–Unterkambrium) in Ostsachsen bisher nirgends aufgeschlossen.

In Böhmen bewirkte die jungassyntische Phase eine Verfaltung der algonkischen Schichten, über die das Mittelkambrium — evtl. bereits das Unterkambrium — diskordant hinweggreift. Eine zum Teil vorhandene, schwache Metamorphose weist auf eine örtlich (z. B. Gebiet von Jílové) relativ stärkere Intensität dieser Bewegungen hin (MÁŠKA 1960, S. 40; RÖHLICH 1961, S. 188).

Im Bereich des Görlitzer Schiefergebirges liegt nach einer neueren Bohrung bei Ober-Prauske — etwa 2 km südwestlich des Gipfelpunktes der Hohen Dubrau (307 m) — der hier etwa 90 m mächtige tremadocische Dubrau-Quarzit diskordant auf gefalteter und kontaktmetamorph durch den Lausitzer Granodiorit veränderter Lausitzer Grauwacke[1]).

Der in der Literatur (FREYER 1957) beschriebene konkordante Verband zwischen dem, mit dem Tremadoc-Quarzit parallelisierten Quarzit von Sproitz (westlich von Niesky; s. Abb. 17) und einer unterkambrischen Schichtenfolge ist altersmäßig zu revidieren, da durch Conodonten-Funde beide Serien dem Oberdevon zuzurechnen sind (BRAUSE & HIRSCHMANN 1964; vgl. Abschn. II, B, 2b).

Die sardische Phase, die im Görlitzer Schiefergebirge nicht sicher zu belegen ist, dürfte vermutlich im Lausitzer Raum keine Faltung, sondern nur eine epirogenetische Schichtlücke im höheren Kambrium bewirkt haben.

In Böhmen liegt zwischen dem höheren Kambrium (paläontologisch belegt Mittelkambrium) und der Basis des Ordoviziums eine Winkeldiskordanz, die auf Bewegungen in dem Zeitraum der sardischen Phase (böhmische Phase nach KOSSMAT 1936, S. 34) zurückgeführt wird (MÁŠKA 1960, S. 42).

Die sardische Phase ist im betrachteten Raum als Abschlußphase der assyntischen Gebirgsbildung anzusehen (KOSSMAT 1936). Exakt nachzuweisen ist sie bisher in Sachsen nicht. Bewegungen zu dieser Zeit werden aus dem regionalen Fehlen von höherem Kambrium und der Ausbildung des fossilführenden Tremadoc (Restschotter) abgeleitet. Ferner zeigt das Kambrium engere Beziehungen zum Jungalgonkium (vgl. S. 15), während das Ordovizium zu der variscischen Geosynklinalentwicklung überleitet. Der sardischen Phase wird die Bedeutung zugemessen, die der saalischen Phase[2]) innerhalb der variscischen Orogenese zukommt (vgl. LOTZE 1956).

Eine jüngere, nachkambrische Faltung der Lausitzer Grauwacke scheidet auf Grund der geologischen Betrachtungen weitgehend aus. So sind jungkaledonische Faltungsbewegungen im sächsischen Raum nicht nachzuweisen (s. Abschn. II, B, 1c). Im Görlitzer Schiefergebirge besteht zwischen den erstmalig variscisch gefalteten Schichten und der Lausitzer Grauwackenserie eine deutliche Strukturdiskordanz (s. Abschn. II, C, 1a).

---

[1]) Eine nähere Beschreibung der Verhältnisse ist durch Dipl.-Geol. HIRSCHMANN (VEB Geologische Erkundung Süd Freiberg) zu erwarten.

[2]) Die tektonische Bezeichnung „Phase“ wird auf zeitlich fixierbare orogenetische (faltenbildende), bruchtektonische und auf epirogenetische Bewegungen (Schichtlücken, sedimentäre Fazieswechsel) bezogen. Die jeweilige tektonische Charakterisierung geschieht im begleitenden Text.

b) Das Kambrium im Görlitzer Schiefergebirge

Die unterkambrischen Gesteine des Görlitzer Raumes haben eine Mächtigkeit von über 100 m.

In dem Bereich zwischen Rengersdorf und Ludwigsdorf (Abb. 5) bestehen sie im Liegenden aus dem dickbankigen, feinkörnigen, grauen Unteren Kalk (cb_1; bis 70 m), für den eine weitgehende Dolomitisierung (15–18% MgO) kennzeichnend ist. Der hangende Obere Kalk (cb_2) ist im Gegensatz dazu sehr magnesiumarm (unter 1% MgO). Er kann durch eine Rotschiefereinlagerung (bis 10 m) in eine liegende und hangende Abteilung gegliedert werden. Die dickbankigen Kalke der unteren Abteilung ($cb_2\alpha$; bis 60 m) lassen durch Wechsellagerung mit dünnen roten Tonschieferlagen eine deutliche Schichtung erkennen. In der hangenden Abteilung ($cb_2\beta$; bis 30 m) geht der Kalk durch Zunahme der Rotschiefereinschaltungen über Linien-, Flaser- und Knollenbalke allmählich in die tiefroten bis violetten Eodiscus-Schiefer ($cb_3\alpha$; bis 10 m) über. Auf die Eodiscus-Schiefer folgen die etwas sandigeren und gröberen Protolenus-Schiefer ($cb_3\beta$; bis 12 m), die ohne scharfe Grenze in rote und graue Grauwackenschiefer mit Kalkbänkchen (cb_4) überleiten (nach SCHWARZBACH 1934 a, LEE 1938).

Die abschließenden Grauwackenschiefer stellt SCHWARZBACH (1934a, S. 30) mit Vorbehalt schon zum Mittelkambrium. Ein so junges Alter der Grauwacken ist aber paläontologisch nicht bewiesen, denn die wenigen bekannten Fossilien sind für die Stratigraphie unbrauchbar.

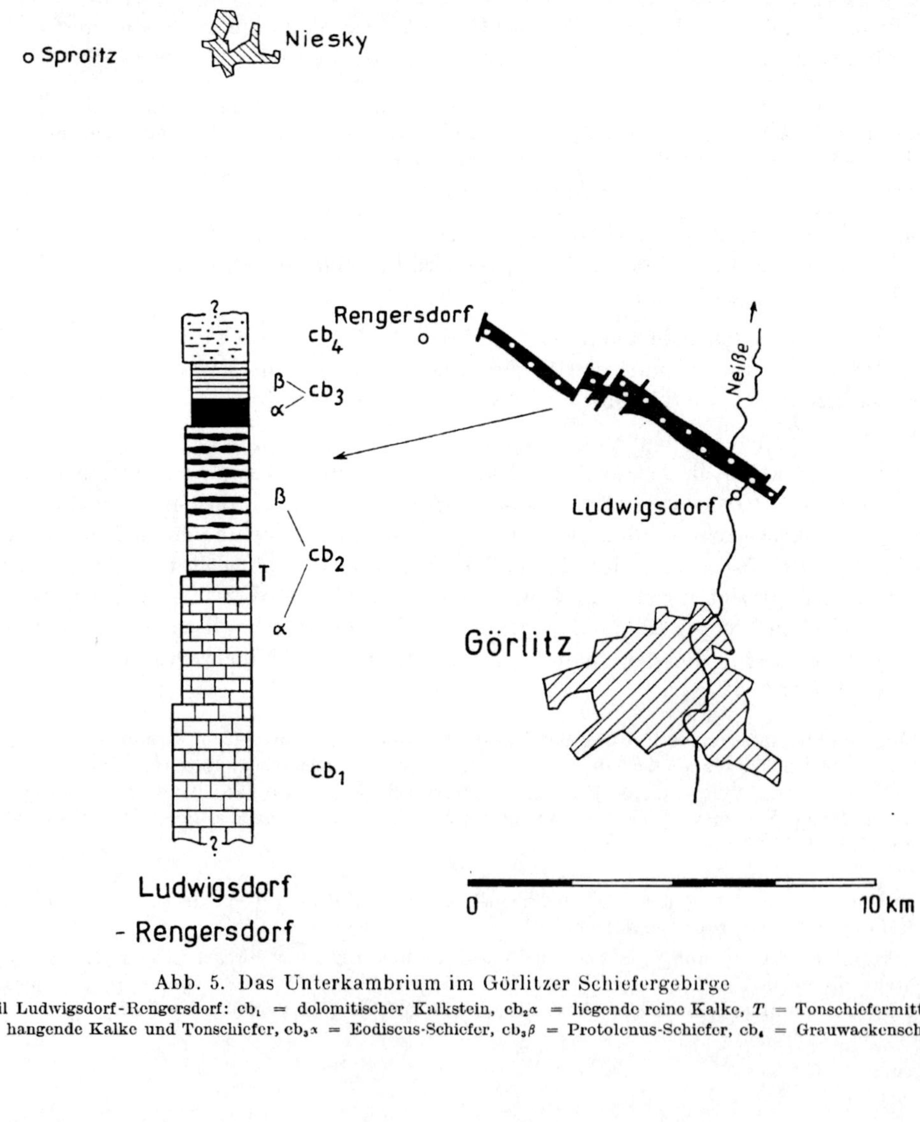

Abb. 5. Das Unterkambrium im Görlitzer Schiefergebirge

Profil Ludwigsdorf-Rengersdorf: cb_1 = dolomitischer Kalkstein, $cb_2\alpha$ = liegende reine Kalke, T = Tonschiefermittel, $cb_2\beta$ = hangende Kalke und Tonschiefer, $cb_3\alpha$ = Eodiscus-Schiefer, $cb_3\beta$ = Protolenus-Schiefer, cb_4 = Grauwackenschiefer

Aus der geringen Mächtigkeit und der Art des Sedimentes ergibt sich, daß die Grauwackenschiefer und Grauwacken wahrscheinlich einem ziemlich kurzen Zeitraum entsprechen. Da die Protolenus-Schiefer nicht bis an die Obergrenze des Unterkambriums reichen, finden die Grauwacken noch gut im Unterkambrium Platz (SDZUY 1960; dort auch Fossilverzeichnis).

Der Kalk selbst hat keine stratigraphisch brauchbaren Fossilien geliefert, so daß sein Alter nicht festlegbar ist. Nach der Trilobiten-Fauna der überlagernden Schiefer kann der Kalk jedoch nicht jünger sein als die Holmia-Schichten von Nord- und Osteuropa. Zwischen den Eodiscus- und Protolenus-Schiefern liegt sicher kein großer stratigraphischer Abstand. Der Unterschied der Faunen hat wahrscheinlich vor allem ökologische Gründe.

Im Görlitzer Schiefergebirge ist somit nur höheres Unterkambrium belegt. Die Kalke bilden einen Zug, der in nordwest-südöstlicher Richtung zwischen Rengersdorf und Ludwigsdorf nördlich von Görlitz in einzelnen Vorkommen über eine Entfernung von etwa 10 km aufgeschlossen ist. Der von streichenden Störungen begleitete Kalkzug wird durch Nordost-Südwest streichende Verwerfungen in einzelne Glieder zerlegt (s. Abb. 5).

Nach Südosten verschwinden die kambrischen Gesteine östlich der Neiße zusammen mit den anderen Gesteinen des Görlitzer Schiefergebirges unter den tertiären und känozoischen Einheiten der Zittau–Wegliniec(Kohlfurter)-Senke (TEISSEYRE 1961, S. 4). Kalke in ähnlicher Ausbildung wie bei Görlitz erscheinen erst wieder etwa 70 km südöstlich im Bober-Katzbachgebirge, besonders bei Wojcieszów (Kauffung).

Die Görlitzer Kalke zeigen die Veränderung der Sedimentationsbedingungen im Anschluß an die jungassyntische Phase an (?). Im höheren Kambrium erfolgte im Lausitzer Raum eine epirogenetische Heraushebung, die von der sardischen Phase altersmäßig begrenzt wird (s. vorheriger Abschnitt).

Mit der ordovizischen Sedimentation beginnt ein neuer Entwicklungsabschnitt. Das Ordovizium setzt nach einer Zeit der Abtragung und Verwitterung transgressiv mit den als Restschotter so betrachteten Tremadoc-Quarziten ein, die an der Basis oft konglomeratisch ausgebildet sind. Vermutlich nur örtlich bilden Tonschiefer das Liegende (s. S. 54).

Das Kambrium besitzt — besonders unter der Berücksichtigung der böhmischen Verhältnisse — engere genetische Beziehungen zum Jungalgonkium als zum Ordovizium. Im höheren Kambrium erscheinen in Böhmen, besonders im Raum von Krivoclát–Rokycany, vorwiegend saure Ergußgesteine, die als subsequente Vulkanite der assyntischen Gebirgsbildung anzusehen sind.

Die magmatische Tätigkeit setzte vermutlich schon früher ein, da in den Konglomerathorizonten im Liegenden des fossilmäßig belegten Mittelkambriums bereits Felsitlagen und Lagen feinkörniger Tuffe sowie Porphyrglasfragmente vorhanden sind (ENGERT 1956a, S. 13; MÁŠKA & ZOUBEK 1960). Im Görlitzer Unterkambrium ist neuerdings ein zeitgleicher Diabasvulkanismus nachgewiesen (HIRSCHMANN).

2. *Erzgebirge*

a) Die algonkische Sedimentation, die assyntische Mobilisation und der Magmatismus

Im Lausitzer Grundgebirge[1]) beginnt die erkennbare stratigraphische Abfolge mit der Nachspilit-Stufe (Lausitzer Grauwackenserie). Ältere Bildungen sind evtl. in den granodioritischen Gesteinen verborgen (s. Abschn. C, 1b). Im Bereich des Erzgebirges ist die assyntische Entwicklung über einen größeren Zeitraum zu verfolgen, der auch die Vorspilit(?)- und Spilit-Stufe umfaßt.

Die drei zu unterscheidenden Einheiten (Vorspilit-, Spilit- und Nachspilit-Stufe) sind dem Jungalgonkium zuzurechnen, d. h. dem Zeitraum zwischen 825 und etwa 550 Millionen Jahren (WATZNAUER 1962a).

[1]) Die Vorkommen „Rumburger Granit" im Bereich der südöstlichen Oberlausitz gehören genetisch zu den Westsudeten und werden dort besprochen.

In Böhmen (KETTNER 1917, 1955) besteht die Vorspilit-Stufe aus einer einförmigen pelitisch-psammitischen Serie, für die das fast völlige Fehlen von vulkanischen Gesteinen typisch ist. Vermutlich gehört die mindestens 1000—2000 m mächtige Schichtenfolge von Grauwacken und Schiefern mit Kieselschieferlagen des nördlichen Moldaugebietes hierher (RÖHLICH 1962). Die ohne Schichtlücke folgende Spilit-Stufe wird durch den initialen Magmatismus der assyntischen Orogenese gekennzeichnet. Das häufigste Gestein sind dichte Diabasaphanite. Der effusive Charakter gibt sich durch Pillowlaven sowie vulkanische Brekzien zu erkennen. Einige gabbroide, peridotitische und dioritische Gesteinskomplexe scheinen hypabyssische Intrusionen (MÁŠKA & ZOUBEK 1960, S. 41; BENEŠ 1962, S. 26) darzustellen. Auch quarzkeratophyrische und keratophyrische Effusivgesteine sind bekannt (z. B. Davler Schichtenfolge, s. RÖHLICH 1961, S. 188). Die Sedimente der Spilit-Stufe bestehen aus Gesteinen mit grauwackeartiger Zusammensetzung, die in stärkerem Maße tonige, merglige, arkoseartige und quarzitische Lagen enthalten. Das Erscheinen von Kiesel-, Pyrit- und Alaunschiefern wird mit dem submarinen Vulkanismus in Verbindung gebracht (s. KETTNER 1955, S. 56). Am Ende der initialen magmatischen Tätigkeit, d. h. in den höheren Teilen der Spilit-Stufe gelangten kalkig-tonige Sedimente sowie Kalke zur Bildung, wobei letztere jedoch nirgends größere Mächtigkeit erreichten. Im Südost-Teil des böhmischen Algonkiums bilden etwa 50 bis 120 m mächtige, schwarze, teils verkieselte tuffitische Schiefer den höchsten Teil der Spilit-Stufe (Lečicer-Schichten nach RÖHLICH 1961, S. 188).

In den Frühstadien der assyntischen Orogenese unterlagen im erzgebirgischen Raum die der Vorspilit- (?) und Spilit-Stufe entsprechenden Serien einer anatektisch-metasomatischen Mobilisation. Es entstand durch Glimmerbildung, Feldspatblastese und Sammelkristallisationen ein meist feinkörniges, reliktreiches Gestein (Oberer Freiberger Gneis), welches nach seiner modalen Zusammensetzung als Zweiglimmergranodiorit anzusprechen ist. Ehemalige Sedimentstrukturen sind zum Teil erhalten, so daß an der parametamorphen Natur kaum Zweifel bestehen. Die Mobilisation (Granitisation) wird vermutlich durch die intra-algonkische Phase[1]) abgeschlossen, die als orogenetische Hauptphase der assyntischen Orogenese zu betrachten ist. Im Anschluß daran erfolgte örtlich ein Aufstieg des in größerer Tiefe mobiler gewordenen Materials in höhere Krustenbereiche (s. später folgend. Text). Der von den Bewegungen betroffene Raum wurde zeitweilig Festland (s. MÖBUS 1961).

In der darauffolgenden nachspilitischen Zeit — im jüngsten Algonkium — gelangte als Molasse in den Vortiefen des assyntischen Gebirges die bereits aus der Lausitz beschriebene einförmige Grauwackenserie zum Absatz (Abb. 6).

Es kann angenommen werden, daß die Sedimentation der nachspilitischen Grauwackenserie des Erzgebirges, der Elbtalzone und des Lausitzer Raumes in einer gemeinsamen Vortiefe erfolgte. Dafür spricht unter anderem der gleiche Geröllinhalt in den konglomeratischen erzgebirgischen und lausitzer Grauwacken (s. Abb. 4).

Aus dem Erzgebirge sind bisher zwölf Bereiche geröllführender Grauwacken beschrieben worden. Einer, der bedeutendsten und seit langem bekannten Fundorte (SAUER 1879) befindet sich bei Obermittweida nordwestlich von Scheibenberg. Sein Geröllinhalt wurde von MEHNERT (1939) quantitativ charakterisiert. Neue Beschreibungen der Vorkommen liegen von REICHEL (1956) und SATTRAN (1963a) vor. Von den gleichalten geröllführenden Grauwacken der Elbtalzone gab SCHMIDT (1960a) eine quantitative Beschreibung. Im Lausitzer Grundgebirge treten kleingeröllige Grauwacken bei Neukirch in der Nähe von Königsbrück, bei Schwosdorf westlich von Kamenz und nördlich von Görlitz auf (Abb. 4).

In allen Bereichen sind die schlecht sortierten Gerölle niemals zu kompakten Konglomeratbänken zusammengelagert. Sie treten stets als lokal begrenzte Gerölleinstreuungen in einer Grundmasse mit Grauwackencharakter auf. Die Durchmesser der Gerölle betragen in der Regel einige Zentimeter. Nur örtlich erreichen sie maximale Querschnitte von 30 cm (Obermittweida) bzw. 20 cm (Elbtalzone). Im Lausitzer Grundgebirge liegen die Gerölldurchmesser nur bei einigen Millimetern, so daß es den Anschein hat, daß die Geröllführung nach Osten ausklingt (SCHMIDT 1960a, S. 65).

---

[1]) STILLE (1958, S. 25) gebraucht die Bezeichnung „eisengebirgische Phase". Er bezieht sich dabei auf die Verhältnisse im Železné hory (Eisengebirge), wo Jungalgonkium (Eokambrium nach FIALA & SVOBODA 1956) diskordant auf älteren Schichten liegt. MÁŠKA & ZOUBEK (1960) verwenden den Ausdruck „frühassyntische Phase".

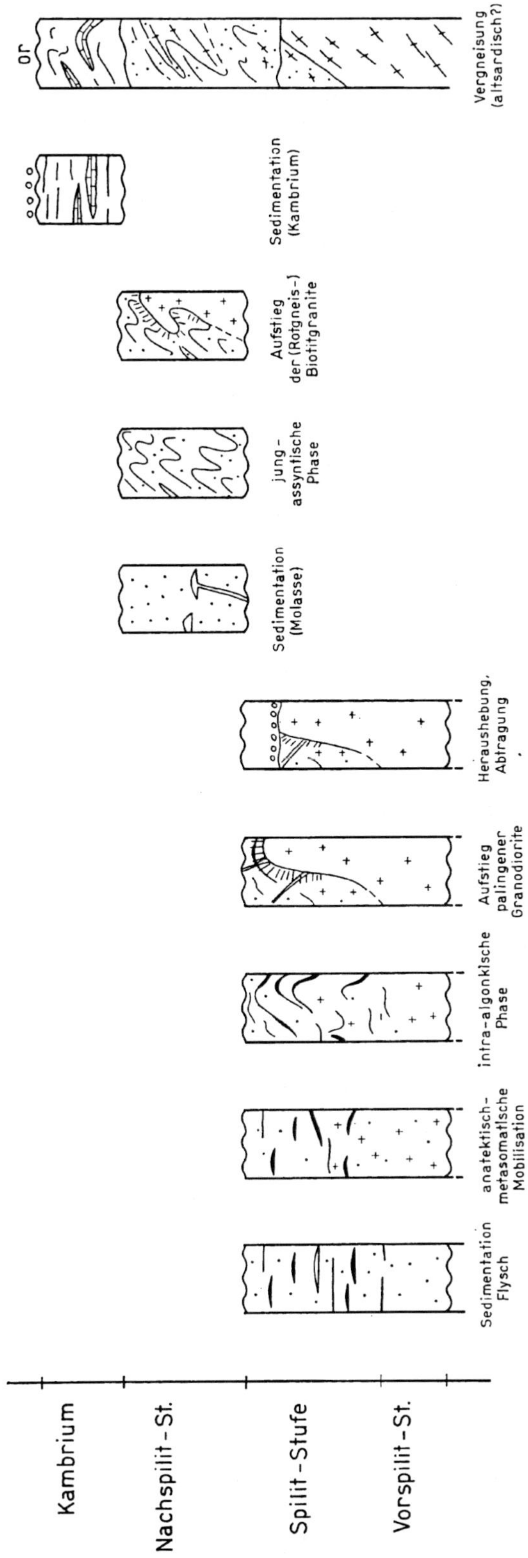

Abb. 6. Die assyntische Entwicklung im erzgebirgischen Raum (stark schematisiert; vgl. Tab. 1)

Die quantitativen Geröllanalysen zeigen, daß die Geröllgemeinschaften im Erzgebirge und in der Elbtalzone etwa je zur Hälfte aus Sedimenten und magmatischen Gesteinen bestehen (s. Abb. 4). Die Sedimentgerölle werden vorzugsweise aus Quarziten, Metakieselschiefern (Graphitquarziten), Grauwacken, Arkosen, Quarz–Feldspat-Sandsteinen und Schiefern gebildet (Schmidt 1960a, S. 74). Die magmatischen Komponenten erweisen sich als saure Tiefengesteine (Granite, Granodiorite) und deren Ganggesteine (Granitporphyre, Aplite), zum überwiegenden Anteil jedoch als saure Effusiva (Quarzporphyre, Felsite). Intermediäre und basische Gesteine (Vulkanite, Lamprophyre) treten anteilmäßig zurück. Neuaufsammlungen von Geröllen ergaben für den südlichen (tschechischen) Teil des Erzgebirges dieselben Geröllgemeinschaften (Sattran 1963a).

Im Lausitzer Raum sind bisher keine größeren Gerölle von Tiefengesteinen gefunden worden. Quarz–Feldspat-Verwachsungen weisen jedoch auf sie hin (vgl. S. 9). Die anderen magmatischen Komponenten bestehen in der Regel aus sauren Effusiva mit porphyritischem bzw. keratophyrischem Charakter sowie aus Quarzporphyren (Timofejew 1958, S. 829; Schmidt 1960a, S. 65).

Zwischen allen als Gerölle vorliegenden magmatischen Gesteinstypen bestehen Übergänge, so daß man die verschiedenen Gesteine einem einheitlichen magmatischen Intrusions- und Extrusionszyklus zuordnen kann (Schmidt 1961a, S. 82). Auch Geröllltypen, die eine präkonglomeratische statische Kontaktmetamorphose bezeugen (Fleckschiefer, Turmalinfelse) erscheinen vereinzelt neben Bildungen, die als xenolithische Einschlüsse in Tiefengesteinen gedeutet werden können.

Die als Gerölle vorliegenden mittelkörnigen Granodiorite entsprechen in ihrer petrographischen Ausbildung weitgehend den palingenen Granodioriten des Erzgebirges (s. Schmidt 1960a, S. 63; Beneš & Holoubec nach Máška & Zoubek 1960, S. 70; Sattran 1963a), die heute als Unterer Freiberger Gneis vorliegen. Die weiterhin als Gerölle nachgewiesenen intermediären bis sauren Ganggesteine (bes. Keratophyre, Porphyrite und Quarzporphyre) können dem initialen Magmatismus angehören. Es ist aber ebenfalls möglich, daß es sich um Abtragungsprodukte von Vorläufern des assyntischen subsequenten Magmatismus handelt[1]).

Aus der Geröllzusammensetzung ergibt sich, daß zur Zeit der Einstreuung in das Grauwackensediment — also in der Nachspilit-Stufe — die der Abtragung unterliegenden Hochgebiete vorzugsweise aus gefalteten, jedoch nur schwach metamorphen sedimentären Gesteinen bestanden. In ihrem Bereich waren die Kopfteile einzelner Plutone mit statischen Kontakthöfen sowie zahlreiche saure bis intermediäre Ganggesteine angeschnitten. Die tieferen Zonen der intra-algonkischen Regionalmetamorphose waren noch nicht von der Erosion freigelegt (?).

In Böhmen treten in den kambrischen Konglomeraten, die das durch Fossilfunde belegte Mittelkambrium unterlagern, Gerölle von gefalteten und metamorphosierten algonkischen Gesteinen auf (Máška & Zoubek 1960, S. 37). Diese Funde sprechen dafür, daß im Kambrium das Anschnittniveau bereits tiefer gelegen hat als zur Zeit der Nachspilit-Stufe.

b) Die Vergneisung des erzgebirgischen Raumes

Im heutigen geologischen Bild besteht zwischen den nachspilitischen Grauwacken des Erzgebirges und denen des Lausitzer Grundgebirges ein wesentlicher Unterschied. Die Grauwakkenserie des Erzgebirges liegt — zusammen mit den älteren Bildungen — in vergneister Form vor, während die Lausitzer Grauwackenserie frei von einer entsprechenden Verformung ist.

Im Lausitzer Grundgebirge wurde die Grauwackenserie nach ihrer vermutlich jungassyntischen Faltung — abgesehen von bruchtektonischen Überprägungen — nur durch den variscischen Lausitzer Granodiorit kontaktmetamorph verändert. Diese Aussage gilt ebenfalls für die Grauwacken im Bereich Clanzschwitz—Leipzig und bei Weesenstein in der Elbtalzone (südlich von Dresden). Keine stärkere Metamorphose zeigen auch die nachspilitischen Grauwacken des böhmischen Raumes (Abb. 7).

Im Erzgebirge wurden aus der Grauwackenserie der Nachspilit-Stufe durch „Vergneisung" die sogenannten Grauwackengneise (Geröllgneise) (Tab. 1).

---

[1]) Daß saure Gesteine zum initialen Magmatismus gehören, zeigen neue tschechische Arbeiten. So beschreibt Palivcová (1956) porphyritische bis quarzporphyrische Gesteine der Spilit-Stufe aus dem Gebiet von Dobříš.

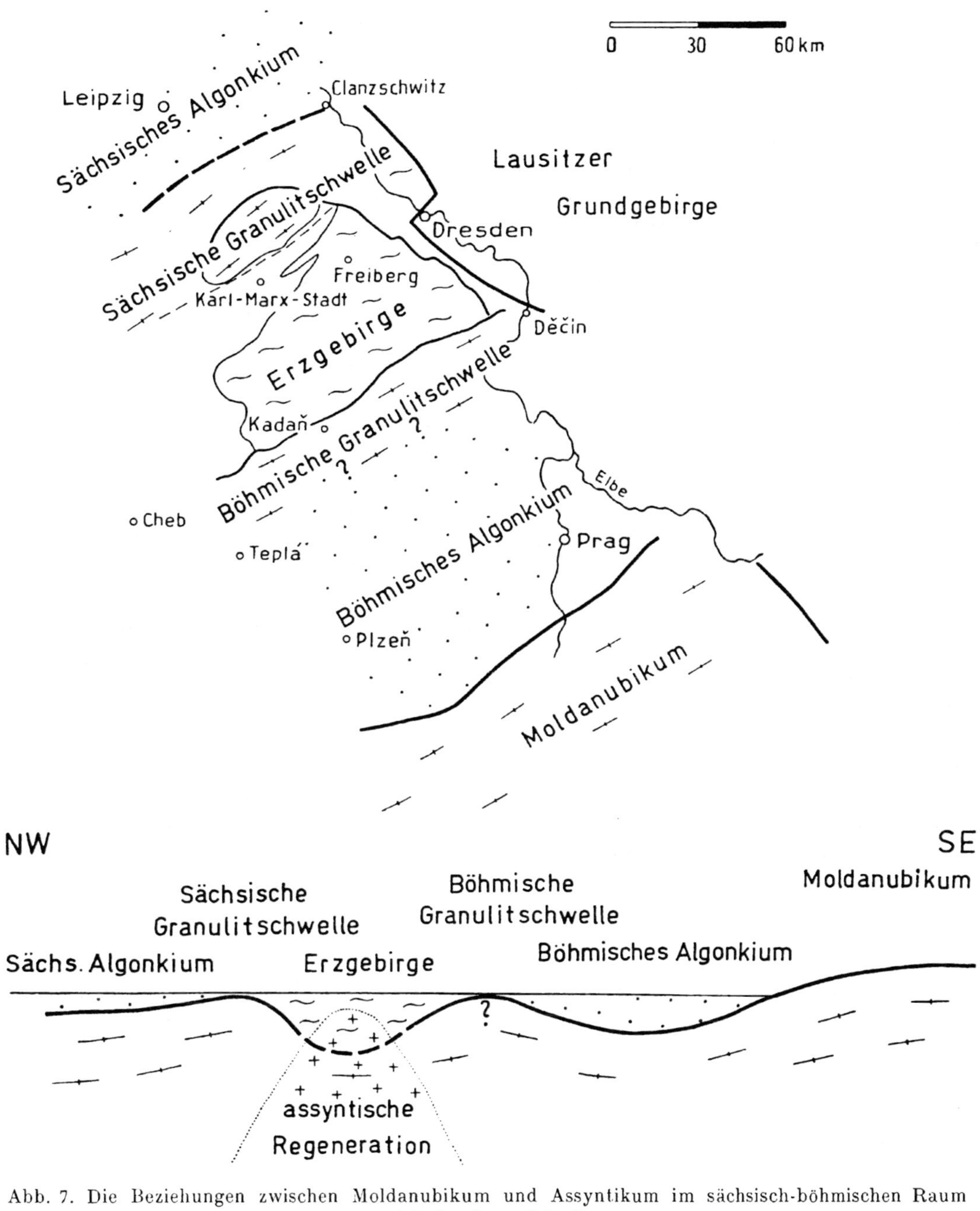

Abb. 7. Die Beziehungen zwischen Moldanubikum und Assyntikum im sächsisch-böhmischen Raum (stark schematisiert)

Punktraster = nicht oder nur schwach regionalmetamorphes Algonkium, *Strichsignatur mit kurzen Querstrichen* = moldanubisch (vorassyntisch) konsolidierte Bereiche, *Wellensignatur* = assyntisch mobilisiertes Algonkium

Das Hybridgestein der frühassyntischen Mobilisation, der feinkörnige Zweiglimmergranodiorit, wird im vergneisten Zustand als Oberer Freiberger Gneis, Marienberger und Annaberger Gneis bezeichnet. Die weitgehende Übereinstimmung der zirkonstatistischen Kennwerte läßt den Schluß zu, daß die betreffenden Gneise eine nahezu gleiche petrogenetische Entwicklung durchgemacht haben, d. h. „aus einander sehr ähnlichen Edukten entstanden sein müssen" (SCHÜTZEL, KUTSCHKE & WILDNER 1963). Daß es sich hierbei um Bildungen handelt, die zeitlich der Spilit-Stufe in Böhmen entsprechen, geht nach WATZNAUER (1962b) aus der Parallelisierung (?) der sog. Schwarzen Flöze in der Marienberger (s. RADTKE 1959) und Annaberger Gneiskuppel mit den kohlenstoffreichen Lagen hervor, die in den hangenden Teilen der böhmischen Spilit-Stufe zu finden sind (Lečicer-Schichten; RÖHLICH 1961, S. 188). In der Freiberger Kuppel sind kohlenstofführende Schwarzschiefer ebenfalls aus den hangendsten Teilen der Oberen Freiberger Gneise bekannt. Zusammen mit ihnen treten Porphyroide auf (sog. Felsithorizont), die auf ehemalige submarine Lavenergüsse bzw. tuffiges Material zurückgeführt werden, welches gemeinsam mit den Schwarzschiefern zur Bildung gelangte (BAUMANN & WEINHOLD 1963).

Der syntektonische Granodiorit aus der Zeit der intra-algonkischen Phase ist in den Unteren Freiberger Gneisen zu sehen (s. MÖBUS 1961). Alle zirkonstatistischen Kennwerte dieses Gesteins sowie die Erscheinungsformen des Zirkons unterscheiden sich auffällig von denen der Oberen Freiberger Gneise und zeigen Übereinstimmung mit denen von Graniten. Daraus ist ein Hinweis auf die palingene Entstehung (s. S. 16) von schwermineralanalytischer Seite gegeben (SCHÜTZEL, KUTSCHKE & WILDNER 1963).

Bisher rechnete man im Erzgebirge mit keiner Texturflächenbildung während der intra-algonkischen Hauptphase, da aus den quantitativ bearbeiteten Geröllvorkommen in der nachspilitischen Grauwackenserie keine Gneisgerölle bekannt geworden waren (MEHNERT 1939; SCHMIDT 1960a, S. 62).

Von SATTRAN wurde neuerdings darauf hingewiesen, daß M. ROST (1928) in den Grauwackengneisen des Erzgebirges Gneisgerölle gefunden hat. Durch Neuaufsammlung von Material zwischen Přísečnice (Pressnitz), Měděnice (Kupferberg), Dolina und Plavno (Holzbach)/ČSSR konnten diese Funde bestätigt werden. „Die Gneisgerölle sind von gut geregeltem, mittelkörnigem Biotit-Orthogneis gebildet" (SATTRAN 1961, S. 124; 1963a), der mit dem palingenen Granodiorit zu parallelisieren sein dürfte.

Für die Existenz von Gesteinen mit Gneistextur vor Bildung der nachspilitischen Grauwacken sprechen ferner die Verhältnisse im Teplá-(Tepler)Hochland (KETTNER 1913, ZOUBEK 1948, MÁŠKA & ZOUBEK 1960).

In diesem Gebiet ist auf eine horizontale Entfernung von etwa 10 Kilometern — bei einem mittleren Einfallen der verschiedenen Ausbildungen — ein Übergang der Vorspilit- und Spilit-Stufe über phyllitische Gesteine und Glimmerschiefer in Gneise zu beobachten (Abb. 8). Die Gneise leiten zu migmatischen Gesteinen über, aus denen sich autochthone, metasomatische Granite mit flächenhaften Texturen (Teplá-Gneisgranit) entwickeln. Granitoide Gesteine sind auch in der Glimmerschieferzone als texturparallele Einschaltungen mit deutlichen Kontakten vorhanden.

Vom Teplá-(Tepler)Hochland besteht über das Gebiet des Cisarský les (Kaiserwald) eine Verbindung zum westlichen Erzgebirge (s. FIALA 1958, NEUZILOVÁ & VEJNAR 1963).

Die räumliche Ausdehnung und Lage der Gebiete, in denen eine Texturflächenbildung bis zum Ende der intra-algonkischen Phase erfolgt war, ist aus dem heute vorliegenden Aufschlußbild nur sehr schwer abzuschätzen.

Auf Grund des Vorherrschens von höchstens epimetamorphen, unvergneisten Geröllen in den Grauwacken der Nachspilit-Stufe ist — wie bereits gesagt — anzunehmen, daß zur Zeit ihrer Sedimentation im wesentlichen keine kata- bis mesozonal texturierten Bereiche von der Erosion freigelegt waren.

Nach der „örtlichen" intra-algonkischen Texturflächenbildung hat die bereits erwähnte jüngere Vergneisung im erzgebirgischen Raum große Bedeutung erlangt. Für ihr Alter spricht einmal die Verwandlung der Nachspilit-Serie zu Grauwackengneisen, zum anderen das Auftreten der sogenannten Rotgneise[1]). Es handelt sich bei ihnen um während bzw. nach der Erstarrung (vgl. Škvor 1963, S. 77) vergneiste, meist turmalinführende Biotitgranite[2]), die häufig grobkörnig ausgebildet sind und größere Kalifeldspateinsprenglinge enthalten. Die pegmatitische Nachphase ist reichlich entwickelt. Inwieweit metasomatische Vorgänge (Migmatisationen) an der Bildung der heute als Rotgneise vorliegenden Biotitgranite beteiligt sind, müssen weitere Untersuchungen entscheiden.

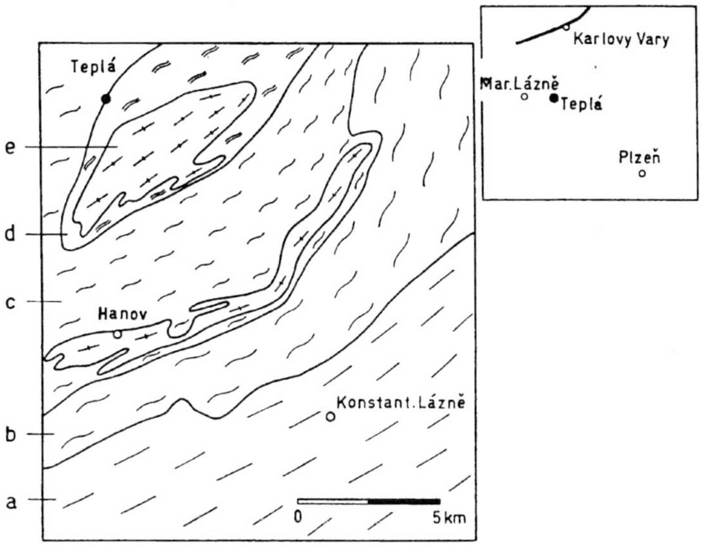

Abb. 8. Die assyntische Mobilisation im Teplá-(Tepler) Hochland/ČSSR (nach Máška & Zoubek 1960, S. 38; vereinfacht)

Im Teplá-Hochland ist eine Steigerung der assyntischen Mobilisation von phyllitischen Gesteinen (*a*) über Glimmerschiefer (*b*) bis zu Gneisen (*c*) zu verfolgen. Die Gneise leiten über zu migmatischen Ausbildungen (*d*), aus denen autochthone, metasomatische Granite (*e*) hervorgehen, die flächenhafte Texturen aufweisen. Letztere Bildungen können im Bereich der Glimmerschiefer als Einlagerungen parallel zu den Texturflächen auftreten (z. B. bei Hanov)

Die Platznahme der (Rotgneis-) Granite dürfte nach der Faltung der Grauwacken der Nachspilit-Stufe erfolgt sein. Letztere Aussagen ergeben sich z. B. auf Grund der Verhältnisse an der Mondscheinmühle bei Metzdorf östlich von Karl-Marx-Stadt (Abb. 9), wo geröllführende Grauwacke der Nachspilit-Stufe durch ein granitisches Gestein kontaktmetamorph verändert ist, welches heute als Rotgneis vorliegt (Scheumann 1939, S. 294)[3]). Reliktische statische Kontaktmetamorphosen der Biotitgranite an Grauwacken der Nachspilit-Stufe sind ferner

[1]) Der Begriff „Rotgneis" wurde von Scheumann (1932) für prävariscische Granite eingeführt. Im Rahmen dieser Ausführungen soll er auf die borhaltigen granitoiden Gesteine beschränkt werden, deren Platznahme nach der Bildung der nachspilitischen Grauwackenserie und vor dem Ordovizium liegt. Es fallen unter die Bezeichnung „Rotgneis" i. e. S. somit nicht vergneiste Granodiorite aus der intra-algonkischen Zeit (Typ Freiberger Gneise) und Porphyroide, deren Intrusion im wesentlichen erst im tieferen Ordovizium oder zu Beginn des Oberdevons erfolgte und die während der variscischen Zeit im epizonalen Niveau durchbewegt wurden.

[2]) Škvor (1957) wendete die genetische Gliederung der Granite von Read (1955) auf die erzgebirgischen Gesteine an. Die unvergneisten Ausgangsgesteine vom Typ der Freiberger Gneise entsprechen den autochthonen Graniten, die nach Read durch Granitisation während der orogenetischen Hauptvorgänge entstehen. Die jüngeren (Rotgneis-) Biotitgranite gehören zu den sog. intrusiven Graniten.

[3]) Schmidt (1961a, S. 75) weist darauf hin, daß die Augengneise, welche die Kontaktmetamorphose der Paragneise bei Metzdorf hervorriefen, in ihrer Erscheinungsform von dem häufigsten Rotgneistyp des Erzgebirges abweichen. Evtl. kommt für dieses Gestein ein jüngeres Alter in Betracht.

im Gebiet von Hora Sv. Sebastiana (Sebastiansberg) (s. PIETZSCH 1962, S. 666) und bei der Ortschaft Cerný Potok (SATTRAN 1963a, S. 60) gefunden worden.

Entsprechende Verhältnisse sind auch anderen Beobachtungen zu entnehmen. So dringt am Vogeltoffelfelsen im Pockautal südlich von Karl-Marx-Stadt der Biotitgranit (jetzt als Rotgneis vorliegend) in bereits granitisierte Gesteine (Vorspilit- und Spilit-Stufe) sowie in eine Serie mit geringer bzw. fast fehlender Metamorphose (Nachspilit-Stufe) ein (SCHMIDT 1958).

Ein Metamorphosesprung zwischen nachspilitischen Sedimenten und Gesteinen, die in frühassyntischer Zeit anatektisch-metasomatisch verändert wurden (Vorspilit- und Spilit-Stufe), ist nach WATZNAUER (1959, S. 250) im gesamten Erzgebirge zu erkennen.

Frühestens kann somit die kinetometamorphe Durchbewegung der Grauwackenserie der Nachspilit-Stufe nach der jungassyntischen Faltung und während bzw. im Anschluß an die Erstarrung der Biotitgranite (Rotgneise) und ihres aplitisch-pegmatitischen Ganggefolges geschehen sein (vgl. SCHEUMANN 1957, S. 29). Die vor der Einbettung in die Grauwacken der Nachspilit-Stufe unvergneisten, in der Regel nur schwach metamorph veränderten Gerölle haben dabei ihre Kinetometamorphose zusammen mit der umgebenden Grundmasse erhalten (Geröllgneise).

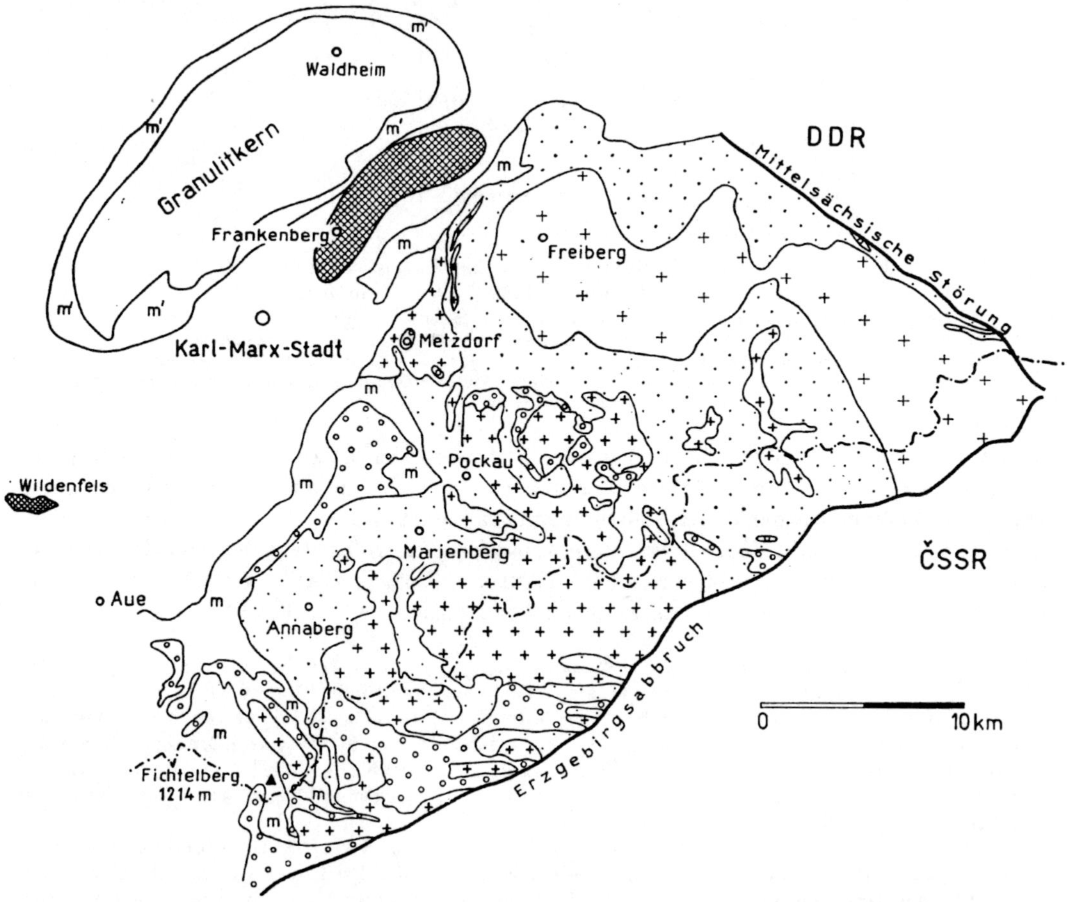

Abb. 9. Übersichtsskizze der assyntisch geformten Gesteinseinheiten des Erzgebirges (in Anlehnung an KOSSMAT & PIETZSCH 1930; vereinfacht)

Weiter Kreuzraster = Unterer Freiberger Gneis, *Punktraster* = Oberer Freiberger, Marienberger und Annaberger Gneis, *Kreise* = Grauwacken der Nachspilit-Stufe, *enger Kreuzraster* = Rotgneise, *m* = Glimmerschieferhülle des Erzgebirges bzw. Granulitgebirges (*m'*), *Strichraster* = Sächsische Zwischengebirge

Die obere Grenze der Vergneisung wird durch die sardische Phase gegeben, da in verschiedenen Gebieten das Ordovizium mit einer stratigraphischen und strukturellen Diskordanz auf ältere kata- bis mesozonal durchbewegte Gesteine übergreift (?).

Im östlichen Erzgebirge liegen im Raum von Altenberg (Altenberger Scholle) die (altpaläozoischen) Phyllite direkt den Oberen Freiberger Gneisen auf. Es ist hier die von GALLWITZ (1955, S. 213) ausgesprochene Vermutung berechtigt, daß eine — variscisch überprägte — alte Diskordanzfläche zwischen Paläozoikum und assyntisch geformten Einheiten (kata- bis mesozonalen Gneisen) vorliegt (MÁŠKA & ZOUBEK 1960, S. 67; SATTRAN 1961, S. 123). Das bedeutet eine Vergneisung und Abtragung assyntischer Serien — letzteres besonders der Glimmerschieferhülle — vor Beginn der paläozoischen (ordovizischen) Sedimentation.

Im westlichen Erzgebirge sind die Verhältnisse schwieriger zu überblicken, da zwischen den variscischen Phylliten (Altpaläozoikum) und den assyntischen Gneisen Glimmerschiefer liegen. Es ist anzunehmen, daß in letzteren die spätassyntische Vergneisung in niedriger metamorphe Bereiche ausklang. Die Grenze zwischen Ordovizium und älteren Einheiten ist in der Glimmerschieferhülle bzw. in den liegenden Teilen der Phyllithülle des Ergebirges zu suchen. Erschwerend für die Beurteilung der Verhältnisse kommt hinzu, daß die — im wesentlichen (?) bereits assyntisch geformten — Glimmerschiefer in variscischer Zeit mit den erstmalig metamorphisierten altpaläozoischen Sedimenten verschliffen wurden (OBERC 1960, S. 91; SATTRAN 1961, S. 123). Eine variscische Albit-Oligoklas-Neusprossung (Abbildungskristallisation; HOLUBEC 1961, S. 67), die durch die Glimmerschieferhülle bis in die untersten Phyllite zu verfolgen ist (SCHMIDT 1959, S. 94; HOLUBEC 1961, S. 67), trägt ihrerseits zur Verschleierung der ursprünglichen stratigraphischen und strukturellen Diskordanz an der Basis des Ordoviziums (s. Abschn. II, C, 3) bei. Hinweise für die Richtigkeit der Annahme einer Diskordanz geben die neuen tschechischen Arbeiten. So beruht der bisher angenommene Übergang zwischen Glimmerschiefern und Phylliten bei Jáchymow (Joachimsthal) auf einer tektonischen Zusammenfassung. Es handelt sich um zwei verschieden alte Komplexe, die erst während der variscischen Reaktivierung des Erzgebirges miteinander zu einer scheinbaren Einheit verbunden wurden (SATTRAN 1961, S. 123).

Im Grenzgebiet zwischen Erzgebirge und Fichtelgebirge glaubt HOLUBEC (1961, 1962) eine stratigraphische und strukturelle Diskordanz zwischen assyntischem und variscischem Bau gefunden zu haben. Das Hauptkennzeichen des alten Baues sind Ost-West-Strukturen. Der assyntische Metamorphosezustand dürfte der Gneis- und Glimmerschieferfazies entsprochen haben. Die jüngere, variscische (phyllitische) Deformation war nicht imstande, die älteren Elemente grundlegend umzuprägen, sondern bildete sie im wesentlichen ab. ŠKVOR (1963) stellte im Bereich Erzgebirge—Fichtelgebirge an der Grenze der ordovizischen Schichten zu den mächtigen liegenden Schichten von unbewiesenem Alter eine Winkeldiskordanz zwischen Schichtung und Schieferung fest. Er vermutet, daß es sich hierbei um die Grenze zwischen assyntischem und variscischem Bau handelt. Hinweise auf ein assyntisches Alter der Metamorphose des Ergebirges können auch durch die Berechnung des Abtragungsvolumens gewonnen werden (SPRENGLER 1949, SATTRAN 1957).

Für die genauere Einstufung der erzgebirgischen Vergneisung in die Zeit zwischen jungassyntischer Phase (nach der Erstarrung der (Rotgneis-) Biotitgranite) und sardischer Phase sind kambrische Ablagerungen von besonderer Bedeutung.

In dem Grenzgebiet zwischen Fichtelgebirge und Erzgebirge wird in den letzten Jahren im Liegenden der Phyllite, die in weniger metamorphes Altpaläozoikum des Vogtlandes übergehen, eine Serie ausgeschieden, die nach MÁŠKA & ZOUBEK (1960, S. 76) dem Kambrium angehören könnte.

Es handelt sich im wesentlichen um die etwa 600 m mächtige Klinovec(Keilberg)-Serie. Ihre tieferen Teile sind psammitisch-pelitisch ausgebildet und werden durch die Einlagerungen von Kalken gekennzeichnet. Der Beginn einer höheren Abfolge ist an hellen, relativ feinkörnigen, konglomeratischen Quarziten zu erkennen, über denen pelitisch-psammitische Bildungen liegen. Zu den Kalken werden auch die bekannten Vorkommen bei Hammerunterwiesenthal auf deutscher Seite gerechnet.

Nach MÁŠKA & ZOUBEK (1960, S. 76) ist es möglich, daß im Bereich des Erzgebirges zwei kambrische Sedimentationszyklen vorliegen. In den höheren Teilen des unteren Kambriums überwiegen kalkigdolomitische Bildungen (1. Zyklus), während im Mittelkambrium pelitische, gut geschichtete Sedimente vorherrschen, die an der Basis quarzitische Lagen enthalten (2. Zyklus).

Die Schichtenfolge zeigt Ähnlichkeiten mit der Arzberger Serie (v. GAERTNER 1942) des Fichtelgebirges. Diese erscheint unter ordovizischen Gesteinen im Kern eines sattelähnlichen Aufbruches, der gleichzeitig das tiefste angeschnittene Niveau im Fichtelgebirge freilegt. Das kambrische Alter dieser Folge ist auch hier nicht bewiesen; es ist nur sehr wahrscheinlich.

Die metamorphe Fazies der ins Kambrium gestellten Klinovec(Keilberg)-Serie des Erzgebirges entspricht in den tieferen Teilen der Glimmerschieferzone. Nach dem Hangenden nimmt der Metamorphosegrad ab. Überlagert wird diese Folge durch die Jáchymov-(Joachimsthaler) Serie. Sie besteht aus etwa 700—1000 m mächtigen Phylliten mit Einlagerungen von quarzitischen Gesteinen und Metabasiten. Letztere treten nur in der metamorphen Fazies von Grünschiefern (Epiamphibolithe) auf. Das Alter der Serie ist fraglich. Es könnte sich bereits um Ordovizium handeln (Sattran 1963b).

Ein Metamorphosesprung bzw. eine verschliffene alte Diskordanz konnte bisher hier nicht nachgewiesen werden. Sehr umstritten ist allerdings das kambrische Alter der Klinovec-Serie, da im Jungalgonkium mit ähnlichen Gesteinsausbildungen zu rechnen ist. Vielleicht ist in der Zukunft eine Klärung der stratigraphischen Verhältnisse durch spezielle mikropaläontologische Untersuchungen möglich.

Die Vergneisung der Grauwackenserie der Nachspilit-Stufe bleibt — wie bereits ausgeführt — auf den Bereich des Erzgebirges beschränkt, das heißt auf ein Gebiet, in dem die intraalgonkische Phase mit anatektisch-metasomatischen Mobilisationen und magmatischen Ereignissen verbunden war.

Nach Norden folgt auf die Großantiklinale des Erzgebirges als nächste Hebungszone das Sächsische Granulitgebirge (s. Abb. 9). Seine granulitischen Kerngesteine lagen bereits vor Beginn der assyntischen Orogenese geformt vor. Ihre Prägung erhielten sie während der moldanubischen Orogenese (?), die Kodym (1961, S. 15) mit der algomischen Faltung Skandinaviens parallelisiert.

Die sächsischen Granulite sind nicht auf den aufgeschlossenen Bereich beschränkt, sondern weisen unter den jüngeren Gesteinen eine größere Verbreitung auf. Watznauer (1955, S. 46) sieht in den Gneisen, die an der Elbe bei Merschwitz südlich von Strehla anstehen, „zweifellos moldanubische Typen", so daß das hochmetamorphe Tiefenmassiv demnach bis zum Elbelineament reicht (?). Dort grenzt es zusammen mit den assyntisch geformten, südlich anschließenden erzgebirgischen Gneisen entlang der Westlausitzer Störung an die Lausitzer Grundgebirgsscholle.

Von den drei Einheiten des Sächsischen Granulitgebirges (Granulitischer Kern, innere und äußere Schieferzone) dürften einer algonkischen Sedimentationsfolge Gesteine des etwa 2000 m mächtigen inneren Schiefermantels am ehesten entsprechen. Sie liegen heute in den liegenden Teilen als Gneise und in den hangenden Bereichen als Glimmerschiefer vor. Während der moldanubische Granulitkern und der algonkische innere Mantel vermutlich während der assyntischen Orogenese tektonisch eng verquickt wurden, bestehen zu dem äußeren Schiefermantel (Phyllite) größere tektonische Unterschiede, so daß eine ungleichzeitige Prägung beider Einheiten angenommen werden muß (Behr 1961, S. 59). Die sedimentäre Entwicklung der äußeren Hüllgesteine beginnt wahrscheinlich — nach einer Heraushebung im höheren Kambrium — mit der ordovizischen Transgression. Die variscisch phyllitisierten Gesteine der äußeren Schieferhülle gehen über phyllitische Tonschiefer in schwächer metamorphes Paläozoikum des Nossen-Wilsdruffer Schiefergebirges über (s. Abb. 16).

Hinweise für eine assyntische meso- bis katazonale Metamorphose können auch den neuen Untersuchungen der Ultrabasite des Sächsischen Grundgebirges (F. Rost 1961) entnommen werden (s. Möbus 1962a, S. 22).

Weitere Aussagen für eine vorvariscische meso- bis katazonale Metamorphose — die einer nur epi- bis mesozonalen variscischen Umwandlung gegenübersteht — ergeben sich auch durch die Ansprache der Sächsischen Zwischengebirge von Frankenberg und Wildenfels (s. Abb. 9) als autochthone, keilförmig emporgepreßte Kristallinklippen (Pietzsch 1956a, Schwan 1957; s. Möbus 1962a, S. 23).

Zwischen dem Erzgebirgskristallin und den unvergneisten nachspilitischen Grauwacken Böhmens scheint ebenfalls ein Granulitgebiet zu liegen, das an Ausdehnung sogar dem Sächsischen Granulitgebirge entsprechen könnte (Sattran 1961, S. 124). Nach Ansicht deutscher Geologen (Watznauer, Lorenz) gehört das Ohre (Eger)-Granulitgebiet jedoch sehr wahrscheinlich zum Erzgebirgskristallin. Bei Bestätigung dieser Anschauung durch neuere Arbeiten ist Abb. 7 entsprechend zu korrigieren.

Die Gesteine des umstrittenen Alters stehen im Tal der Ohre (Eger) sowie in der weiteren Umgebung von Kadaň (Kaaden) an. Sie sind auch weiter im Osten im Bereich des České středohoří (Böhmisches Mittelgebirge) erbohrt worden. Im wesentlichen handelt es sich um Granulite, die mit Metabasiten (Serpentiniten) vergesellschaftet sind und die enge Beziehungen zu migmatischen Gesteinen aufweisen.

Die Gesteine der Vorspilit-Stufe transgredieren in Böhmen vermutlich auf den konsolidierten moldanubischen Bau, der zu dieser Zeit bereits weitgehend eingeebnet war (MÁŠKA & ZOUBEK 1960, S. 31; BENEŠ 1962, S. 26). Nach Süden hebt sich der alte Unterbau des 5000 m mächtigen böhmischen Algonkiums heraus und bildet den eigenlichen moldanubischen Block[1]) (s. Abb. 7). Assyntisch dürfte in Böhmen der moldanubische Unterbau im wesentlichen nicht regeneriert worden sein, so daß die Metamorphose des böhmischen Algonkium in der Regel nur schwach ist. Dies im Gegensatz zum erzgebirgischen Raum, für den eine Regeneration des moldanubischen Untergrundes verbunden mit einer starken Mobilisation der darüber zur Ablagerung gekommenen vorspilitischen und spilitischen Serien sehr wahrscheinlich ist.

Das orogenetische Hauptwirkungsfeld des Erzgebirges wird von den moldanubisch geformten Gebieten begleitet, so im Süden von dem Böhmischen (?) und im Norden von dem Sächsischen Granulitkörper. In dem dazwischenliegenden Bereich kam die jungassyntische regionale Vergneisung voll zur Auswirkung. Nördlich des Sächsischen Granulitgebirges und seines relativ geringmächtigen Algonkiums (Innerer Schiefermantel) erscheinen nicht metamorphe Grauwacken der Nachspilit-Stufe (Bereich Clanzschwitz-Leipzig), die in ihrer Beanspruchung mit denen im Gebiet von Prag zu vergleichen sind.

Von besonderem Interesse ist es, in welcher Weise sich der Übergang von vergneisten Grauwacken des Erzgebirges zu den unvergneist gebliebenen altersgleichen Grauwacken des Lausitzer Grundgebirges vollzieht.

3. Der Grenzbereich Lausitzer Grundgebirge–Erzgebirge in der Elbtalzone (Nachspilit-Stufe)

In der Elbtalzone sind auf Grund der jüngeren Bedeckung nur drei Bereiche aufgeschlossen, in denen sich die vergneisten nachspilitischen Erzgebirgsgrauwacken (Grauwackengneise) und die unvergneist gebliebene Lausitzer Grauwackenserie nahekommen. Es ist dies der Fall im Raum des Elbtalschiefergebietes südwestlich von Pirna, ferner im Elbtal nördlich von Děčín (Tetschen)/ČSSR sowie im Gebiet der Westlausitzer Störung nördlich von Dresden (Abb. 10).

a) Die Verhältnisse südwestlich von Pirna

Südwestlich von Pirna tritt in der Elbtalzone die nachspilitische Grauwackenserie als sog. Weesensteiner Grauwacke auf. Sie ist nicht vergneist, und der annähernd Ost–West gerichtete Verlauf ihrer Faltenachsen (SCHMIDT 1960a, S. 43) spricht ebenfalls für ihre tektonische Zugehörigkeit zu der Grauwackenserie des Lausitzer Grundgebirges.

Die Weesensteiner Grauwacke steht im Intrusivkontakt mit dem Dohnaer Granodiorit. Dieser ist als westlicher Rand des großen Lausitzer Granodioritplutons anzusehen (s. Abschn. II, C, 1b). Im Westen grenzt die Weesensteiner Grauwacke tektonisch an die altpaläozoische Abteilung des Elbtalschiefergebirges (Abb. 11).

Unter der Bezeichnung Elbtalschiefergebirge werden die südwestlich von Pirna zwischen Maxen und Cratza auf eine Entfernung von 17 Kilometern und in einer Breite von etwa 4 Kilometern ausstreichenden Gesteine des Grundgebirges vereinigt (PIETZSCH 1918, 1956a).

Innerhalb dieser Folge sind drei Einheiten zu unterscheiden. Im Nordosten die bereits genannte nachspilitische Weesensteiner Grauwacke, die zusammen mit dem variscischen Dohnaer Granodiorit den Westrand des Lausitzer Grundgebirges bildet. Im Südwesten schließt an die Weesensteiner Gauwacke tektonisch die altpaläozoische Einheit (Ordovizium bis Kulm) des Elbtalschiefergebirges an, deren Gesteine in die phyllitische Einheit übergehen. Die Phyllite grenzen entlang der Mittelsächsischen Störung (SCHMIDT 1959, S. 76) an Gneise des Erzgebirges.

[1]) Der Begriff „moldanubisch“ wird im Sinne der neueren tschechischen Literatur verwendet. Moldanubisch geformte Gebiete sind solche, deren Konsolidierung bereits vor der assyntischen Orogenese abgeschlossen war (KODYM 1961). Dies im Gegensatz zu STILLE, der unter „Moldanubikum“ Einheiten zusammenfaßte, deren Bildung während der assyntischen Orogenese erfolgte und die in der variscischen Gebirgsbildung nicht regeneriert wurden.

Die Gesteine des östlichen Erzgebirges bestehen über weite Gebiete aus den Grauen Gneisen, die genetisch zu den Unteren Freiberger Gneisen, d. h. zu den palingenen Granodioriten gehören. Entlang der Grenze zur phyllitischen Einheit des Elbtalschiefergebirges verläuft fast im ganzen Bereich ein etwa 1,5 Kilometer breiter Streifen mittel- bis kleinkörniger, schuppiger und schiefriger Gneise vom Typ der Oberen Freiberger Gneise (granitisierte vorspilitische (?) und spilitische Serien). Ferner sind Grauwackengneise der Nachspilit-Stufe vorhanden, die

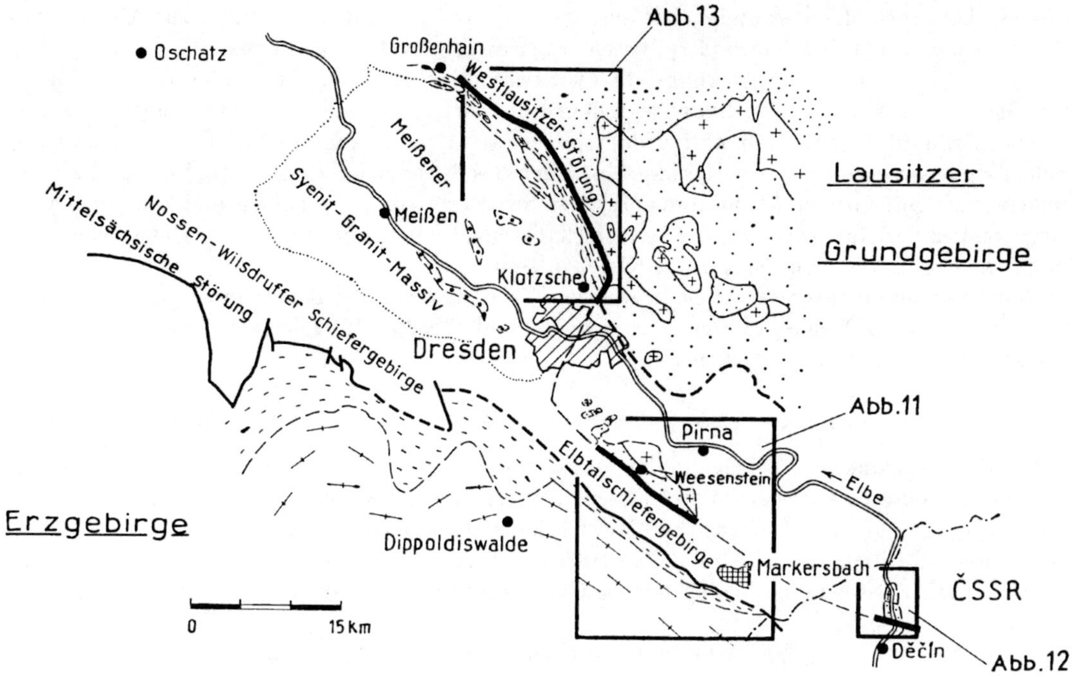

Abb. 10. Die Beziehungen zwischen Lausitzer Grundgebirge und Erzgebirge im Bereich der Elbtalzone
Lausitzer Grundgebirge: *enger Punktraster* = Lausitzer Grauwackenserie, *weiter Punktraster* = Lausitzer Zweiglimmergranodiorit, *Kreuzraster* = Lausitzer Granodiorit. Erzgebirge: *Striche mit kurzen Querbalken* = Unterer Freiberger Gneis, *kurze Striche* = Obere Freiberger Gneise, Grauwackengneise und Rotgneise, *Strichraster* = Granit von Markersbach, *kräftige Punkte* = erzgebirgische Gneisschollen im Meißener Massiv

bei Herbergen (Schneckenmühle im Seidewitztal) Gerölle führen (Pietzsch 1918, S. 271). Kleinere Vorkommen von Rotgneisen treten gleichfalls auf (Abb. 11).

Das Elbtalschiefergebirge wird im Gebiet von Markersbach von einem hellen, mittel- bis kleinkörnigen Biotitgranit diskordant durchsetzt, der ein megaskopisch fast isotropes Korngefüge aufweist. Er führt charakteristische zinnhaltige Greisentrümer (Zwittertrümer). In seiner petrographischen Ausbildung und in seiner Erzführung entspricht er den variscischen Graniten des erzgebirgischen Raumes (s. Abschn. II, C, 3). Es wird daher angenommen, daß das Erzgebirgskristallin unter das Elbtalschiefergebirge fortsetzt (Pietzsch 1956b, S. 126).

Die Berührungslinie zwischen der vergneisten nachspilitischen Grauwackenserie des Erzgebirges und der unbeanspruchten Nordlausitzer Grauwackenserie liegt somit südwestlich von Pirna unter der altpaläozoischen Einheit des Elbtalschiefergebietes verborgen. Die Grenze Elbtalzone–Erzgebirge bildet im heutigen Oberflächenanschnitt die Mittelsächsische Störung.

b) Die Verhältnisse nördlich von Děčín (ČSSR)

Als isoliertes Vorkommen erscheint inmitten von Kreideablagerungen wenige Kilometer nördlich von Děčín (Tetschen) nochmals Grundgebirge im Bereich der Elbtalzone (Ebert 1934). Die Gesteinsfolge ist dieselbe wie im Bereich des Elbtalschiefergebirges (Abb. 12).

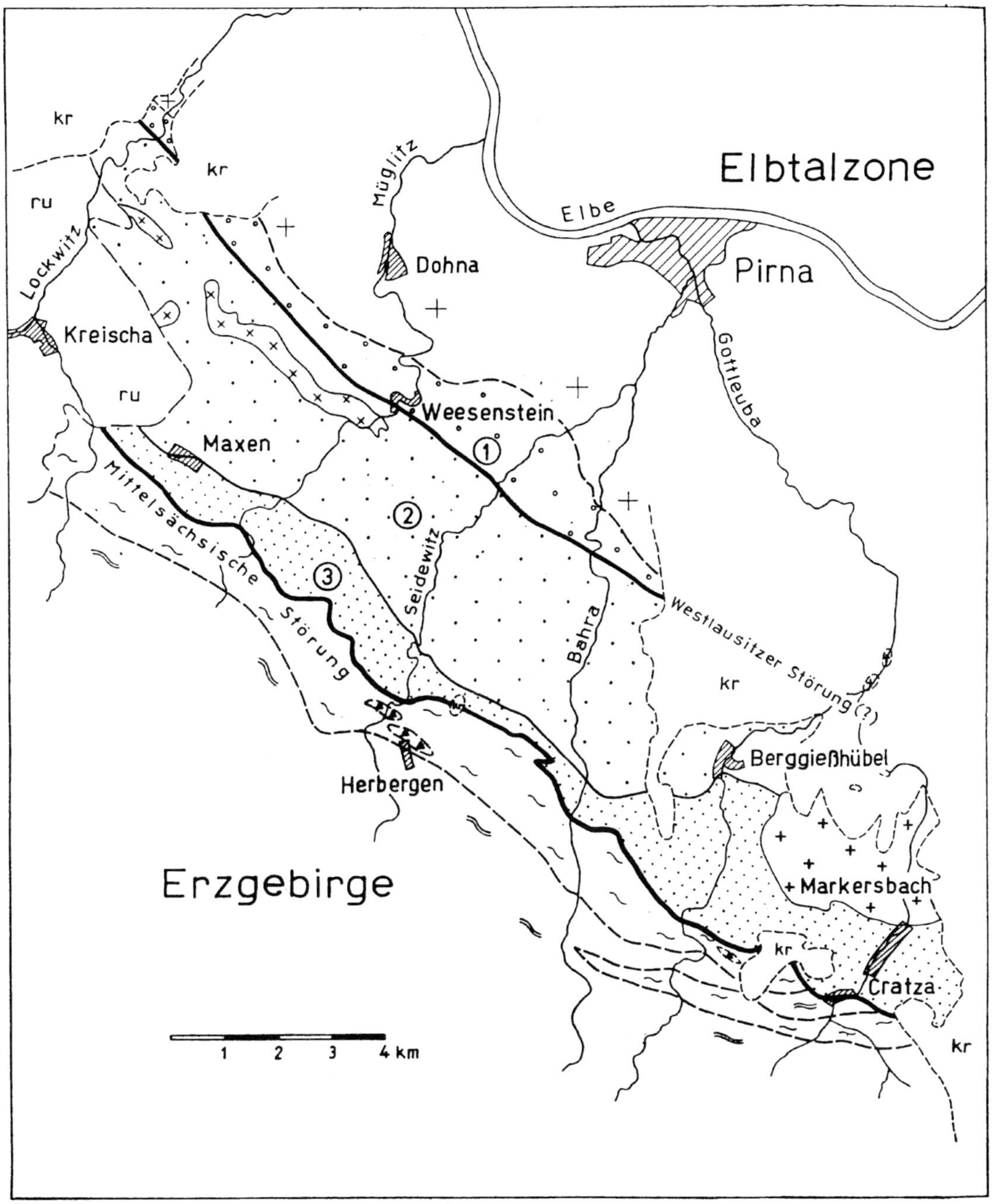

Abb. 11. Das Elbtalschiefergebirge südwestlich von Pirna (nach PIETZSCH 1918)

Elbtalzone: *1* = Weesensteiner Grauwacke (*Kreise*), Dohnaer Granodiorit (*weiter Kreuzraster*); *2* = altpaläozoische Serie (*weiter Punktraster*), Ausläufer des Meißener Massivs (*schräger Kreuzraster*); *3* = phyllitische Gesteinsgruppe (*enger Punktraster*), Granit von Markersbach (*kräftiger Kreuzraster*);
Erzgebirge = Obere Freiberger Gneise (*einfache Wellensignatur*) mit Geröllgrauwackengneisen (*schwarze Dreiecke*), Unterer Freiberger Gneis (*doppelte Wellensignatur*); *ru* = Unterrotliegendes (Döhlener Becken), *kr* = Oberkreide

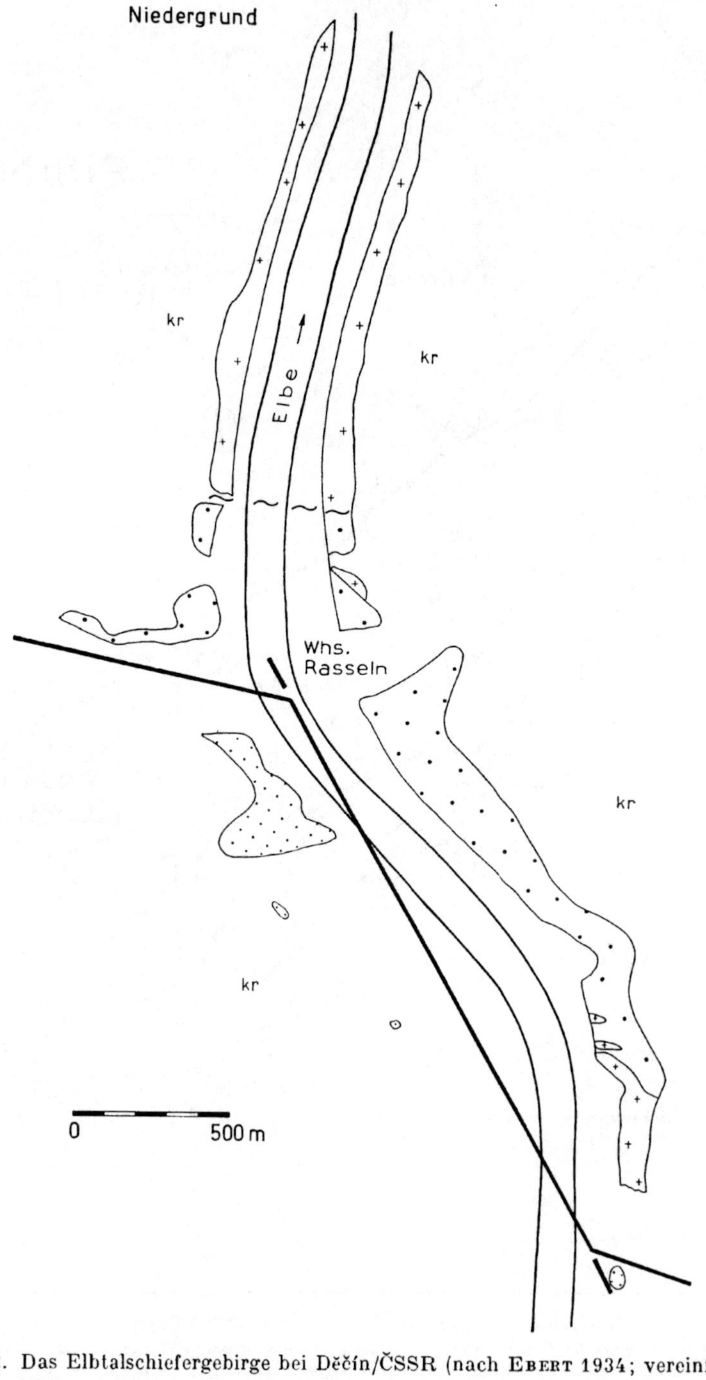

Abb. 12. Das Elbtalschiefergebirge bei Děčín/ČSSR (nach EBERT 1934; vereinfacht)
Kreuzraster = Granodiorit von Niedergrund (Lausitzer Granodiorit), *weiter Punktraster* = Grauwacken von Niedergrund (Lausitzer Grauwackenserie), *enger Punktraster* = phyllitische Serien (Elbtalschiefergebirge), *kr* = Oberkreide

Die im Nordosten aufgeschlossene Grauwacken-Serie entspricht der Weesensteiner Grauwacke und somit der gefalteten nachspilitischen Nordlausitzer Grauwackenserie. Der mit der Grauwacke im Intrusivkontakt stehende Granodiorit von Niedergrund stimmt in seiner petrographischen Ausbildung mit dem Dohnaer Granodiorit überein (E. Tröger 1930). Er ist ebenfalls als ein randlicher Teil des variscischen Lausitzer Granodioritmassivs anzusehen. An die Einheiten vom Typ des Lausitzer Grundgebirges schließt nach Südwesten tektonisch eine phyllitische Serie, die in ihrer Gesteinsassoziation der altpaläozoischen und phyllitischen Einheit des Elbtalschiefergebirges entspricht. Das südwestlich der phyllitischen Einheit zu erwartende Erzgebirgskristallin ist im Elbtal bei Děčín nicht aufgeschlossen.

c) Die Verhältnisse nördlich von Dresden

Ein wichtiges Gebiet, in dem sich Erzgebirge und Lausitzer Grundgebirge im Bereich der Elbtalzone berühren, liegt nördlich von Dresden. Die gefaltete Nordlausitzer Grauwackenserie und der variscische Lausitzer Granodiorit treten von Osten her unvergneist an die variscische Westlausitzer Störung heran. Zwischen dieser und dem ebenfalls variscisch intrudierten Meißener Pluton schaltet sich zwischen Klotzsche und Großenhain eine nur etwa 200 Meter mächtige Gesteinsfolge ein, die zu dem sog. Westlausitzer Zug der Elbtalzone (Pietzsch 1956a, S. 110) gestellt wird (Abb. 13).

Nach Gallwitz (1935) beginnt der Westlausitzer Zug südwestlich von Pirna mit der Weesensteiner Grauwacke und dem Dohnaer Granodiorit. In nördlicher Richtung sollen beide Gesteine, nachdem sie im

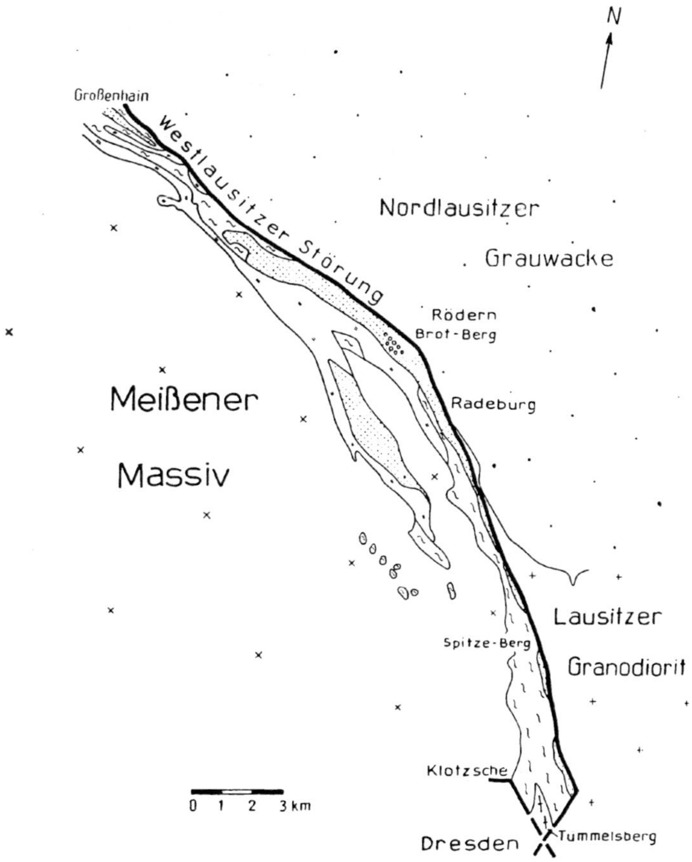

Abb. 13. Die Verhältnisse an der Westlausitzer Störung nördlich von Dresden (nach Schmidt 1956)

In der Abbildung nicht erläuterte Signaturen: *enger Punktraster* = erzgebirgische Grauwackengneise mit Gerölleinlagerungen (*Kreise*), *Wellensignatur* = Obere Freiberger Gneise, *kurze Doppelstriche* = Untere Freiberger Gneise, *Striche mit kurzen Querstrichen* = Lausitzer Granodiorit vom Tümmelsberg, *schräger Kreuzraster* = magmatische Gesteine des Meißener Massivs

Gebiet südlich von Dresden durch Ablagerungen der Oberen Kreide verdeckt sind, am Ostrand des Meißener Plutons variscisch vergneist wieder erscheinen. Nördlich von Großenhain biegt diese, bisher von der Westlausitzer Störung begleitete Folge nach Nordwesten um. Gallwitz vermutet ihre Fortsetzung in der algonkischen Clanzschwitzer Grauwacke und dem variscischen Laaser Granodiorit nördlich von Oschatz.

Die Untersuchungen von Schmidt (1956) ergaben, daß die Teile des Westlausitzer Zuges zwischen Klotzsche und Großenhain keine variscisch vergneisten Serien darstellen, sondern die Gesteine besitzen vielmehr ganz und gar das Erscheinungsbild von meso- bis katazonal geformten Gneisen, wie sie für den erzgebirgischen Raum kennzeichnend sind[1]).

Im einzelnen sind zwischen Klotzsche und Großenhain mittelkörnige Granodioritgneise, feinkörnig schiefrige (plattige) Biotitgneise und reliktische Paragneise zu unterscheiden. In dem Granodioritgneis treten Einlagerungen von feinkörnigen schuppigen Gneisen auf, die zum Teil scharf gegen das mittelkörnige Gestein absetzen. Stellenweise gehen beide Typen ineinander über (Schmidt 1956, S. 21). In seiner Ausbildung ist der Granodioritgneis mit den Unteren Freiberger Gneisen, d. h. mit den palingenen intra-algonkischen Granodioriten zu parallelisieren. Bei den angeführten Einlagerungen dürfte es sich um xenolithische Einschlüsse und Schlieren handeln, wie sie auch im Freiberger Granodioritgneis vorhanden sind (Schmidt 1959, S. 12). Die feinkörnig schiefrigen Biotitgneise gehören vermutlich zu dem Typ der Oberen Freiberger Gneise, also zu den anatektisch-metasomatisch umgewandelten algonkischen Ablagerungen der Vorspilit- und Spilit-Stufe.

Deutlich können die sog. Grauwackengneise der Nachspilit-Stufe erkannt werden. Im Dünnschliff sind in ihnen noch reliktische Grauwackenstrukturen zu beobachten (Schmidt 1956, S. 22). Ihre Ansprache als nachspilitische Grauwackengesteine wird durch die am Brotberg (Höhe 193,6) unweit Rödern durch Schmidt (1956, 1960a) gefundenen geröllführenden Paragneise bestätigt. In der Ausbildung und Geröllführung entsprechen diese Gesteine den geröllführenden Grauwacken (-gneisen) von Herbergen am östlichen Rand des Erzgebirges (s. Abb. 11).

Im variscischen Meißener Massiv sind südöstlich von Meißen an beiden Elbtalhängen bei Radebeul – Weinböhla – Oberau sowie im Bereich Constappel – Meißen xenolithische Gneisschollen eingelagert (s. Abb. 10). Es handelt sich dabei um mittelkörnige-flaserige Biotitgneise sowie vorwiegend um grobkörnige Augengneise. Sie ähneln petrographisch vollkommen den grobgranitischen Rotgneisen des Erzgebirges (Pietzsch 1956b, S. 124).

Auch die zwischen Moritzburg und Volkersdorf im Meißener Syenit zahlreich vorhandenen kleineren Gneisschollen (Biotitgneise, quarzitische Gneise mit Einlagerungen von Hornblendeschiefern, kristallinen Kalksteinen u. a.) können ohne Bedenken zusammen mit den Gneisen des Westlausitzer Zuges zu den kristallinen Gesteinen des Erzgebirges gestellt werden (Schmidt 1956, S. 21).

Aus den angeführten Beobachtungen geht hervor, daß an der variscischen Westlausitzer Störung Erzgebirge (Grauwackengneise) und Lausitzer Grundgebirge (Lausitzer Grauwacke) aneinandergrenzen. Die anstehende erzgebirgische Gesteinsgesellschaft (Graue Gneise vom Typ der Freiberger Gneise, Rotgneise, Grauwackengneise) entspricht vollkommen den Serien, mit denen südlich von Dresden im Bereich des Elbtalschiefergebirges Erzgebirge und Lausitzer Grundgebirge einander nahekommen.

d) Die Annahme einer spätassyntischen Störung

In der Grauwackenserie des Erzgebirges (Grauwackengneise) und des Lausitzer Grundgebirges (Lausitzer Grauwacke) ist eine altersgleiche, nachspilitische Gesteinsfolge vertreten. Im Westen (Erzgebirge) liegt sie zusammen mit älteren Bildungen (Vorspilit- und Spilit-Stufe) in meso- bis katazonal vergneister Ausbildung vor. Im vorherigen Abschnitt (II, A, 2b) wurde ausgeführt, daß für diese Prägung am ehesten die assyntische Orogenese in Betracht kommt. Im Lausitzer Raum ist die nachspilitische Grauwackenfolge als Lausitzer Grauwackenserie zwar gefaltet, jedoch nicht metamorph.

Der Metamorphosesprung vollzieht sich im Gebiet der Elbtalzone auf engstem Raum, ohne daß eine Übergangszone vorhanden ist (s. Abb. 13). Der zu beobachtende Unterschied in der

---

[1]) Zwischen Dohnaer und Laaser Granodiorit besteht somit kein direkter Zusammenhang in Gestalt eines variscischen Kernplutons der Elbtalzone, wie es Gallwitz (1935, S. 141) annahm.

tektonischen Ausbildung der Nachspilit-Stufe kann somit nur auf eine regionale Störung zurückgeführt werden, die generell Nord–Süd (NW–SE) gerichtet war.

Um den Metamorphoseunterschied zu erklären, nahm PIETZSCH (1918, S. 278) für die sudetische Phase der variscischen Orogenese eine große Horizontalverschiebung (Schubweite 40–60 km) an. Nach den neuen Untersuchungen ist dies — für die variscische Zeit — sehr unwahrscheinlich. Die Lineation im altpaläozoischen Elbtalschiefergebirge kann nach WIEDEMANN (1958) nicht die Folge einer kilometerweiten Horizontalbewegung (*a*-Lineation) sein, sondern sie ist als Streckung in *b* (*B*-Lineation) anzusprechen.

Die kataklastischen bis mylonitischen Überprägungen der erzgebirgischen Gneise im Gebiet der Elbtalzone lassen erkennen, daß sämtliche variscischen Bewegungen unter epizonalen Bedingungen verliefen. Für die sudetische Phase zuerst meso- bis katazonale Bedingungen anzunehmen, um später epizonale Zustände zu erwarten, erscheint — wie bereits an anderer Stelle ausgeführt — bei der relativen Kurzfristigkeit dieser tektonischen Phase unwahrscheinlich (PIETZSCH 1956c, S. 115).

Die Wirksamkeit der bretonischen Phase ist im Elbtalbereich — wie in ganz Sachsen — nicht mit Sicherheit nachzuweisen. Ebenfalls fehlen stärkere kaledonische Bewegungen (s. Abschn. II, B). Unter diesen Gesichtspunkten muß angenommen werden, daß es bereits im Anschluß an die Vergneisung der erzgebirgischen Gesteine, d. h. am Ende der assyntischen Orogenese, zur Entstehung einer regionalen Störung im Elbtalbereich kam.

Von HAASE (1959) wurden im östlichen Erzgebirge mit Annäherung an die Elbtalzone (Mittelsächsische Störung) Verstellungen der Gneistexturen s_1 beobachtet. So biegen die Texturflächen sämtlicher Gneisausbildungen aus dem annähernd Ost–West gerichteten Streichen, welches bei Dippoldiswalde vorherrscht, in etwa 2—5 Kilometer Entfernung von der Elbtalzone in die Nordwest-Südwest-Richtung um (vgl. Abb. 10). Dieses Umbiegen ist mit prae- bis parakristallinen Verformungen des Mineralverbandes verbunden.

Die Bildung einer prae- bis parakristallinen Fältelung und Faltenbildung in den erzgebirgischen Gneisen, deren Achsen in dem der Elbtalzone benachbarten Bereich ebenfalls Nordwest–Südost streichen, ist in den gleichen tektonischen Akt zu stellen.

Die in der variscischen Orogenese entstandene sekundäre Schieferung (Transversalschieferung; s_2) hat mit der Herausbildung der Gneistextur nichts zu tun. Sie ist mit epizonalen kataklastischen Erscheinungen verbunden und auf eine Zone entlang der Mittelsächsischen Störung beschränkt (PIETZSCH 1919, S. 9; HAASE 1959).

Auch in den flächenhaften Paralleltexturen der xenolithischen erzgebirgischen Gneisschollen im Meißener Massiv, die nach REICHERT während der Intrusion des Magmas keine Lageänderungen erfahren haben, läßt sich mit Annäherung an das Lausitzer Grundgebirge ein Umbiegen aus der Nordost–Südwest- in die Nordwest–Südost-Richtung feststellen (REICHERT 1926, S. 24). Der Meißener Syenit zeichnet diese alte Anlage in seinen Fließtexturen nach[1]).

Für die vermutete spätassyntische Elbestörung sind somit etwa Nordwest–Südost gerichtete Transversalbewegungen anzunehmen, die sich im Gefüge als Prägungen kata- bis mesozonalen Niveaus zu erkennen geben.

Im Bereich des Granulitgebirges ist eine Nordwest–Südost gerichtete Gefügekomponente nachgewiesen, die bisher mit einer variscischen Bewegung des äußeren Schiefermantels über den inneren Schiefermantel und den granulitischen Kern in Verbindung gebracht wurde. Nach BEHR (1961, S. 58) können variscische Transporte für die Anlage der Nordwest–Südost-Strukturen nicht verantwortlich gemacht werden. Vielmehr handelt es sich um ein Gefügeelement (Streckung von Mineralien), welches für den Granulitkern (moldanubisch) und seinen inneren Schiefermantel (assyntisch ?) kennzeichnend ist, während zu dem äußeren Schiefermantel (Altpaläozoikum) keine engen Gemeinsamkeiten bestehen.

Für eine alte Anlage der Nordwest–Südost gerichteten Gefügeelemente spricht ihre weitere Verbreitung im Erzgebirge, wo sie nicht nur auf die Nähe des Elbelineamentes beschränkt

---

[1]) Ob diese Angaben durch neue gefügekundliche Untersuchungen zu bestätigen sind, muß abgewartet werden.

bleiben. SCHMIDT (1959, S. 80) führt unter anderem die sogenannte Flöha-Synklinale, den Nordwest-Teil der Katharinaberger Kuppel und das Gebiet westlich von Obermittweida an. Den Nordwest–Südost-Elementen kommt im Erzgebirge die Bedeutung von Scherflächen zu, die auf einen (assyntischen) Nord–Süd gerichteten Hauptkräfteplan zu beziehen sind. Die enge Verknüpfung der Ost–West und der Nordwest–Südost-Komponenten läßt keine genetische Trennung der beiden Richtungen zu, so daß sie als örtlich vikarrierende Bildungen ein und demselben Formungsplan zuzuordnen sind (SCHMIDT 1959, S. 82).

Eine sichere zeitliche Einstufung des Nord–Süd gerichteten Hauptkräfteplanes in die assyntische Orogenese ist im östlichen und mittleren Erzgebirge gefügekundlich nicht möglich, da während der variscischen Tektogenese die alt angelegten Strukturen in die altpaläozoische Phyllithülle durchgepaust wurden. Für das westliche Erzgebirge glaubt HOLUBEC (1961, 1962) Ost–West gerichtete assyntische Strukturen nachweisen zu können, die auf eine Nord–Süd gerichtete Hauptspannungsrichtung zu beziehen sind. Im Osterzgebirge (Freiberger Lagerstättenbezirk) gibt BAUMANN (1963, S. 19—20) für die *ac*-Klüftung des prävariscischen Verformungsplanes Streichrichtungswerte zwischen 15° und 30° an. Die Längsklüfte in *bc* verlaufen etwa Ost–West (90—95°). Auch alt angelegte Faltenachsen werden in dieser Richtung beschrieben (BAUMANN 1958); (vgl. Abschn. II, A, 2b).

Die Nordwest–Südost-Elemente sind somit vermutlich die Scherflächen eines Nord–Süd orientierten assyntischen Kräfteplanes. Nordost–Südwest-Elemente sind ebenfalls vorhanden, waren jedoch nur untergeordnet wirksam (SCHMIDT 1959, S. 82).

Im Bereich des Elbelineamentes steigerten sich wahrscheinlich am Ende der assyntischen Orogenese — mit zunehmender Konsolidierung des Untergrundes — die Spannungen in der Erdkruste, so daß es zur Bildung einer regionalen Störungszone kam, entlang der vermutlich auch Transversalverschiebungen erfolgten.

Auch für andere Bereiche des Erzgebirges, in denen die Nordwest–Südost-Richtung vorherrscht, werden Transversalbewegungen angenommen, so z. B. für den Bereich der sogenannten Flöha-Synklinale (PFALZ 1926) sowie für den Raum, in dem während der variscischen Orogenese der Granit von Kirchberg–Eibenstock–Karlovy Vary (Karlsbad) aufdrang (WURM 1950; KÖLBEL 1954).

Über das Ausmaß der Transversalverschiebung entlang des Elbelineaments ist auf Grund des heutigen Aufschlußbefundes kaum etwas sicheres auszusagen, zumal lokale Nachbewegungen während der variscischen Gebirgsbildung sicher vorhanden sind (s. Abschn. II, C, 1). Auf eine etwa 40—60 Kilometer weite Verschiebung der Lausitzer und erzgebirgischen Bereiche gegeneinander wurde bisher aus den geophysikalischen Beobachtungen im nördlichen Teil der Elbtalzone geschlossen. Die Einstufung dieser Bewegungen in die variscische Orogenese ist auf Grund der genannten neuen Untersuchungsergebnisse nicht mehr möglich (WIEDEMANN 1958, HAASE 1959, BEHR 1961). Es kann sich aber durchaus um spätassyntische Bewegungen handeln, da die zu Grunde gelegten geophysikalischen Befunde (Gravimetrie, Geomagnetik) im wesentlichen auf eine assyntische Kristallinschwelle zu beziehen sind (vgl. MÖBUS 1962a, S. 32).

Überträgt man eine von geophysikalischer Seite angenommene Transversalverschiebung von 40—60 km (vgl. LAUTERBACH 1953/54, SIEMENS 1953) auf den Bereich zwischen Erzgebirge und Lausitzer Grundgebirge, so kommt — in ihrer Ausgangslage — die Lausitzer Grauwackenserie aus dem Bereich von Radeburg–Kamenz etwa in die gleiche geographische Breite mit der Grauwacke aus dem Raum Clanzschwitz–Leipzig zu liegen. Das Lausitzer Grundgebirge wäre demnach gegenüber den westelbischen Einheiten (Granulitgebirge, Erzgebirge) relativ nach Südosten verschoben.

Da die Sedimentation in der Nachspilit-Stufe zwischen erzgebirgischem und Lausitzer Bereich keine faziellen Unterschiede aufweist und ungestört über die Elbtalzone hinweggeht, ist die angenommene spätassyntische Transversalbewegung — die nördlich von Dresden von der variscischen Westlausitzer Störung nachgezeichnet wird — die früheste ableitbare tektonische Aktivität des Elbelineamentes.

e) Der Turmalingranit am Ostrand des Erzgebirges

In der Grenzregion Erzgebirge gegen Elbtalschiefergebirge sind südwestlich von Pirna zwischen Maxen und Cratza auf eine Entfernung von etwa 17 km mehrere voneinander getrennte linsen- bis gangförmige Vorkommen eines Turmalingranites aufgeschlossen (Abb. 14).

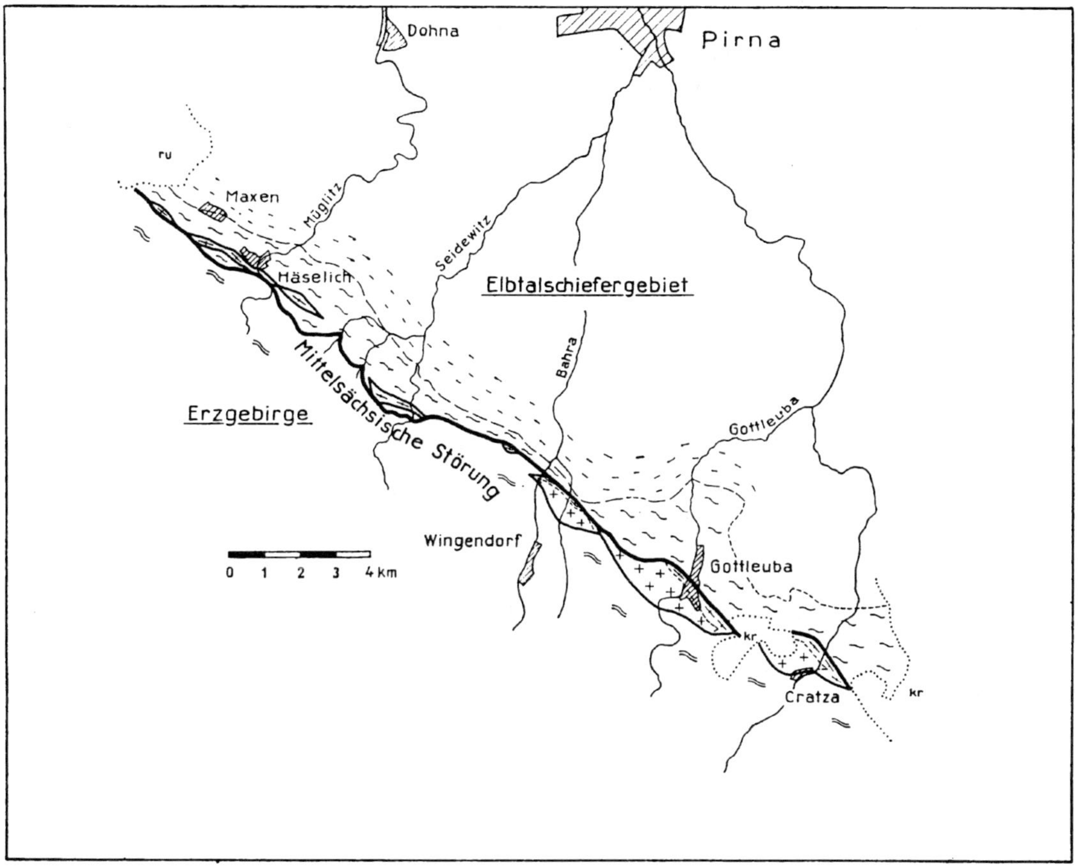

Abb. 14. Der Turmalingranit an der Mittelsächsischen Störung im Elbtalschiefergebirge
Doppelte Wellenlinien = erzgebirgische Gneise, ***Kreuzraster*** = **Turmalingranit bei Gottleuba (autochthon),** *Striche mit kurzen Querbalken* = Turmalingranit bei Häselich (tektonische Linsen), *einfache Wellenlinien* =*phyllitische* (altpaläozoische) Einheiten des Elbtalschiefergebirges, *Strichsignatur* = altpaläozoische Einheiten des Elbtalschiefergebirges, *ru* = Unterrotliegendes (Döhlener Becken), *kr* = Oberkreide (vgl. Abb. 11)

Der meist grobkörnig ausgebildete Granit führt nur spärlich Glimmer und besitzt dadurch ein helles Aussehen. Der Turmalin bildet kurzstenglige Einsprenglinge, zum Teil ist er auch mit Quarz zu rosettenförmigen Anordnungen verwachsen (Turmalinsonnen). Die Turmalinverteilung innerhalb des Gesteins ist sehr unregelmäßig (weitere Einzelheiten s. Möbus 1962 a, S. 33).

Nach neuen Beobachtungen steht der Turmalingranit mit der phyllitischen Einheit des Elbtalschiefergebirges in keinem Kontaktverband. Er ist vielmehr in die B-axiale Formung der sudetischen Phase bereits einbezogen (Wiedemann 1958, S. 63) und somit älter als variscisch[1]).

[1]) Zwischen dem Turmalingranit südwestlich von Pirna und dem variscischen Turmalingranit von Miltitz südwestlich von Meißen bestehen somit keine genetischen Beziehungen (s. Abschn. II, C, 1d).

Ein kennzeichnender Borgehalt ist im allgemeinen für saure, spättektonische Intrusionen charakteristisch (Gallwitz 1934, S. 369). Da ein kaledonischer Magmatismus in dem betrachteten Bereich fehlt, liegt es nahe, den Turmalingranit südwestlich von Pirna dem spätassyntischen (Rotgneis-) Magmatismus zuzuordnen (Pietzsch 1951, S. 84), der sich durch einen höheren Borgehalt auszeichnet. Allerdings ist der Turmalingranit in die meso- bis katazonale Vergneisung des erzgebirgischen Raumes nicht einbezogen. Es wird daher vermutet, daß das granitische Magma im Anschluß an die Vergneisung intrudierte und zu seinem Aufstieg vielleicht die Störungszonen benutzte, welche den Metamorphosesprung zwischen Erzgebirge und Lausitzer Grundgebirge bewirkten. Dafür spricht u. a., daß der Turmalingranit einer älteren steilstehenden Störungszone folgt (Pietzsch 1918, S. 182), welche nicht mit dem Verlauf der variscischen Störungen übereinstimmt (Gallwitz 1934, S. 371).

Die variscisch angelegten Schieferungsflächen im Turmalingranit sind in ihrer räumlichen Lage nicht mit denen in den benachbarten Gesteinen zu vergleichen, sondern verlaufen annähernd Nord–Süd (Wiedemann 1958, S. 54). Eventuell wird hier – sofern keine materialgebundene Tektonik vorliegt – ein älteres Kluftsystem nachgezeichnet, das auf den Nord–Süd orientierten assyntischen Kräfteplan zu beziehen ist.

Der Turmalingranit südwestlich von Pirna wird somit als einer der letzten Ausläufer des assyntischen (Rotgneis-) Biotitgranitmagmatismus angesehen. Er ist ein genetischer Bestandteil des erzgebirgischen Raumes.

Die Grenze Erzgebirge gegen Elbtalschiefergebirge ist daher bei Gottleuba an seine Nordostflanke zu verlegen. Die starke mylonitische Überarbeitung des nordöstlichen Randes der Turmalingranitvorkommen bei Gottleuba spricht ebenfalls für kräftige tektonische Bewegungen entlang dieser Linie, die vermutlich an Intensität die Störungen zwischen mittelkörnigem Turmalingranit und Erzgebirgsgneisen übertroffen haben dürften.

Die kleineren Turmalingranitvorkommen südlich von Häselich und bei Maxen zeigen einen sehr hohen Grad kataklastischer Verformung. „Die hier auftretenden Gesteine erinnern beim flüchtigen Zusehen überhaupt nicht an Granite, da sie fast durchweg grobschiefrige oder auch feinlagige Textur besitzen; nur selten ist noch ein Rest des ehemals massigen Gefüges erhalten" (Pietzsch 1918, S. 265). Sie werden als allseitig von Störungen umgrenzte Schollen betrachtet, deren jetzige Lage auf variscische Bewegungen zurückzuführen ist.

4. *Westsudeten*

a) Die algonkische Sedimentation, die assyntische Mobilisation und der Magmatismus

In den letzten Jahren sind durch die Arbeiten polnischer Geologen im westsudetischen Raum mehrere wesentliche neue Ergebnisse erzielt worden, die für die Entwicklung dieses Gebietes von besonderer Bedeutung sind.

Weit verbreitet ist in den Westsudeten der Iser-Riesengebirgsgneis (Abb. 15). Er grenzt im Norden entlang der weithin zu verfolgenden Innersudetischen Hauptverwerfung an altpaläozoische Gesteine. Im Süden wird er von dem spätvariscisch intrudierten Iser-Riesengebirgsgranit abgeschnitten.

Bederke (1930) sieht in dem Iser-Riesengebirgsgneis einen syntektonischen Pluton von sardischem Alter. Watznauer (1955, S. 41) weist darauf hin, daß gegen eine sardisch-synorogene Platznahme das kristalloblastische bis blastomylonitische Gefüge des Gesteins spricht. Es sind nirgends Anzeichen einer primären Fließtextur zu erkennen. Diese Beobachtung würde für die Ansicht sprechen, daß der Iser-Riesengebirgsgneis unter Beanspruchung aus dem Rumburger Granit hervorgegangen ist (Rimann 1910; Ahrens 1926). Von Ebert (1943, S. 11) wurden dazu weitere Ausführungen gemacht. Dieser Bearbeiter unterscheidet fünf epizonale Beanspruchungszonen (I–V), in denen der Verformungsgrad des Rumburger Granits und damit die Intensität seiner Umwandlung zu Iser-Riesengebirgsgneis von Westen nach Osten ständig zunehmen soll.

Im Westen, wo der Rumburger Granit bei dem namengebenden Ort Rumburk (Rumburg)/ČSSR erstmalig in größerem Zusammenhang erscheint, besitzt er ein richtungslos körniges Gefüge (Zone I). In Zone II ist das Gestein zerpreßt, weist jedoch noch keine Paralleltexturen auf. Mylonite herrschen in Zone III vor, die nach Osten in Zone IV und V eine immer stärker werdende Umkristallisation aufweisen.

Bereits die Durchsicht der alten geologischen Kartenblätter des betreffenden Gebietes zeigt, daß die Verformung in östlicher Richtung nicht durchgehend zunimmt, sondern daß im ganzen Bereich über eine mehr oder weniger große Flächenausdehnung granitisch-körnige Gesteine (gnγ) auskartiert sind. Dies ist z. B. auch der Fall im östlichen Verbreitungsgebiet des Gneises, bei Jelenia Góra (Hirschberg), wo nach Ebert (1943) der stärkste Verformungsgrad erreicht sein soll.

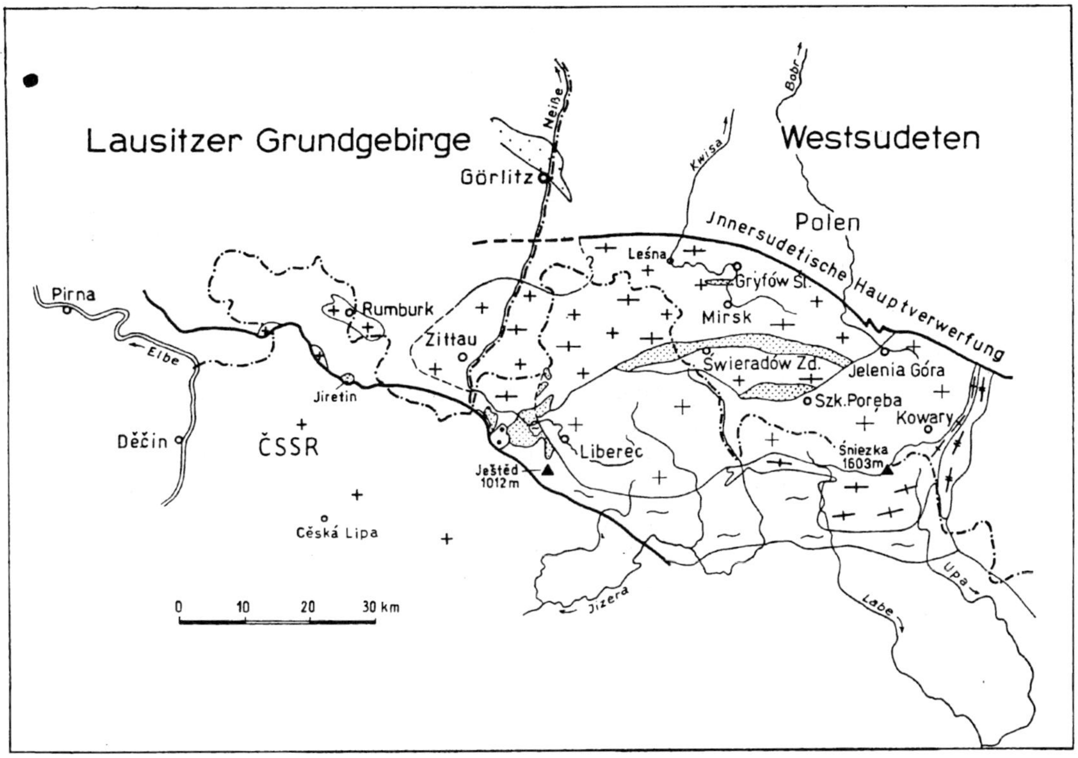

Abb. 15. Übersichtsskizze der Gesteinseinheiten der Westsudeten

Kreuze = Rumburger Granit, *Kreuze mit einem längeren Querstrich* = Iser-Riesengebirgsgneis, *enger Punktraster* = sog. Glimmerschieferzüge des nördlichen Iser-Gebirges bzw. Grauwackenschollen westlich von Liberec, *Striche mit kurzem Querstrich* = Rudawy-Janowickie-Śniezka (Landshuter Kamm-Schneekoppen)-Einheit, *Striche mit doppelten Querstrichen* = Gneise der Leszczyniec-(Haselbacher) Einheit, *weiter Kreuzraster* = Iser-Riesengebirgsgranit (variscisch), *weiter Punktraster* = Lausitzer Grauwackenserie bei Görlitz, kräftige schwarze Punkte = Oberdevon (westlich Liberec), *strichpunktierte Linie* = *Staatsgrenzen*.

Česká Lipa = Böhmisch Leipa, Děčín = Tetschen, Gryfów Ślaski = Greifenberg, Jelenia Góra = Hirschberg, Jiretin = Georgental, Leśna = Marklissa, Liberec = Reichenberg, Mirsk = Friedeberg, Rumburk = Rumburg, Świeradów Zdrój = Bad Flinsberg, Szklarska Poreba = Schreiberhau, Kowary = Schmiedeberg; Ještěd = Jeschken, Śniezka = Schneekoppe; Bobr = Bober, Jizera = Iser, Kwisa = Queiz, Labe = Elbe, Upa = Aupa

Eine grundsätzlich andere Betrachtungsweise zeigen die neuen polnischen Arbeiten. Danach ist der Iser-Riesengebirgsgneis das Resultat eines differentierten Granitisationsprozesses, von dem eine superkrustale Serie erfaßt wurde.

So fand Kozlowska-Koch (1960) im Bobr (Bober)-Tal nordwestlich von Jelenia Góra (Hirschberg) im Iser-Riesengebirgsgneis reliktische Bestände einer sedimentären Abfolge, die vorzugsweise aus pelitischen und psammitischen Ablagerungen bestand. Es sind auch basische Vulkanite zu vermuten, die als Abkömmlinge eines initialen Vulkanismus angesehen werden können. Das Ergebnis der metasomatischen Umwandlung (Granitisierung) von Gesteinen usprünglich verschiedenen Mineralbestandes ist ein in seiner Ausbildung stark wechselnder Gesteinsverband, eben der Iser-Riesengebirgsgneis (petrographische Einzelheiten s. Kozlowska-Koch 1960).

Die flächenhaften Texturen des Iser-Riesengebirgsgneises sind somit nicht auf eine postkristalline Deformation des Rumburger Granits zurückzuführen, sondern sie sind von Sedimentgesteinen ererbt und wurden vermutlich bei einer parakristallinen Durchbewegung des Gesteinsverbandes während der Mobilisation weiter ausgebildet.

Neben den direkt aus sedimentären Gesteinen abzuleitenden Anteilen des Iser-Riesengebirgsgneises sind auch granitoide Intrusiva an dem Aufbau beteiligt. Es handelt sich vermutlich um in tieferen Teilen dieser Zone palingen mobilisiertes Material, welches in Form meist texturflächenparalleler Intrusionen in höhere Bereiche aufdrang. Reliktische Sedimentgesteine wurden von ihm kontaktmetamorph verändert. Eine mengenmäßige Einschätzung der Anteile von Para- und (palingenem) Orthomaterial ist auf Grund des heutigen Untersuchungsstandes noch nicht möglich (KOZLOWSKA-KOCH 1960).

Die flächenhaften Paralleltexturen verlaufen im Iser-Riesengebirgsgneis bevorzugt um Ost–West. Ihre Richtung wird auch durch das Streichen der reliktisch eingelagerten Glimmerschieferzüge angegeben, bei denen es sich nach OBERC (1961, S. 161) um Schenkel von Großfalten handelt. Die Ost–West-Strukturen, die auf einen annähernd Nord–Süd gerichteten Beanspruchungsplan zurückzuführen sind, überlagern eine Streckung der Mineralkörner in nordwest-südöstlicher Richtung. Überträgt man die strukturellen Kenntnisse aus dem Erzgebirge (SCHMIDT 1959) auf den westsudetischen Raum, so kann man in den Nordwest–Südost-Elementen auch die Scherflächenrichtung einer nord–südlichen Hauptbeanspruchung sehen.

Nach der Durchbewegung erfolgte eine statische Metablastese, die eine Homogenisierung der vorliegenden, mehr oder weniger stark granitisierten Serien zur Folge hatte (vgl. OBERC 1961, S. 148). Durch das kräftige Wachstum von Kalifeldspaten gehen dabei die Gneistexturen über größere Bereiche verloren, und es entsteht der richtungslos-körnige Rumburger Granit, der örtlich intrusiv werden kann. Die Entstehung dieser Gesteinsausbildung erfolgte somit — im Gegensatz zu den bisherigen Ansichten (z. B. EBERT 1943) nach der Texturflächenbildung im Iser-Riesengebirgsgneis. Jünger ist eine beginnende Albitisierung der Kalifeldspate (Mikrokline), die oft mit tektonischen Deformationen verbunden ist.[1])

Im Gelände herrscht eine grobkörnige Varietät des Rumburger Granits vor, die durch bis über 10 cm große Kalifeldspate einen porphyrartigen Habitus annehmen kann. Daneben treten feinkörnige aplitische

---

[1]) In seinem Gutachten zur Habilitationsschrift gibt Prof. SMULIKOWSKI einen Abriß des assyntischen Werdeganges des Iser-Riesengebirgsgneises, wie er sich aus den noch unveröffentlichten Untersuchungen von Frau KOZLOWSKA-KOCH ergibt. Wörtlich schreibt er: „Eine jungalgonkische suprakrustale Serie wurde während der Hauptperiode der assyntischen Orogenese zuerst in weitem Umfang metasomatisch feldspatisiert und teilweise granitisiert. Diese plutonische gneisbildende Metamorphose wurde durch die Emanationen aus den tieferen Stockwerken des Gebirges zustandegebracht, wo gleichzeitig differentielle Anatexis und palingenetische Magmabildung anfing. In Weiterentwicklung des assyntischen Gebirges wurde dieses Magma hinaufgepreßt, in Form unzähliger synkinematischer Flachintrusionen durchdrang es seinen eigenen vorher metasomatisch umgewandelten Gneishof und überholte ihn sogar an vielen Stellen, wodurch er mit noch nicht granitisierten Schiefern in Berührung kam und diese in eigentliche kontaktmetamorphe Hornfelse verwandelte.

Der Aufstieg heißer plutonischer Emanationen dauerte aber nach dieser Intrusion an und verursachte eine statische Feldspatisierung und Granitisierung der Kontakthornfelse, meistens bis auf kaum merkbare Spuren, wobei wiederum gneisartige Felsarten entstanden. Dieselben Emanationen vollbrachten jedoch auch inmitten der Intrusion selbst eine statische Endoblastese, Kornvergröberung, Sprossung von Mikroklinmegablasten usw. Ganz analoge Umwandlungen aber wurden auch in frühmetasomatisch granitisierten Gneisen hervorgerufen, wodurch in günstigen Bedingungen eine derartige Angleichung und Verschweißung des Gesteinsmaterials zustande kam, daß es feldgeologisch meistens kaum mehr möglich erscheint, die Grenzen zwischen der Intrusion und ihrem Kontakthof festzustellen.

Danach mit fallender Temperatur, führten die noch immer hinaufsteigenden Lösungen nunmehr nur Natrium, und es begann eine Albitisierung der Mikrokline und zum Teil eine Auslaugung farbiger Gemengteile, oftmals einer schwachen tektonischen Deformation folgend."

bis aplitisch-granitporphyrische (evtl. umgebildete, sedimentäre Altbestände) Ausbildungen auf. Die Kalifeldspatblasten werden zum Teil von Plagioklassäumen umgeben, das Gestein besitzt Rapakiwistruktur. Turmalin gehört zu den regelmäßig vorhandenen Übergemengteilen. Besonders kennzeichnend sind — gleichfalls beim Iser-Riesengebirgsgneis — deutlich blau gefärbte Quarze. Xenolithische Einschlüsse sind kaum vorhanden. In Pinit umgewandelter Cordierit könnte auf ehemalig sedimentäres Material hinweisen (Reinisch 1920, S. 4; Borkowska 1957, S. 376).

In die Zeit der metasomatischen Entstehung des Rumburger Granits aus Iser-Riesengebirgsgneis wird die Bildung der Turmalinnester zu stellen sein, die sich vielfach im Gneis finden. In der Nähe der Turmalinausscheidungen tritt die Flaserung des Gneises sehr zurück, und meist ist das Gestein rings um die Turmalinnester besonders feldspatreich (Berg 1926a, S. 13).

In den Iser-Riesengebirgsgneis sind — wie bereits angedeutet — Glimmerschieferzüge eingelagert. Es handelt sich im wesentlichen um drei Bereiche, die in einer Breite von mehreren hundert Metern über eine Entfernung bis zu etwa 40 km zu verfolgen sind.

Der südlichste Glimmerschieferzug ist der von Szklarska Poreba (Schreiberhau). Er grenzt an seiner nördlichen Flanke an den Iser-Riesengebirgsgneis, im Süden wird er von dem spätvariscischen Riesengebirgsgranit begleitet (s. Abb. 15). Die längste Erstreckung hat der Glimmerschieferzug Swieradów Zdrój (Bad Flinsberg)–Stara Kamienica (Altkemnitz), der sich aus dem Raum von Jelenia Góra (Hirschberg) in westlicher Richtung bis in die ČSSR erstreckt. Ein schmaler Zug erscheint im Norden bei Zlotniki Lubanskie (Goldentraum), südlich von Gryfów Slaski (Greiffenberg).

Die Glimmerschieferzüge stellen nach Oberc (1961, S. 145) reliktische Bereiche der Gesteinsfolge dar, die zu Iser-Riesengebirgsgneis wurde. Die Gesteine dieser reliktischen Einlagerungen bestehen in der Hauptsache aus phyllitartigen Glimmerschiefern, wobei alle Übergänge von quarzreichen Glimmerschiefern zu glimmerführenden Quarzitschiefern vorhanden sind. Auch Kalkphyllite sowie bis zu mehrere Meter mächtige Kalksteinlinsen sind vorhanden. Im Zug von Stara Kamienica (Altkemnitz) ist ein Granatglimmerschiefer horizontmäßig zu verfolgen. Häufig sind Amphibolite, die auf eisen- und magnesiareiche Sedimente zurückgeführt werden. Zum Teil kann es sich dabei auch um Intrusionen oder Effusionen basischer Gesteine bzw. um ehemalige Tuffbildungen handeln (Berg 1926b, S. 11). Der Metamorphosegrad der Einlagerungen im Gneis entspricht nach Berg (1935) der unteren Epizone bis oberen Mesozone.

An ihrem Nordrand grenzen die Gesteine der Glimmerschieferzüge entlang Störungen an den Iser-Riesengebirgsgneis. Im Süden werden sie von Leukograniten (Smulikowski 1958) begleitet.

Die Leukogranite sind meistens richtungslos mittelkörnig. Sie enthalten fast keinen Glimmer. In porphyrartigen Varietäten bestehen die Einsprenglinge aus Feldspaten oder aus blauem Quarz. Nach Smulikowski (1958) handelt es sich bei diesen Gesteinsvarietäten um Metasomatoseprodukte, hervorgegangen aus Iser-Riesengebirgsgneis. Ihre Entstehung ist nach Oberc (1961, S. 150) zeitlich und genetisch mit der Bildung des Rumburger Granits in Verbindung zu bringen. Die Bildung der Leukogesteine wurde vermutlich durch eine bereits vorhandene tektonische Grenze zwischen Glimmerschieferzug und Iser-Riesengebirgsgneis begünstigt.

Auf den alten deutschen geologischen Karten sind die Leukogranite als pegmatitische Randfazies des Iser-Riesengebirgsgneises kartiert (z. B. Berg 1926b).

Auch die Randzonen der Glimmerschieferzüge zeigen Veränderungen durch die Metasomatose. Sie wurden albitisiert und gehen in Albitschiefer über. Die Eisen-Magnesiumverbindungen wanderten aus und bewirkten im Glimmerschieferkomplex das postkinematische Wachstum von Biotitpoikiloblasten.

An der Grenze des Leukogranits gegen die Sedimentzüge treten Turmalinquarzite auf, die durch Turmalinisierung aus reliktischen quarzitischen Schiefern hervorgingen (vgl. Berg 1926b, S. 13). Diese dunklen Quarzturmalinfelse sind ein Leitgeröll der ordovizischen Basisquarzite (s. Abschn. II, B).

Zu den Glimmerschiefereinlagerungen, d. h. zu den reliktischen Beständen der granitisierten Serie, werden auch die relativ kleinen Grauwackenschollen zwischen Zittau und Liberec (Reichenberg)/ČSSR gehören, die in der westlichen Verlängerung des Glimmerschieferzuges von Stara Kamienica (Altkemnitz) liegen (Watznauer 1940, S. 154). Es sind die Schollen vom Kahleberg, von Oberwittig, Hoheneck und Wetzwalde (Watznauer 1935). Ebert (Ebert & Grahmann 1937, S. 19) betont, daß es sich bei diesen Gesteinen nicht um reine Grauwacken handelt, sondern um quarzreiche, feinkörnige Tonschiefer sowie sericit- und chloritreiche Quarzitschiefer. Von allen Bearbeitern (s. Watznauer 1935; Ebert & Grahmann 1937, S. 21) wird darauf hingewiesen, daß die Schollen im magmatischen Kontakt mit dem umgebenden Rumburger Granit stehen. Hierin ist ein weiterer Hinweis für einen örtlich intrusiven Charakter des Rumburger Granits zu sehen. Ausläufer des granitischen Gesteins durchsetzen zum Teil schräg die noch erkennbare alte Schichtung. Als Neubildung werden Quarz-Topasgesteine genannt.

Nach den neuesten Veröffentlichungen (Svoboda & Chaloupský 1962; Chaloupský 1962) gehört die Grauwackenserie der nördlichsten Teile des Ještěd (Jeschken)-Gebirges (s. Abb. 20) ebenfalls in das Algonkium und ist — nach Ansicht des Verfassers — mit den Grauwackenschollen zwischen Zittau und Liberec (Reichenberg) zu parallelisieren.

Die Einstufung „älter als der Isergneis" wurde bereits von Watznauer (1935) gegeben. Gallwitz (1930) stellte die Serien in das Oberdevon, und Svoboda (1930) sah sie für silurisch an.

Die epizonal veränderte Grauwackenserie enthält Einlagerungen von Metabasiten, porphyrartigen Gesteinen und deren Tuffen, von Quarzit- und Graphitschiefern sowie geringmächtige Lagen kalkreicher Dolomite bzw. dolomitischer Kalksteine. Die Bildungen werden durch den Rumburger Granit metamorphisiert. Im oberen Ordovizium erscheinen die Gesteine der Grauwackenserie zusammen mit dem Rumburger Granit als Gerölle (Svoboda & Chaloupský 1962; Chaloupský 1962, S. 27; 1963).

Mit dem Rumburger Granit im Intrusivkontakt steht auch die Jiretiner Scholle, die etwa 25 km westlich von Zittau an der Lausitzer Überschiebung aufgeschlossen ist. Sie wird aus Grauwacken, Schiefern und Grünschiefern gebildet. Die Grünschiefer, die eine Mineralassoziation (Albit–Quarz–Chlorit–Aktinolith–Epidot–Titanit) aufweisen, können als umgewandelte Spilite gedeutet werden (Fediuk u. a. 1958, S. 39). Die Gesteine der Scholle von Jiretin/ČSSR entsprechen demnach ebenfalls altersmäßig den Gesteinen, die in den Glimmerschieferzügen im Iser-Riesengebirgsgneis auftreten. Genetisch handelt es sich um geosynklinale Bildungen, die von der anatektisch-metasomatischen Umwandlung zu Iser-Riesengebirgsgneis nicht erfaßt wurden. Weitere Einzelheiten sind von den zur Zeit laufenden Arbeiten polnischer und tschechischer Geologen zu erwarten.

Das westlichste Vorkommen von Rumburger Granit liegt bei Hinterhermsdorf in der Nähe der Staatsgrenze DDR/ČSSR. Noch etwas weiter westlich, etwa 18 km von Děčín/ČSSR entfernt, tritt in tertiären Tuffschloten bei Č. Kamenice (Oberkamnitz)/ČSSR Rumburger Granit als Einschluß auf (Hibsch 1927, S. 69; Ebert 1932). Die Gesteine der Iser-Riesengebirgseinheit sind also im Süden fast bis an die Elbtalzone zu verfolgen (s. Abb. 15).

Neue Bohrungen wiesen im Raum südlich von Česká Lípa (Böhmisch-Leipa) einen annähernd Ost–West streichenden Rücken vorzugsweise mesozonal metamorphosierter Gesteine (z. B. granatführende Glimmerschiefer) nach, in dessen Bereich auch ein amphibolführendes granitoides Gestein erbohrt wurde. Dieser Rücken wird im Westen gegenüber dem Kristallin der erzgebirgischen Einheit durch eine Dislokation abgegrenzt. Nördlich von ihm liegen die verhältnismäßig schwach metamorphosierten Gesteine der Elbtalzone (Klein 1963).

Im Norden wird die Iser-Riesengebirgseinheit — wie bereits einleitend gesagt — durch die Innersudetische Hauptverwerfung scharf gegen die vorwiegend altpaläozoischen Gesteine des Bober-Katzbachgebirges begrenzt.

Im Bereich des Subsudetischen Walles, einer von jungen Deckschichten oberflächlich fast überall verdeckten Grundgebirgseinheit zwischen Sudeten-Randbruch und Sudeten-Außenrandbruch, erscheinen neben altpaläozoischen Gesteinen vom Typ des Bober-Katzbachgebirges (sog. Subsudetische Schiefergebirge) bei Wadroze Wielkie (Groß-Wandriß) nochmals Gneise vom Charakter der Iser-Riesengebirgsgneise an der Oberfläche (s. Abb. 18). Neue petrographisch-chemische Untersuchungen (Kozlowska 1957, Kozlowska-Koch 1959) bestätigen diesen Vergleich.

Die mikroskopischen Beobachtungen zeigen, daß der Gneis von Wadroze Wielkie (Groß-Wandriß) kein Orthogneis (Brüll 1942) ist, sondern es handelt sich vielmehr um ein Gestein, welches durch metasomatische Granitisation aus Granat-Glimmerschiefern sedimentärer Herkunft entstand. Reliktische Glimmerschieferbereiche sind des öfteren im Gneis enthalten. Die Entstehung des Gneises war spätestens am Ende der assyntischen Orogenese abgeschlossen.

Oberc (1961) parallelisiert die Entwicklung des Iser-Riesengebirgsgneises bzw. die Entstehung des Rumburger Granits mit den Geschehnissen im Ostrand des variscischen Riesengebirgsgranites. Hier sind granitisierte Gesteine zwischen dem jungen Pluton und der Innersudetischen Mulde in nord-südlicher Erstreckung aufgeschlossen. Innerhalb der etwa 5 Kilometer breiten Zone werden zwei Einheiten unterschieden, die sich lithologisch und im Metamorphoseverhalten voneinander trennen lassen.

Den westlichen Teil nimmt die Rudawy Janowickie/Śniezka (Landeshuter Kamm–Schneekoppen)-Einheit ein, die dem Riesengebirgskomplex von M. & J. Szalamacha (1960) entspricht, welcher in das südliche Riesengebirge fortsetzt. Die Gesteine des östlichen Gebietes werden zu der Leszczyniec-(Haselbacher)Einheit vereinigt (s. Abb. 15).

Der variscische Riesengebirgsgranit grenzt nur an die Rudawy Janowickie–Śniezka-Einheit. Diese besteht aus einer Glimmerschieferfolge, innerhalb dieser Gesteine unterschiedlichen Umwandlungsgrades erscheinen, so z. B. phyllitisch ausgebildete Glieder, ferner Amphibolite, Quarzitschiefer, Graphitschiefer, Kalksteine und Kalksilikatgesteine.

Kodym & Svoboda (1948) geben innerhalb dieser Ausbildungen für das südliche Riesengebirge eine Altersfolge an. Sie stellen die Quarzite in den tieferen und die Kalke in den höheren Teil der Serie. Syngenetisch mit den Kalken soll ein Diabas-Vulkanismus (jetzt Amphibolite) erfolgt sein.

Die räumliche Ausdehnung der verschiedenen Varietäten ist sehr unterschiedlich. Einen wesentlichen Raum innerhalb der Glimmerschieferfolge nimmt der Kowary-(Schmiedeberger) Gneis ein, dessen richtungslos körnige Ausbildung sich von der des Rumburger Granits nicht unterscheidet. Der Kowary-Gneis liegt ferner als Augengneis, feinkörniger Flasergneis und in anderen texturellen Abarten vor. Neben dem Kowary-Gneis erscheint ein glimmerarmer Gneis, der als Miedzianka-(Kupferberger) Gneis bezeichnet wird (Oberc 1961, S. 143). Als Relikte der Granitisation sind in diesem feinkörnigen Gestein Glimmerschiefer, Amphibolite und Quarzite vorhanden.

Zu der Rudawy Janowieckie–Śniezka-Einheit rechnet Oberc (1961) auch die Gneise von Mala Ǔpa (Klein Aupa), deren Hauptverbreitungsgebiet in der ČSSR liegt (vgl. Kodym & Svoboda 1948, S. 147).

Die Leszczyniec-(Haselbacher) Einheit überlagert die Rudawy Janowieckie–Šniezka-Einheit mit einem deutlich anderen Gesteinsinventar. Es herrschen massige Quarzamphibolite, Quarzitchloritschiefer und Hornblendegneise vor.

Die Hornblendegneise entstanden durch Granitisation von Amphiboliten. Sie sind in der Literatur unter dem Namen Paczyn-(Petzelsdorfer)Gneise bekannt. Die Umwandlungsprozesse wurden auch in diesem Gebiet örtlich von Bewegungen begleitet, d. h. sie erfolgten synkinematisch.

Die Leszczniec-Einheit ist von einer Diaphthorese betroffen worden. Unter anderem spricht dafür das Auftreten von charakteristischen Mineralien der Glaukophanfazies in Quarzamphiboliten der Nachbarschaft von Niedamierow (Kunzendorf) (Juskowiak 1957, S. 129).

Alle genannten Vorgänge im Raume der Westsudeten, also Ablagerung einer superkrustalen Serie mit eingeschalteten, vorzugsweise basischen Magmatiten, Faltung dieser Serie und Überführung in Amphibolitfazies, anatektisch-metasomatische Mobilisation unter Beteiligung von synorogenen Granitoiden (Bildung des Iser-Riesengebirgsgneises), statische Granitisation (Entstehung des Rumburger Granites) mit intrusiven Teilbewegungen, danach Überschiebungstektonik im östlichen Teil (Überschiebung der Leszczyniec-Einheit) geschahen nach Oberc (1961, S. 166) vor dem Ordovizium.

Die Verwitterungsprodukte des Iser-Riesengebirgsgneises und des Rumburger Granits sind in den ordovizischen Serien des westsudetischen Paläozoikums wiederzuerkennen (Oberc 1961, S. 149). Schwarzbach (1939, Abb. 4) wies zuerst darauf hin, daß die ordovizischen Grauwacken des Bober-Katzbachgebirges in ihrer Verbreitung eine gewisse Bindung an die Gneise der Westsudeten zeigen. Brüll (1942) versuchte auf Grund eingehender Feldspatuntersuchungen nachzuweisen, daß die Grauwacken des Bober-Katzbachgebirges sich aus den Verwitterungsprodukten des Iser-Riesengebirgsgneises zusammensetzen. In neuerer Zeit fand Chaloupský (1958, S. 42; 1962; 1963) bei Kartierungsarbeiten im Gebiet des Jizera-(Iser) Tales des südlichen Riesengebirges in ordovizischen geröllführenden Quarziten Abtragungsprodukte (z. B. Blauquarze, Quarzturmalinfelse sowie Gerölle von Rumburger Granit), die aus dem Raum des Iser-Riesengebirgsgneises stammen bzw. von dem Rumburger Granit abzuleiten sind.

b) Das Präordovizium im Bober-Katzbachgebirge

Das Verbreitungsgebiet des Iser-Riesengebirgsgneises wird nach Norden tektonisch durch die variscische Innersudetische Hauptverwerfung abgeschnitten (s. Abb. 15).

An diese schließt das Bober-Katzbachgebirge (Góry Kaczawskie) an. Neben ordovizischen und silurischen Gesteinen (s. Abschn. II, B, 3) sind hier auch ältere Serien vertreten. Bei Wojcieszów (Kauffung) erscheinen bis zu 500 m mächtige dolomitische Kalksteine, die Rotschieferlagen enthalten. Auf Grund ihrer petrographischen Ähnlichkeit sowie ihrer regionalen Lage in der südöstlichen Verlängerung des Görlitzer Schiefergebirges werden die Kalke des Bober-Katzbachgebirges von jeher mit dem unterkambrischen Kalksteinkomplex des Görlitzer Raumes parallelisiert (z. B. Dahlgrün 1934, S. 388).

In den Wojzieszów-(Kauffunger) Kalken können zwei Abteilungen unterschieden werden (Teisseyre 1960a, S. 33). Die untere Abteilung besteht aus überwiegend gut gebankten, im allgemeinen dünngeschichteten, dunkelfarbigen, bläulichgrauen bis violettgrauen Kalksteinen. Die obere Abteilung charakterisieren helle, graue, gelbliche, weiße oder rosa Kalke, die vorwiegend in dicken Bänken auftreten. In den hangenden Teilen sind Einlagerungen von roten und bunten Schiefern vorhanden.

Die dolomitischen Kalke sind im Wojcieszów-(Kauffunger)Kalkstein nicht wie im Görlitzer Schiefergebirge auf das Liegende beschränkt, sondern gehen durch alle Horizonte (Block 1938, S. 72). Fossilien wurden bis auf die stratigraphisch nicht verwendbaren Funde von *Silesicaris nasuta* Gürich 1929 und *Cambrodiscus* sp. Kozlowski bisher in dieser Serie nicht gefunden.

Während bei Görlitz das stratigraphisch Liegende des Unterkambriums nicht bekannt ist, konnte Teisseyre (1960a, S. 33) durch Schürfe feststellen, daß zwischen den Wojcieszów-(Kauffunger) Kalksteinen und den unterlagernden Radzimowice-(Altenberger) Schiefern ein lithologischer Übergang aus Kalkphylliten vorhanden ist.

Die Radzimowice-(Altenberger) Schiefer bestehen aus Grauwacken und Grauwackenschiefern, in die Graphitquarzite sowie einige Kalklagen eingeschaltet sind (Block 1938, Schwarzbach 1939, S. 8).

Die Schieferserie wird auf Grund des sehr wahrscheinlichen unterkambrischen Alters der Wojzieszów-(Kauffunger) Kalksteine in das Jungalgonkium gestellt (Dahlgrün 1934, S. 389). Teisseyre (1956a) bezeichnet sie als eokambrisch (Riphäikum). Es besteht aber auch die Möglichkeit, die Altenberger Schiefer noch dem tiefsten Kambrium zuzurechnen, da im Görlitzer Schiefergebirge fossilmäßig nur das höhere Unterkambrium belegt ist. In der für kambrisch gehaltenen Arzberger Serie des Fichtelgebirges sind in der letzten Zeit unter den Kalken ebenfalls nichtkarbonatische Sedimente festgestellt worden (Stettner 1958, S. 8). Für eine stratigraphische Zusammenfassung der Altenberger Schiefer und der Kalkabfolge in das Kambrium würde auch der gleiche tektonische Verformungsgrad sprechen.

Aus dem Wojcieszów-(Kauffunger) Kalkstein entwickelt sich allmählich die hangende Grünschieferserie. Sie setzt sich besonders aus Diabasen und deren Tuffen, ferner aus Keratophyren und porphyrischen Gesteinen zusammen. In dieser Abfolge treten Sedimente in Form von dunklen Tonschiefern fast ganz zugunsten der Oberflächen- oder oberflächennahen Ergüsse zurück. Die größte Mächtigkeit der Eruptivserie (über 1000 m) ist auf ein relativ kleines Gebiet im mittleren und östlichen Bober-Katzbachgebirge beschränkt (Mbl. Kauffung, Hirschberg und Ruhbank). Nach Westen geht die Mächtigkeit sehr rasch bis auf unter 10 m zurück (Mbl. Liebenthal, Greiffenberg).

Das kambrische Alter der Grünschieferserie wird u. a. daraus abgeleitet, daß dazugehörige (?) Keratophyre[1]) diskordant die Wojcieszów-(Kauffunger)Kalksteine durchsetzen. Zum anderen treten vulkanische Gesteine (Paläoporphyre) dieser Abfolge (?) in den unteren Schichten des Ordoviziums (z. B. im Kuttenberg-Quarzit) als Gerölle auf (Bederke 1932, Dahlgrün 1934).

Zwischen höherem Kambrium (Grünschieferserie) und dem unteren Ordovizium vermuten Bederke (1939), Schwarzbach (1939) und Murawski (1943) — im Gegensatz zu Teisseyre (1960b) — eine Bewegungsphase. Dafür soll ein etwas höherer Metamorphosegrad der Radzimowice-(Altenberger)Schiefer bzw. der recht phyllitische Habitus der Tonschiefer der Eruptivserie sprechen; dies im Gegensatz zu der schwächeren Metamorphose der jüngeren altpaläozoischen Bildungen (Schwarzbach 1936, S. 44). Auch die sandige Fazies des tieferen Ordoviziums sowie das Erscheinen von Geröllagen (z. B. Kuttenberg-Quarzit), in denen Aufbereitungsmaterial älterer Gesteine — darunter auch der kambrische Eruptivserien — vorhanden ist, sprechen für eine Schichtlücke bzw. Diskordanz an der Basis des Ordoviziums. Allerdings ist die stratigraphische Stellung der geröllführenden Lagen innerhalb des Ordoviziums nicht gesichert.

„Offensichtlich hat am Ende des Kambriums eine Heraushebung stattgefunden, die mindestens stellenweise zu erheblicher Abtragung führte" (Schwarzbach 1939, S. 16). Von diesen Hebungsvorgängen wird auch das Verbreitungsgebiet des Iser-Riesengebirgsgranites bzw. des Rumburger Granits betroffen worden sein, denn nur so konnte deren Detritus in die ordovizischen Sedimente gelangen.

Schwierigkeiten bereitet die großtektonische Einstufung des basischen Vulkanismus im Bober-Katzbachgebirge. Nach den vermutlich gleichaltrigen Bildungen des höheren Kambriums in Böhmen ist er als subsequent zur assyntischen Orogenese anzusprechen, wobei in diesem Falle allerdings besondere Verhältnisse das Vorherrschen relativ basischer Gesteine bewirkt haben müssen. Wird er als initialer Magmatismus dem kaledonischen Zeitraum zugerechnet, so liegt ein Fall vor, in dem sich zeitlich — jedoch nicht räumlich — subsequenter und initialer Magmatismus überschneiden. Es muß allerdings darauf hingewiesen werden, daß die stratigraphische Einstufung der vorordovizischen Serien des Bober-Katzbachgebirges durch Neubearbeitungen bestätigt werden müßte. Fossilfunde könnten eventuell noch Überraschungen bringen, so z. B. eine Einstufung in das Mittel- bzw. Oberdevon. Dieser Gedanke ist auf Grund des Nachweises devonischer Sedimente und eines devonischen Diabas-Magmatismus im Görlitzer Schiefergebirge (s. Abschn. II, B, 2) besonders naheliegend.

5. Die assyntische Orogenese (Zusammenfassung)

Nach den heutigen Kenntnissen ist die assyntische Orogenese nicht auf den Raum westlich der Elbelinie beschränkt geblieben (s. Watznauer 1955), sondern sie greift in derselben Intensität und mit den gleichen Erscheinungsformen auch auf das Gebiet östlich der Elbe über.

Zu Beginn der assyntischen Entwicklung lag ein eingeebnetes, moldanubisches (algomisches) Grundgebirge vor (?), von dem heute Reste in dem böhmischen moldanubischen Block, dem Sächsischen und Nordböhmischen (?) Granulitgebiet und den Eule-Gneisen der Westsudeten aufgeschlossen sind.

Die einförmige pelitisch-psammitische Abfolge der Vorspilit-Stufe griff auf diesen bereits konsolidierten Raum über (?). Die initialen Magmatite der assyntischen Orogenese erscheinen

[1]) Petrographische Neubearbeitungen ergaben, daß die Keratophyre, so z. B. der Keratophyr nördlich von Kaczorów (Ketschdorf) albitisierte Gesteine darstellen, die besser als alkalische Paläorhyolithe zu bezeichnen sind (Ansilewski 1954).

als submarine und hybabyssische Bildungen zur Zeit der Spilit-Stufe, die ohne Schichtlücke und Diskordanz auf die Vorspilit-Stufe folgt. Die Reliefverhältnisse waren in dieser Zeit bewegter, so daß Kieselschiefer (Radiolarite), graphitische Schiefer und besonders in den hangenden Teilen auch kalkige Sedimente sowie geringmächtige, nicht horizontbeständige Kalke zur Bildung gelangten (MÁŠKA & ZOUBEK 1960, S. 35; RÖHLICH 1961). Die lithologischen Ausbildungen, die der Flyschserie der assyntischen Orogenese entsprechen, können am besten in Böhmen studiert werden, denn dort sind die algonkischen Gesteine während der folgenden intra-algonkischen Phase nur schwach verändert worden.

Die stratigraphische Gliederung der algonkischen Gesteine erfolgt im betrachteten Raum (Erzgebirge–Westsudeten) stets nach den Verhältnissen in Böhmen, wobei vorausgesetzt wird, daß innerhalb einer Stufe (Serie) keine wesentlichen lithologischen Faziesabweichungen vorhanden sind. Darin liegt eine grundsätzliche Schwäche der gegebenen Parallelisierungen.

Im Bereich des Erzgebirges und in den Westsudeten ging der intra-algonkischen Phase vermutlich ein Anstieg der Geoisothermen voraus, so daß es zu einer anatektisch-metasomatischen Mobilisation tieferer Teile der bisher zur Ablagerung gekommenen algonkischen Serien (Vorspilit- (?) und Spilit-Stufe) kam. Sie führte zu der Entstehung von hybriden Gesteinsverbänden, die im Erzgebirge petrographisch als reliktreiche Zweiglimmergranodiorite zu charakterisieren sind. Heute liegen sie — in vergneister Form — als Oberer Freiberger Gneis, Marienberger oder Annaberger Gneis vor.

Während der intra-algonkischen Phase wird es im meso- bis katazonalen Bereich örtlich zur Bildung von syntektonischen Texturflächen gekommen sein, wie die Verhältnisse im Teplá-(Tepler)Hochland zeigen.

Im westsudetischen Raum werden die granitisierten Gesteine der Vorspilit- und Spilit-Stufe[1]) unter dem Begriff Iser-Riesengebirgsgneis vereinigt. Die Beteiligung an granitoiden (palingenen) Schmelzen ist auf Grund des heutigen Untersuchungsstandes noch nicht abzuschätzen. Die vermutlich in der intra-algonkischen Phase weiter ausgestalteten Texturflächen (ehemalige Schichtung ?) bestimmen das heutige Erscheinungsbild.

Nach dem Hangenden wird die intra-algonkische Metamorphose abgeklungen sein. Ausbildungen, die diesen niedriger metamorphen hangenden Einheiten angehören, dürften in den Gesteinen der sogenannten Glimmerschieferzüge der nördlichen Westsudeten vorliegen. Es handelt sich dabei um zum Teil phyllitartige Gesteine, die aus pelitisch-psammitischem Material sowie aus Kalken und basischen (initialen) Ergußgesteinen hervorgegangen sind. Zu diesen Einheiten sind auch die sogenannten Grauwackenschollen im Raum Zittau–Ještěd (Jeschken)–Liberec (Reichenberg)/ČSSR (s. Abb. 20) zu rechnen, deren Gesteinsassoziation (Psammite, Pelite, Karbonate, Effusiva m. Tuffiten) ebenfalls mit denen der böhmischen Spilit-Stufe übereinstimmt.[2])

Am Ende der intra-algonkischen Phase, als die Hauptspannungen ausklangen, stiegen im Erzgebirge örtlich palingene granodioritische Schmelzen—entstanden in größerer Tiefe durch anatektische Homogenisierung -- in höhere, niedriger metamorphe Krustenbereiche auf. Dort erzeugten sie statische Kontakthöfe und nahmen Teile der umgebenden Sedimente als xenolithische Schollen und Schlieren in sich auf. Palingene Magmatite dieser Art sind in den Unteren Freiberger Gneisen zu sehen, die aus Granodioriten hervorgingen.

In ihrem Mineralbestand gleichen die granodioritischen Ausgangsgesteine fast völlig dem variscischen Laaser Granodiorit der Elbtalzone bzw. dem Granodiorit der westlichen Lausitz (SCHMIDT 1960a). Ein stratigraphischer Vergleich auf petrographischer Grundlage wäre in diesem Falle mehrdeutig.

---

1) Diese Parallelisierung ist mit einer größeren Unsicherheit verbunden.

2) Zu der ebenfalls altersmäßig in Betracht gezogenen Nachspilit-Stufe (CHALOUPSKÝ 1962) bestehen dagegen größere Unterschiede — gleichbleibende lithologische Faziesverhältnisse vorausgesetzt.

Granodioritische Gesteine vom Typ der (Unteren) Freiberger Granodiorite sind von Kozlowska-Koch (1961) aus dem Gebiet von Leśna (Marklissa) in den Westsudeten beschrieben worden (s. Abb. 15). Kozlowska-Koch parallelisiert diese Granodiorite auf Grund ihrer petrographischen Ausbildung mit dem von einigen Bearbeitern als vorvariscisch angesehenen Granodiorit des östlichen Lausitzer Grundgebirges (s. Abschn. C, 1b).

In Böhmen (nördliches Moldaugebiet) haben vielleicht der Hošticer Granodiorit sowie die granodioritischen Anteile des Komplexes von Neratovice ein entsprechendes (assyntisches) Alter (Röhlich 1960, 1962).

Die intra-algonkische Phase wird als Hauptphase (vgl. Schatski & Bogdanow 1958, S. 11) der assyntischen Orogenese angesprochen, da mit ihr der Geosynklinalzustand abschließt und eine Heraushebung über den Meeresspiegel erfolgte.

Die Heraushebung am Ende der intra-algonkischen Phase führte zur weitgehenden Erosion der Einheiten mit niedriger Metamorphose. Das Abtragungsmaterial kam in den Vorsenken des assyntischen Gebirges zum Absatz und liegt heute in Form der eintönigen Grauwacken der Nachspilit-Stufe vor. Örtlich vorhandene Geröllleinlagerungen, die sich nirgends zu kompakten Konglomeratbänken zusammenschließen, spiegeln die im Abtragungsgebiet anstehenden Gesteine wider. Es handelt sich um gefaltete, jedoch nicht stärker metamorph veränderte sedimentäre Gesteinskomplexe, in deren Bereich die Kopfteile einzelner palingener Granodiorite mit ihren Kontakthöfen angeschnitten waren. Vorzugsweise saure Ganggesteine unterlagen ferner der Erosion.

Die nachspilitische Grauwackenserie ist in Böhmen, im Erzgebirge und im Bereich des Lausitzer Grundgebirges vorhanden. In den Westsudeten fehlt diese Serie primär oder wurde durch Erosion in jüngerer Zeit abgetragen (?).

Die Biegefaltung der Grauwacken der Nachspilit-Stufe erfolgte vermutlich in der jungassyntischen Phase zwischen Algonkium und Kambrium.

Nach dieser Phase stiegen im Erzgebirge granitische Intrusivkörper auf, die heute als Rotgneise vorliegen. Sie erzeugten deutliche Kontakterscheinungen in den gefalteten Ablagerungen der Nachspilit-Stufe.

Im Erzgebirge kann wahrscheinlich gemacht werden, daß diese (Rotgneis-)Biotitgranite in Einheiten verschiedenen Metamorphosegrades eindrangen, nämlich in metasomatisch veränderte Serien der Vorspilit- und Spilit-Stufe sowie in die nur gefalteten, jedoch sonst nicht veränderten Grauwacken der Nachspilit-Stufe (Schmidt 1958, Watznauer 1959, Sattran 1963b). Seit jeher wurde mit den Biotitgraniten (Rotgneisen) des Erzgebirges der Rumburger Granit der Westsudeten verglichen (Scheumann 1939, Pietzsch 1954, Watznauer 1955). Bei beiden Gesteinen handelt es sich um oft grobkörnig, porphyrartig ausgebildete, turmalinhaltige Granite. Nach den neuen polnischen Arbeiten (Oberc 1958, Kozlowska-Koch 1960) entstand der Rumburger Granit durch statische Metasomatose aus dem Iser-Riesengebirgsgneis.

Auch aus dem Bereich des Erzgebirges werden in letzter Zeit Bereiche beschrieben, in denen die Ausgangsgesteine der Rotgneise durch statische, metasomatische Umbildungen aus älteren Bildungen hervorgehen (s. Máška & Zoubek 1960, S. 71). In den Westsudeten ist — wie im Erzgebirge (s. o.) — mit einem Aufstieg der borhaltigen Biotitgranite in höhere Bereiche zu rechnen, wie Kontakterscheinungen des Rumburger Granits gegen reliktische ältere Gesteinsverbände (z. B. Grauwackenschollen) zeigen.

Im Erzgebirge liegen sämtliche bisher genannten Gesteinsausbildungen in vergneister Form vor. Diese Durchbewegung kann nicht intra-algonkisch erfolgt sein, da von der Verformung auch die nachspilitische Serie sowie die darin intrudierten Biotitgranite erfaßt wurden.

Die Grauwacken der Nachspilit-Stufe werden im Erzgebirge im vergneisten Zustand als Grauwackengneise (Geröllgneise) bezeichnet. Die Biotitgranite liegen als sogenannte Rotgneise vor. Die palingenen Granodiorite der intra-algonkischen Phase sind die Unteren Freiberger Gneise, und die Hybridgesteine der frühassyntischen Mobilisation werden Oberer Freiberger, Marienberger oder Annaberger Gneis genannt (s. Tab. 1).

Tabelle 2. Schema der stratigraphischen, lithologischen, petrographischen und tektonischen Beziehungen der assyntisch geformten Gesteinseinheiten des Erzgebirges zueinander

<table>
<tr><th>stratigraphische Einstufung</th><th colspan="2">ursprüngliche Ausbildung</th><th>unvergneiste Erscheinungsform</th><th>„vergneiste" Ausbildung (heutiges Erscheinungsbild)</th></tr>
<tr><td colspan="4">sardische Phase
(VORORDOVIZISCHE VERGNEISUNG?)</td><td></td></tr>
<tr><td>Kambrium</td><td colspan="3">borhaltige, oft grobkörnige Biotitgranite</td><td>Rotgneise</td></tr>
<tr><td colspan="4">jungassyntische Phase
(FALTUNG DER NACHSPILITISCHEN SERIE)</td><td></td></tr>
<tr><td>Nachspilit-Stufe</td><td colspan="3">sehr einförmige Pelit–Psammit-Folge mit Grauwacken-charakter, z. T. mit Geröllleinlagerungen</td><td>Grauwackengneise (Geröllgneise)</td></tr>
<tr><td colspan="4">intra-algonkische Phase
(OROGENETISHE HAUPTPHASE)</td><td></td></tr>
<tr><td>Spilit-Stufe</td><td>Pelite, Psammite mit grauwackenartiger und quarzitischer Zusammensetzung, Kieselschiefer, kalkige Bildungen, initiale Magmatite</td><td rowspan="2">früh intra-algonkisch anatektisch-metasomatisch mobilisiert</td><td>feinkörniger, hybrider Zweiglimmergranodiorit (in höheren Bereichen)</td><td>Oberer Freiberger (Marienberger, Annaberger) Gneis</td></tr>
<tr><td>Vorspilit-Stufe</td><td>einförmige Pelit–Psammit-Folge mit grauwackenartiger Zusammensetzung, z. T. Kieselschiefer</td><td>palingener, mittelkörniger Granodiorit (in tieferen Bereichen), im Anschluß an die intra-algonkische Phase örtlich intrusiv in höhere Bereiche aufsteigend</td><td>Unterer Freiberger Gneis</td></tr>
</table>

Die Vergneisung der erzgebirgischen Gesteine wird von einigen Bearbeitern in die variscische Orogenese gestellt. Aus einer Reihe von Beobachtungen ergibt sich jedoch, daß die meso- bis katazonale Durchbewegung auch an das Ende der assyntischen Orogenese gehören kann.

So werden im Osterzgebirge hochmetamorphe Gneise von phyllitischen (altpaläozoischen) Gesteinen überlagert. Es dürfte sich dabei um eine alte stratigraphische Diskordanz zwischen Ordovizium und älteren assyntisch geformten Serien handeln (Máška & Zoubek 1960, S. 67). Holubec (1961) glaubt im westlichen Erzgebirge diese Schichtlücke auch als eine Strukturdiskordanz erkennen zu können, die einen assyntischen von einem variscischen Bau trennt. Ferner sollen Wechsel im Verhältnis Schichtung/Schieferung für diese Strukturgrenze kennzeichnend sein (Škvor 1963).

Im allgemeinen ist auf der Grundlage gefügeanalytischer Untersuchungen eine strukturelle Trennung von assyntischen und variscischen Elementen nicht möglich, da die variscische Tektonik die älteren Anlagen nachzeichnet (s. Schmidt 1959, Baumann 1963). Bei den Bewegungen wird in der Regel auch die stratigraphische Diskordanz an der Basis des Ordoviziums verwischt. Die assyntischen Glimmerschiefer gleichen sich durch Diaphthorese der vorzugsweise epizonalen variscischen Metamorphose an. Eine Neusprossung von Albit–Oligoklas, die von den Gneisen durch die Glimmerschieferhülle bis in die Epizone zu verfolgen ist (Schmidt 1959, S. 94; Holubec 1962, S. 67), trägt ihrerseits zu einer Verschleierung der Verhältnisse bei.

Für eine assyntische Metamorphose sprechen auch die Verhältnisse im Sächsischen Granulitgebirge.

Der große strukturelle Unterschied von der äußeren Schieferhülle (Altpaläozoikum) zu der inneren Schieferhülle (angesprochen als Algonkium) und dem granulitischen Kern (Moldanubikum) kann stratigraphisch ebenfalls gut als Diskordanz an der Basis des Ordoviziums gedeutet werden. Innerer Schiefermantel und Granulit wurden während der assyntischen Orogenese eng miteinander verquickt (s. BEHR 1961). Die faziellen Veränderungen der Minerale in den Metabasiten des Sächsischen Erzgebirges (ROST 1961) lassen sich zwanglos in diese Verhältnisse einfügen.

Für die genauere altersmäßige Einstufung der Vergneisung haben kambrische Ablagerungen eine besondere Bedeutung. Sie konnten allerdings bisher im Erzgebirge noch nicht sicher nachgewiesen werden.

Auf Grund der Verhältnisse im Fichtelgebirge (Arzberger Serie) und dem Bober-Katzbachgebirge kann innerhalb des Kambriums mit zwei Faziesausbildungen gerechnet werden, und zwar mit einer pelitischen Fazies an der Basis, auf die im höheren Unterkambrium eine vorzugsweise kalkige Ausbildung folgt (?).

Das Fehlen des höheren Kambriums ist auf eine regionale (?) Schichtlücke zurückzuführen, die mit der sardischen Phase bzw. etwas älteren Bewegungen ursächlich in Verbindung zu bringen ist.

Mit der Transgression des tiefen Ordoviziums als Schelfmeer über eine stark verwitterte und eingeebnete Grundgebirgsoberfläche beginnt ein neuer großtektonischer Zyklus.

Die Vergneisung am Ende der assyntischen Orogenese blieb auf den Bereich des Erzgebirges beschränkt, also im wesentlichen auf ein Gebiet, welches heute im Norden und Süden von Granulitgebieten begleitet wird.

Im Norden ist es das Sächsische Tiefenmassiv, welches nach WATZNAUER (1945, S. 46) bis zur Elbe reicht (?). Die größere räumliche Ausdehnung der Böhmischen Granulitschwelle im Süden des Erzgebirges ist erst in den letzten Jahren durch die Ergebnisse von Tiefbohrungen erkannt worden (SATTRAN 1961, S. 124).

In dem Raum zwischen der vermutlich erstmalig moldanubisch geformten Böhmischen Granulitschwelle (?) und dem großen moldanubischen Block in Zentralböhmen wurde die algonkische Abfolge während der intra-algonkischen Phase nur schwach verändert. In den aufgeschlossenen Profilen gibt sich diese Phase durch das Einsetzen von Geröllschüttungen (z. B. Konglomerate von Dobříš; s. KETTNER 1955) sowie durch einen lithologischen Faziessprung (RÖHLICH 1961) zu erkennen. Die Grauwackenserie der Nachspilit-Stufe liegt nur gefaltet vor. Sie entspricht in ihrer Ausbildung den nachspilitischen Grauwacken, die nördlich des Sächsischen Granulitgebirges im Raum von Clanzschwitz–Leipzig erschienen. Die unvergneiste Ausbildung ist ferner im Lausitzer Grundgebirge vorhanden, wo sie bis wenige Kilometer östlich von Görlitz zu verfolgen ist.

Im Bereich der Elbtalzone vollzieht sich der Übergang zwischen unvergneisten und vergneisten Grauwacken der Nachspilit-Stufe auf engstem Raum. Diese Tatsache wird durch die Annahme einer Störung erklärt.

Auf Grund der Verhältnisse in der Elbtalzone während der variscischen Orogenese ist für diese Zeit mit keinen äquivalenten Störungen zu rechnen. Verfasser möchte daher für diese Bewegungen spätassyntische Ereignisse heranziehen.

Diese spätassyntische Störung — angelegt im Anschluß an die Vergneisung — ist die älteste vermutete Aktivität des Elbelineamentes. Im Bereich der Störungszone ist südlich von Dresden als Nachläufer der Biotitgranite (Rotgneise) ein Turmalingranit aufgedrungen (?).

Im gesamten betrachteten Bereich sind die assyntisch entstandenen Strukturformen auf einen Nord–Süd orientierten Hauptbeanspruchungsplan zurückzuführen (vgl. S. 36). So streichen die Texturflächen im größten Teil des Iser-Riesengebirgsgneises um Ost–West (BERG 1935, S. 6). Mit Annäherung an die Innersudetische Hauptverwerfung zwischen Gneisgebiet und dem Altpaläozoikum des Bober-Katzbachgebirges ist ein Ablenken in die Nordwest–Südost-Richtung festzustellen (vgl. OBERC 1961; Tectonic map of the Karkonosze-Izera block). SCHMIDT (1959) konnte im Erzgebirge ebenfalls einen Nord–Süd orientierten Kräfteplan nachweisen. Ferner stellte er fest, daß Nordwest–Südost gerichtete Strukturen (Längung von Mineralien) als Scherflächenrichtungen dem Nord–Süd gerichteten Plan zuzuordnen sind.

Die Nordwest–Südost-Strukturen werden — neben einigen Bereichen im Erzgebirge (z. B. sog. Flöha-Synklinale) — besonders mit Annäherung an die Elbtalzone deutlich. Ihre Anlage während der Hauptbeanspruchung erleichterte wahrscheinlich nach dem Ausklingen der parakristallinen Vorgänge das Entstehen von Transversalstörungen. So ist vermutlich das Lausitzer Grundgebirge entlang der angenommenen spätassyntischen Störung gegenüber dem Erzgebirge nach Südost verschoben worden. Über das Ausmaß der Transversalbewegungen ist nichts Sicheres auszusagen. Auf Grund der geophysikalischen Beobachtungen im Bereich der assyntischen Mitteldeutschen Kristallinschwelle zwischen Dessau und Torgau kann mit Schubweiten von etwa 40 km gerechnet werden. Eine Klärung dieser Frage ist von den Bearbeitungen der Tiefbohrungen in Südbrandenburg zu erwarten.

Nordwest–Südost-Elemente (Mineralstreckungen u. a.) sind auch in den Westsudeten nachgewiesen worden (Oberc 1961). Im östlichen Gneisrahmen des variscischen Riesengebirgsgranits dürfte den im Erzgebirge nur untergeordnet vorhandenen Nordwest–Südost-Strukturen eine größere Bedeutung zukommen. Am Ende der assyntischen Orogenese — vor Beginn des Ordoviziums — wurde an diesen tektonischen Flächen die assyntische Leszczyniec (Haselbacher) Einheit auf die assyntische Rudawy Janowickie–Śniezka-(Landeshuter Kamm–Schneekoppen-) Einheit aufgeschoben.

B. Die Entwicklung vom Ordovizium bis zum Unterkarbon

1. Elbtalzone

In der Elbtalzone sind Gesteine, deren Bildung in dem Zeitraum vom Ordovizium bis zum Unterkarbon (einschl.) erfolgte, innerhalb der phyllitischen und altpaläozoischen Einheit des Elbtalschiefergebirges südwestlich von Pirna aufgeschlossen. Nach Nordwesten verschwinden diese Ablagerungen unter den Sedimenten des Rotliegend-Beckens von Döhlen (jetzt Freital). In diesem Bereich treten nur an einer Stelle, am Spitzberg bei Possendorf, ältere Gesteine heraus (Abb. 16). In Untertageaufschlüssen sind sie an verschiedenen Stellen angetroffen worden.

Zwischen Tharandt und Wilsdruff findet das Elbtalschiefergebirge nun in breiterem Ausstrich seine Fortsetzung im Nossen–Wilsdruffer Schiefergebirge, dessen Bildungen bis in die äußere Schieferhülle des Granulitgebirges zu verfolgen sind. Diese Gesteine bilden zugleich die Südflanke der Nordsächsischen Mulde, in deren Kern Zechstein- und Buntsandsteinreste (*z*, *bs*; Abb. 16) erhalten geblieben sind. Die Nordflanke der Mulde wird durch einzelne Vorkommen von Ordovizium zwischen Strehla und Hainichen angezeigt, die aus pleistozäner Bedeckung heraustreten. Der in nördlicher Richtung folgende Nordsächsische Sattel besteht im wesentlichen aus den bereits genannten Grauwacken im Raume Clanzschwitz–Leipzig, die zeitlich in die Nachspilit-Stufe gestellt werden (s. S. 10).

Auf Grund der weitgehenden Übereinstimmung der stratigraphischen Schichtenfolge und der Gesteinsausbildung im Elbtalschiefergebirge und im Nossen–Wilsdruffer Schiefergebirge werden beide Gebiete zum sogenannten Mittelsächsischen Zug der Elbtalzone (Ebert, Pietzsch & Grahmann 1934, S. 10; Pietzsch 1956b) vereinigt, dessen südwestliche Grenze die Mittelsächsische Störung (Schmidt 1959, S. 76) (Mittelsächsische Überschiebung; Pietzsch 1915, S. 164) bildet.

Durch die Mittelsächsische Störung wird das zwischen Granulitgebirge und Erzgebirge gelegene Schiefergebiet von dem Mittelsächsischen Zug der Elbtalzone getrennt. Stofflich bestehen zwischen beiden Gebieten keine Unterschiede. Sie stellen nur verschiedene — tektonisch voneinander getrennte — Reliktbereiche einer ursprünglich einheitlichen altpaläozoischen (Ordovizium bis Unterkarbon) Bedeckung dar, die nach Süden in den Gesteinen der Phyllithülle des Erzgebirges ihre Fortsetzung findet.

Über die im Elbtal bei Děčín (Tetschen)/ČSSR aufgeschlossenen phyllitischen Gesteine bestand eine Verbindung zu den ordovizischen und silurischen Bildungen im südlichen Iser- und Riesengebirge. Das bestätigen neue Bohrungen (Klein 1963, S. 42).

Die Stratigraphie des Paläozoikums (*or-cu*) soll im Rahmen dieser Betrachtungen nur so weit behandelt werden, wie es für die vorgelegte Synthese von Bedeutung ist.

a) Ordovizium und Silur

Das Liegende der paläozoischen Schichtenfolge ist mit Annäherung an das Erzgebirge bzw. Granulitgebirge phyllitisiert. Im Elbtalschiefergebirge südwestlich von Pirna beginnt die

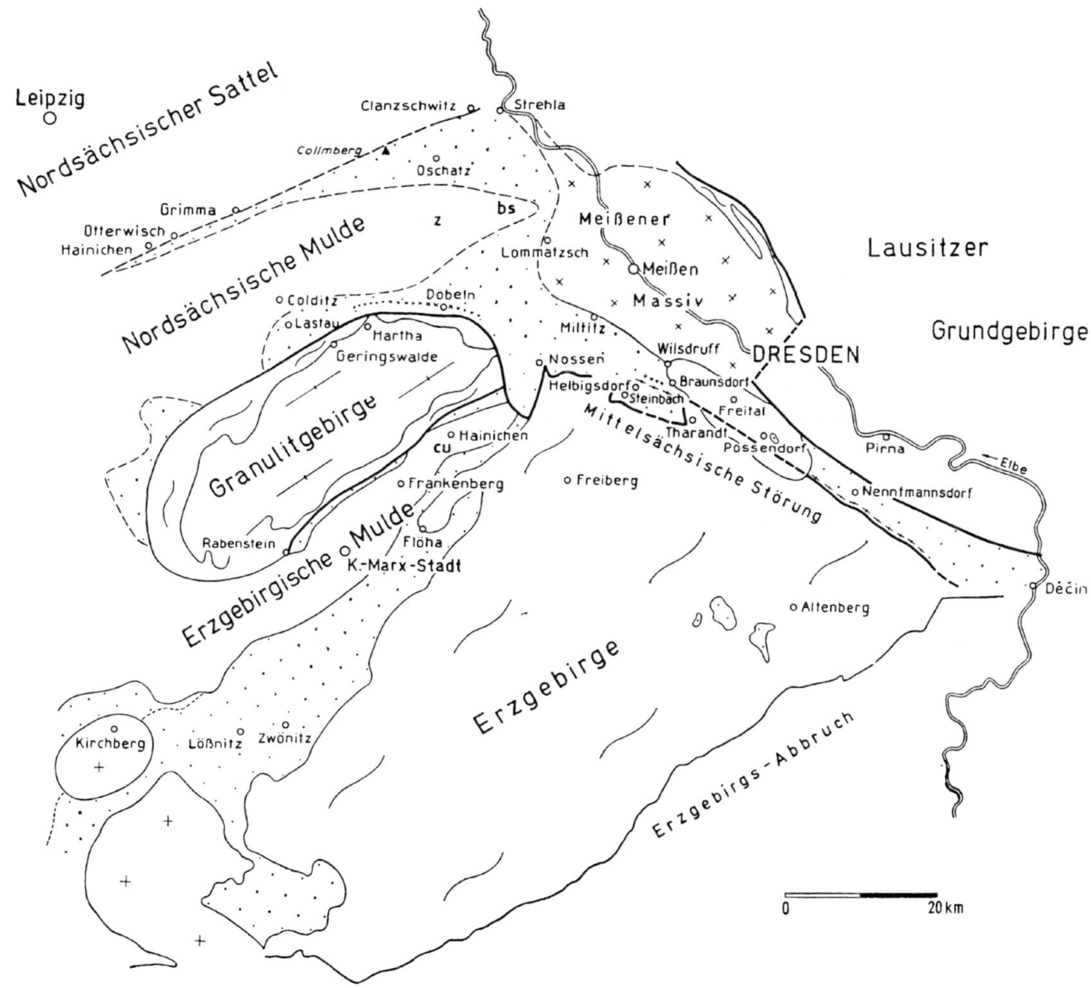

Abb. 16. Die Verbreitung altpaläozoischer Gesteine (Ordovizium bis Unterkarbon) westlich der Elbe
Punktraster = altpaläozoische Ablagerungen (Ordovizium bis Unterkarbon), *Wellensignatur* = assyntisch geformte Einheiten des Erzgebirges bzw. des inneren Schiefermantels des Granulitgebirges, *Striche mit kurzen Querbalken* = moldanubische Kerngesteine des sächsischen Granulitgebirges, *gerade Kreuze* = variscischer Kirchberg-Eibenstocker Granit, *schräge Kreuze* = variscisches Meißener Massiv der Elbtalzone, *kleine schräge Kreuze* (besonders bei Döbeln) = Sericit-Albit-Gneis (Porphyroid), *kleine Striche mit Querbalken* (im Elbtalschiefergebirge) = Chloritgneise (Porphyroide), *cu* = höheres Unterkarbon (III β) von Borna-Hainichen (von der sudetischen Phase nicht mehr verändert); *z*, *bs* = Zechstein und Buntsandstein

phyllitische Einheit (s. Abb. 11) mit glimmrigen Phylliten (Quarzphylliten), die zum Hangenden in tonschieferartige Phyllite und schließlich in phyllitische Tonschiefer übergehen. Es ist sehr wahrscheinlich — jedoch bisher nicht bewiesen —, daß die phyllitische Einheit der Elbtalzone in der Hauptsache aus ordovizischen Gesteinen besteht.

Im unteren Teil der phyllitischen Einheit kommt im Nossen–Wilsdruffer Schiefergebiet ein Quarzitschiefer vor. Eine analoge Bildung scheint im Elbtalschiefergebirge tektonisch unterdrückt zu sein (WIEDEMANN 1958, S. 11).

Am Nordrand der Nordsächsischen Mulde erscheinen bei Leckwitz westlich von Strehla quarzitische Gesteine, die in südwestlicher Richtung über den Collmberg bei Oschatz und die Deditzhöhe bei Grimma bis in das Gebiet von Otterwisch–Hainichen zu verfolgen sind (s. Abb. 16). In dieser Schichtenserie sind schlecht erhaltene Brachiopodenreste zu finden, bei denen es sich vermutlich um *Lingula rouallі* SALT. bzw. *Obulus feistmanteli* BARR. handelt (HAZARD 1881, GRAHMANN 1927). In größerer Zahl sind Kriech-, Schlepp- und Fließspuren sowie Röhrenausfüllungen erhalten, die als *Cruciana furcifera* D'ORB bzw. *Monocraterion* TORELL (BARTSCH 1956) beschrieben werden. Die Brachiopodenfunde weisen auf ein tremadocisches Alter der etwa 500 m mächtigen Quarzitserie hin.

Das Geröll eines feinkörnigen Quarzits, in dem scolithus-artige Formen zu beobachten sind, wurde in jüngster Zeit auch weiter im Süden in den Grundkonglomeraten der Borna–Hainicher Schichten (Visé cu Abb. 16) gefunden. Es ist als ein Hinweis dafür anzusehen, daß Quarzite vom Typ des Collmberg-Quarzites ursprünglich auch am Südrand des Granulitgebirges bzw. im Raum der heutigen erzgebirgischen Mulde vorhanden waren (HOFMANN 1962).

In der Quarzitserie erscheinen an verschiedenen Stellen (s. SCHMIDT 1961b, S. 164) Geröllagen und konglomeratische Partien. „Als Gerölle treten in erster Linie helle Quarze, Quarzite und Quarzitschiefer, verschiedene Blauquarze und Kieselschiefer auf. Untergeordnet finden sich Graphitquarzite, quarzitische Grauwacken, Turmalinquarzite, Porphyroide und Tonschieferreste" (SCHMIDT 1961b, S. 164–165). Das Herkunftsgebiet der sehr charakteristischen Turmalinquarzite wird östlich bzw. südöstlich der Elbe vermutet (s. Abschn. II, A, 4a).

Die Ablagerungen des Ordoviziums stellen die Transgressionssedimente eines Schelfmeeres dar, welches — nach Abschluß der assyntischen Gebirgsbildung am Ende des Kambriums — einen neuen großtektonischen Entwicklungszyklus einleitet.

Die Sedimentationsfolge greift vermutlich auf kambrische Bildungen, auf vergneiste und unvergneiste Grauwacken der Nachspilit-Stufe sowie auf durch Erosion freigelegte ältere Einheiten über. Im östlichen Erzgebirge besteht im Gebiet der Altenberger Scholle (s. Abb. 16) ein schroffer Metamorphosesprung zwischen Gneisen und Phylliten, der als eine alte stratigraphische Diskordanz zu deuten ist (GALLWITZ 1955, S. 213; MÁŠKA & ZOUBEK 1960, S. 67; SATTRAN 1961, S. 123). GALLWITZ ist der Ansicht, daß durch vorordovizische Abtragung auch das Fehlen der Glimmerschieferhülle im östlichen Erzgebirge zu erklären ist. Das Erzgebirge wäre demnach bis zum Ordovizium im Südosten stärker herausgehoben worden als in den westlichen Teilen, wo die Glimmerschieferhülle vorhanden ist.

SCHMIDT (1960b, S. 186) weist darauf hin, daß die Entstehung von Glimmerschiefern außer von den Formungsbedingungen auch von der Art des Ausgangsmaterials abhängig ist. So haben die als Einlagerungen in den Oberen Freiberger Gneisen des östlichen Erzgebirges erscheinenden reliktisch-sedimentären Bereiche (z. B. im Gebiet von Brand südlich von Freiberg; s. GOTTE 1956) bei der „Vergneisung" nur den Metamorphosegrad von Glimmerschiefern erreicht.

Die Phyllitisierung der paläozoischen Gesteine erfolgte in der variscischen Orogenese, wobei im östlichen Erzgebirge die Grenzfläche Gneis gegen vermutliches Ordovizium eine kräftige tektonische Überarbeitung erfuhr. In den Gebieten, wo die Glimmerschieferhülle vorhanden ist, wurde während der variscischen Orogenese die stratigraphische Diskordanz durch diaphthoritische Umwandlungen der höher metamorphen Sedimente verschleiert (s. Abschn. II, A, 2b).

Das Fehlen von Gneisgeröllen im unteren Ordovizium kann nicht als Beweis dafür angesehen werden, daß eine vorordovizische Abtragung fehlt. Granitoide Gesteine können unter den vorwiegend chemischen Verwitterungsbedingungen, die für das höhere Kambrium anzunehmen sind, fast vollständig zerfallen. Die Geröllgemeinschaft der Tremadoc-Quarzite zeigt, daß es sich um eine Anreicherung resistenter Komponenten handelt, die als Detritus exponierter Grauwackenareale und magmatischer Gesteine betrachtet werden können (SCHMIDT 1961b, S. 168).

Ein auffallendes Glied in den liegenden Teilen der phyllitischen Einheit des Mittelsächsischen Zuges sind Einlagerungen von Sericit- und Chloritgneisen. Sie heben sich scharf von den umgebenden phyllitischen Ausbildungen ab und gehen niemals ineinander über.

Der Sericitgneis (Sericit-Albit-Gneis) ist im Nossen–Wilsdruffer Schiefergebiet am Nordrand des Granulitgebirges von Gersdorf nordwestlich Hartha bis nach Döbeln als zusammenhängender Zug zu verfolgen (s. Abb. 16). In der östlichen Fortsetzung bildet der Sericitgneis nur noch einzelne linsenförmige Einschaltungen in der unteren phyllitischen Einheit, die bis Braunsdorf reichen. Im Elbtalschiefergebiet sollten dem Sericitgneis die feldspatführenden Quarzitschiefer entsprechen. Nach den Untersuchungen von WIEDEMANN (1958) sind jedoch diese Gesteine entweder als ausgeschieferte Randfazies des Turmalingranits oder als ursprünglich sedimentäre Gesteine anzusprechen. Der Sericitgneis des Nossen–Wilsdruffer Schiefergebietes findet somit im Elbtalschiefergebiet keine Fortsetzung.

Der Chloritgneis tritt im Liegenden des Sericitgneises auf. Im Nossen–Wilsdruffer-Schiefergebiet bildet er einzelne Vorkommen. Unter dem Rotliegenden des Döhlener Beckens kommt der Chloritgneis zusammen mit Abkömmlingen des Turmalingranites am Spitzberg bei Possendorf zu Tage. Weiterhin bildet er im Elbtalschiefergebirge einen mehr oder weniger zusammenhängenden Zug, der in südlicher Richtung bis zum Verschwinden der alten Gesteine unter Kreidebedeckung zu verfolgen ist.

Auf Grund der eingehenden Untersuchungen von WIEDEMANN ist der Sericitgneis des Nossen–Wilsdruffer-Schiefergebietes als ein porphyrisches bis möglicherweise granitporphyrisches Gestein — evtl. ein Oberflächenerguß — anzusehen, während der Chloritgneis einem etwas basischeren, granitporphyrischen bis granitischen Gestein mit hohem Intrusionsniveau entspricht (WIEDEMANN 1958, S. 65). Die räumliche Ausdehnung der porphyrischen Gesteine läßt vermuten, daß bei dem Aufstieg der Magmen in die ordovizischen Schichten Störungen eine wesentliche Bedeutung gehabt haben.

Die im Ordovizium des Mittelsächsischen Zuges vorhandenen Granitoide sind mit den Porphyroiden des thüringisch-vogtländischen Raumes (z. B. Schwarzburger Sattel, Bergaer Sattel ?) zu vergleichen (PIETZSCH 1962, S. 799). Kennzeichnend für deren geologische Position ist ebenfalls eine enge Verknüpfung mit tiefordovizischen Schichten. Das Intrusionsalter der meist schichtkonkordanten Magmatite ist unsicher. Im Schwarzburger Sattel dürfte ihre Platznahme im tieferen Ordovizium (Frauenbach-Serie) erfolgt sein, da mit ihnen zusammen Tuffe erscheinen (v. GAERTNER 1934, S. 14; DEUBEL 1959).

Aus oberdevonischen Konglomeraten sind die granitoiden Gesteine als unbeansprucht eingebettete Gerölle bekannt (EIGENFELD 1938). Die Verformung der granitoiden Gesteine zu Porphyroiden erfolgte zusammen mit dem umgebenden Schiefermaterial in der variscischen Orogenese (s. E. SCHROEDER 1956, S. 141). Im thüringisch-vogtländischen Raum ist die epizonale Verformung in der Regel nicht so stark wie im Mittelsächsischen Zug der Elbtalzone.

Zwischen den Sericit- und Chloritgneisen der Elbtalzone und der (Rotgneis-)Granitgruppe des Erzgebirges bestehen keine petrogenetischen Beziehungen (WIEDEMANN 1958, S. 42).

In den schwer zu gliedernden, meist dunklen Tonschiefern des höheren Ordoviziums sind in einigen Gebieten (Wachtelberg bei Obermühlbach, Mbl. 78; Starbach und Saultitz bei Nossen, Mbl. 64; Elbtalschiefergebirge) schwärzlichgraue, sehr feste Quarzite sowie quarzitische Grauwacken und Quarzschiefer zu finden, die in ihrer stratigraphischen Stellung mit dem Hauptquarzit bzw. dem Döbra-Sandstein des vogtländisch-thüringischen Ordoviziums zu vergleichen sind (HÄRTEL 1934, S. 493; PIETZSCH 1955, S. 10). So ähnelt das Profil an der Grenze Ordovizium/Silur vom Wachtelberg bei Obermühlbach (PIETZSCH 1915, S. 289) nach GREILING (1958, S. 341) denen, die im Frankenwald bei Schwarzenbach a. W., Döbra und Ober-Brumberg aufgeschlossen sind. Eine fazielle Gliederung im Sinne der Ausscheidung einer thüringischen und bayrischen (bzw. südwestvogtländischen) Ausbildung fehlt bisher im sächsischen Raum.

Die phyllitische Einheit des Mittelsächsischen Zuges geht ohne scharfe Grenze in die altpaläozoische Einheit über. Im Nossen–Wilsdruffer-Schiefergebiet sind nach GOTTE (1955) nirgends Anzeichen größerer Bewegungen zwischen Phylliten und sicherem Altpaläozoikum zu finden. Auch halten sich die Grenzen gleichen Metamorphosegrades nicht an die Formationsgrenzen. So sind z. B. auch postordovizische Gesteine phyllitisch beansprucht. Sie werden jedoch nicht zu der phyllitischen Einheit gestellt, da sie meist mit fossilführenden Ablagerungen zu parallelisieren sind. So nehmen u. a. die silurischen und devonischen Schiefer bei Gersdorf im Elbtalschiefergebiet phyllitischen Habitus an, so daß sie von „echten" Phylliten kaum zu trennen sind (Engert 1956a, S. 47). Eine präsilurische (nachordovizische) Regionalmetamorphose kann auf keinen Fall aus der vorzugsweisen Phyllitisierung der ordovizischen Serien abgeleitet werden (Gotte 1954, S. 73).

Das Silur besteht im wesentlichen aus Kieselschiefern und Alaunschiefern, die stellenweise mit schwarzen Tonschiefern wechsellagern. Durch Graptolithenfunde konnte bisher in der Elbtalzone nur der Untere Graptolithenhorizont des Vogtlandes bestätigt werden. Im Nossen-Wilsdruffer-Schiefergebiet sieht Gotte die dichten, blaugrauen Kalke von Steinbach (Mbl. 64) als silurisch (Ockerkalk) an, da sie sowohl im Liegenden als auch im Hangenden in graptolithenführende Alaun- und Kieselschiefer übergehen (s. Pietzsch 1955, S. 7).

In den Gesteinen im Bereich der Nordsächsischen Mulde sind vereinzelt silurische Graptolithen gefunden worden, so z. B. bei Klotzschen nordwestlich von Geringswalde (Mbl. 61). Im Erzgebirge erscheinen bei Oberaffalter in der Nähe von Zwönitz (Mbl. 126) graptolithenführende schwarze Schiefer in phyllitischer Ausbildung.

Zwischen dem höheren Silur und dem tiefen Oberdevon besteht — nach den bisherigen Kenntnissen — eine Schichtlücke.

b) Oberdevon und Unterkarbon

Das Oberdevon beginnt — wie überall in Sachsen — auch im Bereich der Elbtalzone mit einem Diabasvulkanismus, der der Manticoceras-Stufe zugerechnet wird. Im Nossen-Wilsdruffer-Schiefergebiet sind häufig Pillowlaven zu beobachten. Daneben treten aber auch grobkörnige Diabase auf, die als Gänge in Diabastuffen und in älteren Gesteinen erscheinen. So sind z. B. Diabasgänge des Oberdevons in Form von Hornblendeschiefern aus den tonschieferähnlichen Phylliten des Elbtalschiefergebietes bekannt. Die zusammen mit den Diabasvulkaniten vorkommenden Diabastuffe nehmen oft im Kartenbild einen größeren Raum als die magmatischen Gesteine ein.

In das höhere Devon werden verschiedenartig ausgebildete Tonschiefer (graugrüne, schwarze, rote) sowie Grauwacken gestellt, die oft einen höheren Kalkgehalt besitzen. Nach Engert (1956b, S. 33) ist völlig gesichert, daß die devonischen Kalke im Elbtalschiefergebirge (z. B. Vorkommen Nenntmannsdorf und Borna; Mbl. 83 u. 102) im wesentlichen jünger als der Diabasvulkanismus und damit jünger als die Manticoceras-Stufe sind. Sie dürften in das Hangende des Oberdevon II gehören. Kalkeinschaltungen im Diabastuff, wie sie durch Bohrungen hin und wieder nachgewiesen wurden, haben nur eine untergeordnete Bedeutung (Horizont des Adorfer Kalkes). Im Nossen-Wilsdruffer-Schiefergebiet kommt diesen Kalken dagegen eine größere Bedeutung zu (Gotte 1954). In diesem Gebiet gehören in das Oberdevon z. B. die Kalkvorkommen von Groitzsch, Schmiedewalde (Mbl. 64) sowie die im Kontakthof des Meißener Syenitmassivs liegenden Kalklager von Burkhardtswalde (Mbl. 64), und Miltitz (Mbl. 48).

Die stratigraphische Zuordnung der Diabas-Kalkstein-Serie im Elbtalschiefergebirge zum Oberdevon, die lange umstritten war (evtl. Kambrium oder Silur), konnte durch Fossilfunde gesichert werden. Gotte (1953) fand im Nossen-Wilsdruffer Schiefergebiet in der Umgebung von Steinbach (Mbl. 64) an mehreren Stellen in Diabastuffen eine größere Anzahl von Fossilien (Korallen: Favositiden, Cyathophylliden; Brachiopoden: *Atrypa reticularis*). Ihre Bestimmung macht ein oberdevonisches Alter der entsprechenden Schichten wahrscheinlich. Im Elbtalschiefergebirge entdeckte Engert (1956b, S. 27) in schwach tuffitischen Schiefern westlich des Kalkwerkes Nenntmannsdorf (Mbl. 102) Ostracoden („Cypridinen"). Neben den für eine Bestimmung zu schlecht erhaltenen Ostracodenfunden sind in jüngster Zeit aus Kalken der Diabas-Kalkstein-Serie des Elbtalschiefergebirges (Vorkommen im Müglitz-Tal) Conodontenfaunen beschrieben worden (SCHÜTZENMEISTER 1963). Sie bestätigen die Gliederung von ENGERT, nach der die Hauptlager zum höheren Oberdevon (nachgewiesen to II—III) gehören.

Im Müglitz-Tal (nördlich Mühlbach–Häselich) konnte darüber hinaus eine Kalklinse innerhalb der Diabas–Kalkstein-Serie gefunden werden, die auf Grund der Conodontenführung in den Grenzbereich Mitteldevon/Oberdevon bis zur unteren Adorf-Stufe (to I) zu stellen ist. Die Sedimentation begann danach evtl. bereits im hohen Mitteldevon (SCHÜTZENMEISTER 1963).

Im Nossen–Wilsdruffer Schiefergebirge konnte durch Conodontenfunde am Heyneberg bei Helbigsdorf (Mbl. 64) in jüngster Zeit hohes Oberdevon (toV—toVI; Oxyclymenia- bis Wocklumeria-Stufe) festgestellt werden (REICHSTEIN & M. SCHWAB 1962). Die Fauna ist in einer kalkreichen Diabastuffserie zu finden. Am conodontenreichsten war ein dichter, milchiger Kalk, der in kaum cm-mächtigen Schmitzen zwischen den Tuffen auftritt.

Seit längerer Zeit sind fossilführende devonische Ablagerungen aus dem Bereich der Nordsächsischen Mulde bekannt, so z. B. aus der Gegend von Wüstenhain-Altmörbitz und von Lastau (Auenbachtal) südlich von Colditz (Mbl. 44). In den meisten Fällen handelt es sich um Tonschiefer und Diabastuffe, die nur wenig gut erhaltene Korallen sowie Reste von Brachiopoden und Cephalopoden führen. Aus dem Raum von Colditz werden auch Tentaculitenschiefer und Nereitenquarzite beschrieben.

In Kalklinsen des südlichen Schiefermantels des Granulitgebirges sind in der sog. Arnsdorfer Schuppenzone bei Berbersdorf (Mbl. 62) Foraminiferen gefunden worden. Trotz der geringen stratigraphischen Aussagekraft der beschriebenen Formen scheint das altpaläozoische Alter der entsprechenden Kalkvorkommen gesichert. In gleiche Richtung weisen auch Radiolarienfunde aus den Metakieselschiefern am Treppenhauer bei Frankenberg, die zum Formenkreis der Ordnung Spumellaria gehören (KURZE 1962).

Kalkgerölle mit devonischen Korallen sind als Gerölle in den Borna–Hainicher Schichten (Visé) der erzgebirgischen Mulde im Striegistal nordöstlich von Frankenberg (Mbl. 78) vorhanden (s. PIETZSCH 1955). In der Phyllithülle des Erzgebirges werden die Hornblendegesteine von Lößnitz–Zwönitz (Bl. 126) als metamorphe Diabase und deren Tuffe angesehen.

Die markanteste sedimentäre Bildung im Mittelsächsischen Zug ist ein Kieselschiefer-Konglomerat (Kieselschiefer–Hornstein-Konglomerat), welches fast nur aus den Aufbereitungsprodukten altpaläozoischer Gesteine besteht. Vorherrschend sind stets dunkle oder graue Kieselschiefer, Hornsteine, Quarzite, zum Teil auch schwarze und graue Tonschiefer, wobei der Anteil der verschiedenen Gesteine örtlich wechselt. Im Gebiet zwischen Nossen und Lommatzsch sind an der Zusammensetzung der Konglomerate auch bis kopfgroße Gerölle der tremadocischen Gesteine vom Typ des Collmberg-Quarzites beteiligt, sowie dichte Quarzite, die denen im unmittelbaren Liegenden der graptolithenführenden silurischen Kieselschiefer entsprechen.

Unsicher ist die stratigraphische Einstufung der Kieselschiefer-Konglomerate. Derartige Bildungen erscheinen im Vogtland erstmalig an der Basis des Oberdevons, zusammen mit dem einsetzenden initialen Magmatismus (z. B. Kieselschiefer-Konglomerat von Kürbitz; s. TRÖGER 1959, S. 62). Sie sind in ähnlicher Ausbildung auch in der Pericylus- und Goniatites-Stufe vorhanden, wobei Abweichungen in der quantitativen Zusammensetzung auf lokale Schüttungsverhältnisse zurückzuführen sind.

PIETZSCH stellte 1955 die Kieselschiefer-Konglomerate der Elbtalzone — unter Berücksichtigung der Verhältnisse im Vogtland — an die Basis des Oberdevons. Nachdem jedoch im Görlitzer Schiefergebirge anstehendes Oberdevon bekannt geworden war (s. Abschn. II, B, 2b), dem Gerölle im Görlitzer Kieselschiefer-Konglomerat entsprechen, ist auch für die Elbtalzone das bereits früher angenommene unterkarbonische Alter der Kieselschiefer-Konglomerate (PIETZSCH 1918, S. 218) wieder wahrscheinlich geworden (PIETZSCH 1960, 1962). Diese Altersaussage konnte neuerdings indirekt bestätigt werden. Im Seidewitz-Tal (Mbl. 83) stehen Kieselschiefer-Hornsteine an, die auch als Gerölle im Kieselschiefer-Konglomerat zu finden sind. In geringmächtigen tonigen bis quarzitischen Zwischenlagen des Kieselschiefers sind Conodontenfaunen entdeckt worden, die eine Einstufung dieser Gesteine in das Oberdevon (to IIβ bis III/IV) erlauben. Für das Kieselschiefer-Konglomerat ist danach ein jüngeres, unterkarbonisches Alter anzunehmen (FREYER & UHLIG 1963). Im Görlitzer Schiefergebirge können jetzt entsprechende Bildungen in das Visé eingestuft werden (s. S. 55).

Die Grenze zwischen Oberdevon und Unterkarbon konnte im Nossen–Wilsdruffer Schiefergebirge beobachtet werden (REICHSTEIN & M. SCHWAB 1962). Bei Helbingsdorf (Mbl. 64) sind über den conodontenführenden hochoberdevonischen Kalken dunkle Schiefer festzustellen, die Gerölleinlagerungen enthalten. Die Zusammensetzung der Gerölle zeigt, daß in erster

Linie Schalsteine (Tuffe), Diabase und Kalke, darunter Bestandteile des tiefsten und höchsten Oberdevons vorhanden sind. Das bedeutet, daß die geröllführenden dunklen Schiefer — wie von PIETZSCH (1922) kartiert — in das Unterkarbon gehören.

Neben Kieselschiefer-Konglomeraten und Tonschiefern werden auch Grauwacken in das Unterkarbon des Mittelsächsischen Zuges gehören. Sie weisen zum Teil ein kalkiges Bindemittel auf und führend schmale Linsen unreiner Kalke.

c) Tektonische Bewegungen

Im Rahmen dieser Ausführungen interessieren besonders die tektonischen Vorgänge, welche für die Zeit zwischen Ordovizium und Unterkarbon zu vermuten sind.

Eine takonische Faltungsphase zwischen Ordovizium und Silur ist in Sachsen bisher nicht bekannt, höchstens könnte eine kleine Schichtlücke diese Phase andeuten (PIETZSCH 1956a, S. 111). Auch im Nossen–Wilsdruffer-Schiefergebiet sind in den vorhandenen Aufschlüssen nach GOTTE (1955) nirgends Anzeichen größerer Bewegungen an der Grenze zwischen phyllitischen Tonschiefern und silurischen Kiesel- und Alaunschiefern festzustellen. Es bestehen nur Unterschiede in der sedimentären Ausbildung.

Nicht zu übersehen ist die Sedimentationslücke, welche Unter- und Mitteldevon umfaßt. Im Elbtalschiefergebiet wurde die Grenze zwischen oberdevonischen Diabastuffen und silurischen schwarzen ruscheligen Schiefern an mehreren Stellen in Bohrungen angetroffen. Auch ist sie in einem verlassenen Stollen (Bornaer Wasserstollen) aufgeschlossen. Niemals fanden sich nach ENGERT (1956b, S. 38) Anzeichen dafür, daß zwischen beiden Gesteinen primär noch ein anderes entwickelt war. Im erwähnten Stollen grenzen beide Formationen ungestört und ohne erkennbare Diskordanz aneinander (ENGERT 1954, Anlage 10).

Entsprechende Beobachtungen machte GOTTE im Gebiet des Nossen–Wilsdruffer-Schiefergebietes. In dem ehemaligen Kalkwerk Steinbach (Mbl. 64) ist in einem verlassenen Stollen die Grenze zwischen Silur und Oberdevon freigelegt. Die dort vorhandenen Bewegungen schätzt GOTTE (1954) nicht so intensiv ein, daß sie ein vorher vorhandenes Unter- und Mitteldevon ausquetschen konnten, auch wenn dessen Mächtigkeit nur gering war. Die Kartierung ergab, daß die Graptolithenschiefer stets an die Basis der oberdevonischen Diabastuffe grenzen.

Auf Grund dieser Beobachtungen (ENGERT, GOTTE) kann für den Bereich der Elbtalzone keine jungkaledonische Faltungsphase angenommen werden. Die kaledonische Orogenese hat sich im Elbebereich nur in epirogenetischen Hebungsbewegungen bemerkbar gemacht.

Westlich des Erzgebirges ist im Vogtland und in Thüringen ein konkordanter Übergang vom Silur zum Unterdevon vorhanden (W. SCHMIDT 1939, S. 35; JAEGER 1955, S. 427 und 1959, S. 63). „Der plötzliche vertikale Faziesumschlag von den Alaunschiefern des oberen Ludlow zu den Kalksandsteinen und den Tentaculitenkalken des Unterdevons weist allerdings auf eine Erhöhung der Reliefenergie an der Wende Silur/Unterdevon hin“ (TRÖGER 1960, S. 160). JAEGER (1960, S. 334) spricht von „einem deutlichen Fazieswechsel bei mariner Kontinuität“.

Von Interesse ist, daß südlich davon, in dem tektonisch labilen Bereich der Münchberger Gneismasse zum Teil mit einer Schichtlücke zwischen Silur und Devon zu rechnen ist. Diese Sedimentationsunterbrechung wird — ähnlich wie in der Elbtalzone — von STETTNER ebenfalls mit der jungkaledonischen Gebirgsbildung in Zusammenhang gebracht, für welche „bessere Zeugen fehlen“ (STETTNER 1960, S. 10).

Die variscische orogenetische Entwicklung wird im vogtländischen Raum durch die reußische Phase (v. GAERTNER 1951) an der Wende von Mittel- zu Oberdevon eingeleitet. Diese Bewegungen zerlegen den bisher einheitlichen Sedimentationsraum in Schwellen und Becken. Im Zusammenhang damit erscheinen im Vogtland die bereits genannten konglomeratischen Bildungen (u. a. Kieselschiefer-Konglomerate), und ein basischer Vulkanismus setzt ein, der als initialer Magmatismus der variscischen Orogenese zuzurechnen ist (z. B. SCHÖNENBERG 1952; PIETZSCH 1956c, S. 112; TRÖGER 1959, S. 128). Mit basischen Vulkaniten des Oberdevons beginnt auch in der Elbtalzone die variscische Orogenese.

Die unterkarbonischen Gesteine findet man dort, wo ungestörte Verbandsverhältnisse vorliegen, stets konkordant auf den oberdevonischen Serien (GOTTE 1954, REICHSTEIN & M. SCHWAB 1962). Das Auftreten des Kieselschiefer-Konglomerates spricht für epirogenetische Bewegungen im Unterkarbon, durch die vor allem devonische, silurische und ordovizische Serien für die Erosion freigelegt wurden.

2. *Görlitzer Schiefergebirge*

a) Ordovizium und Silur

Die stratigraphischen Verhältnisse im Görlitzer Schiefergebirge zwischen Niesky und Görlitz sind denen im Nossen–Wilsdruffer- und Elbtalschiefer-Gebirge ähnlich. Die dynamometamorphe Überprägung der einzelnen Serien ist bei Görlitz nicht so stark wie in der Nähe des Erzgebirges und des Granulitgebirges, so daß phyllitische Ausbildungen fehlen.

Das Ordovizium beginnt mit den ins Tremadoc zu stellenden Quarziten (Mächtigkeit etwa 200 m) der Dubrau, südwestlich von Niesky (s. Abb. 17). Nach den Kartierungsergebnissen sind sie im Liegenden zum Teil konglomeratisch ausgebildet (LEE 1938).

Die bisher mit dem ordovizischen Dubrau-Quarzit parallelisierten Quarzite von See und Sproitz westlich von Niesky, sowie der Quarzit vom Caminaberg nördlich von Bautzen gehören nach den neuen Arbeitsergebnissen der Freiberger Geologen (BRAUSE & HIRSCHMANN 1964) in das Oberdevon (s. w. u.).

Die Gerölle des konglomeratisch ausgebildeten Dubrau-Quarzites bestehen aus Quarziten sowie aus Kieselschiefern und Turmalinquarziten, die denen im Collmberg-Quarzit der Nordsächsischen Mulde entsprechen (s. Abschn. II, B, 1). Die petrographische Ausbildung der Turmalinquarzite ist identisch mit den Gesteinen, die im Kontaktbereich des Rumburger Granits auftreten (s. Abschn. II, A, 4a). Die von SCHMIDT (1961a) festgestellte Abnahme der Turmalinquarzit-Gerölle nach Westen spricht ebenfalls für ein Herkunftsgebiet südöstlich des Ablagerungsraumes, das heißt im Bereich der Westsudeten.

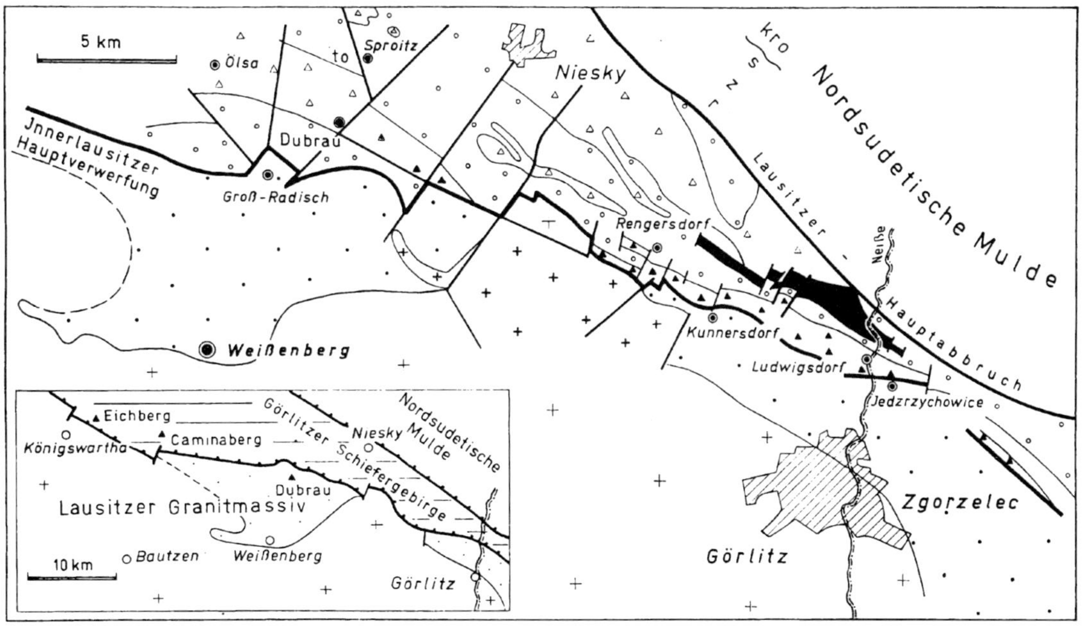

Abb. 17. Das Görlitzer Schiefergebirge (in Anlehnung an LEE 1938, schematisch geändert nach BRAUSE & HIRSCHMANN 1964)

Schwarze Fläche = Kambrium, *Kreise* = Ordovizium bzw. Devon, *nicht ausgefüllte Dreiecke* = Silur, *to* = 1. Fundpunkt von Devon (1956), *ausgefüllte Dreiecke* = Unterkarbon (bes. Kieselschiefer-Konglomerat), *Punktraster* = Lausitzer Grauwackenserie, *weiter Kreuzraster* = Lausitzer Granodiorit, *enger kräftiger Kreuzraster* = Königshainer Stockgranit

Die Einstufung der Dubrau-Quarzite in das Tremadoc ist durch Funde von *Lingulella arachne* und *Lingulella variolata* sowie *Obolus lamellosus* möglich. Zeugnisse einer ausgesprochen küstennahen Sedimentation sind Trockenrisse, Diagonalschichtung und sehr viele gut erhaltene Grabgänge und -röhrchen von *Scolithus linearis* HALD. und *Tigillites* sp. (Bestimmung FREYER).

In einer Bohrung am Ostfuß des Gipfels der Collmer Dubrau nördlich von Groß-Radisch (Meßtischbl. 4754) geht der helle plattige Dubrauquarzit — der an der Oberfläche ansteht — im Liegenden sehr bald in eine Wechsellagerung mit Tonschiefer über. Über Tage war diese Basisausbildung des Quarzites bisher nicht bekannt (LORENZ 1962, S. 197).

Höhere Teile des Ordoviziums konnten — entgegen den bisherigen Angaben (LEE 1938, S. 15; PIETZSCH 1909; 1962, S. 179) — bei der Neukartierung nicht mehr erkannt werden. Die bisher ordovizischen sandigen glimmerreichen Schiefer mit Sandsteinlagen und die glimmerarmen Tonschiefer werden dem Devon zugerechnet. Hochordovizisch sind Schüttungen quarzitischer Sandsteine (Typ Eichberg-Sandstein), die zum Silur überleiten (BRAUSE & HIRSCHMANN 1964).

Nördlich von Niesky verschwinden sämtliche Gesteine des Lausitzer Grundgebirges unter tertiärer und quartärer Bedeckung. Nur an einigen Stellen treten verwitterungsbeständige Bildungen oberflächlich noch einmal heraus, so silurische Kieselschiefer zusammen mit hochordovizischen quarzitischen Sandsteinen (s. o.) am Eichberg bei Weißig, nahe Königswartha (Mbl. 22) und devonische Quarzite am Caminaberg bei Jetscheba (Mbl. 38) nördlich von Bautzen (s. Abb. 17).

In den Jahren 1959 bis 1960 wurden am Caminaberg sieben Kartierungsbohrungen niedergebracht, die für die Stratigraphie neue Erkenntnisse brachten (BRAUSE, HIRSCHMANN & TRÖGER 1962).

Von besonderer Bedeutung für die Erkundung waren chamositische Eisenerze, die allerdings nur in einer Bohrung in großer Mächtigkeit (5 m) angetroffen wurden, während sie in den benachbarten Bohrungen nur geringmächtig sind (10—20 cm) oder ganz fehlen. Die zuerst in das Ordovizium eingestuften (BRAUSE, HIRSCHMANN & TRÖGER 1962) sedimentären Erze haben nach der neuesten Mitteilung (BRAUSE & HIRSCHMANN 1964) oberdevonisches Alter (s. Abschn. II, B, 2b). Auch für den bisher dem unteren Ordovizium (Tremadoc) zugerechneten Caminaberg-Quarzit (s. o.) wird ein oberdevonisches Alter angenommen.

Das Silur besteht in den Bohrkernen vom Caminaberg aus Kieselschiefern, Alaunschiefern, schwarzen und grauen Tonschiefern, kiesligen und quarzitischen Schiefern sowie dunkelgrauen Quarziten. Ferner wurden geringmächtige Lagen von Kalkstein bzw. kalzitischem Sandstein beobachtet (BRAUSE, HIRSCHMANN & TRÖGER 1962, S. 796). Graptolithenfunde belegen die stratigraphische Stellung, wobei die bisher bekannten höchsten Horizonte in das Unterludlow (Zone des *Monograptus scanicus*) gehören (PIETZSCH 1960, S. 736). Unterludlow ist — neben den bisher bekannten älteren Graptolithenzonen — bei dem Orte Rengersdorf (s. Abb. 17) in den letzten Jahren anstehend erschürft worden (GRUHL 1954, 1955, 1961; STEIN 1962).

Insgesamt betrachtet entsprechen die bisher genannten Funde nach PIETZSCH (1960, S. 736) dem Unteren und Oberen Graptolithenschieferhorizont des Vogtlandes (W. SCHMIDT 1939). Verwendet man das neue stratigraphische Richtprofil von JAEGER (1960, S. 331), so gehören alle Graptolithenfaunen noch in das Liegende der Ocker-Kalkgruppe. JAEGER (1964) konnte in der verschuppten silurischen Folge des Graptolithenfundpunktes bei Rengersdorf (GRUHL 1954, STEIN 1962) *Monograptus hercynicus* auffinden. Damit ist erstmalig ein zeit- und faziesgleiches Äquivalent der Oberen Graptolithenschiefer Thüringens östlich der Neiße nachgewiesen.

In nordwestlicher Richtung ist Silur letztmalig — zusammen mit hochordovizischen Sandsteinen — am Eichberg bei Weißig an der Oberfläche zu finden (s. Abb. 17). In südöstlicher Richtung werden wenige Kilometer östlich der Neiße die alten Gesteine von den tertiären und quartären Lockermassen der Zittau–Wegliniec-(Kohlfurter)Senke (TEISSEYRE 1961, S. 4) überdeckt, die morphologisch das Görlitzer Schiefergebirge von dem westlichen Teil des Bober-Katzbachgebirges bei Lubań (Lauban) trennt.

b) Devon und Unterkarbon

Bis vor einigen Jahren war aus dem Raum des Görlitzer Schiefergebirges kein Devon bekannt. Westlich von Sproitz wurden 1956 in hellen kiesligen Schiefern, die mit hellen Kieselschiefern (Hornsteinen) im Verband stehen (bisheriges Silur) oberdevonische Pflanzenreste u. a. der Gattung *Palmatolepis* (to I) entdeckt (ROSELT & FREYER 1958, S. 186). Die im gleichen Gestein vorhandenen Conodontenformen bestätigen Oberdevon I (PIETZSCH 1960, S. 735). In neuerer Zeit konnte auch das bisher als Kohlenkalk in das Unterkarbon gestellte Kalkvorkommen am Südhang des Geiersberges bei Kunnersdorf auf Grund von Conodontenfunden in das Oberdevon (to I—to II) eingestuft werden (REICHSTEIN 1961, S. 246). BRAUSE & HIRSCHMANN stellen 1964 ein Devonprofil vor, welches Unterdevon (BRAUSE 1964), Mittel- und Oberdevon umfaßt. Die Altersstellung der Tonschiefer, verschiedener Quarzite (u. a. Caminaberg-Quarzit, Quarzit von Horscha bei Niesky), Kalksteine (z. B. Geiersberg bei Kunnersdorf) und Hornsteinschichten ist durch Fossilfunde belegt.

Die im Bereich des Görlitzer Schiefergebirges auftretenden Diabase, Diabastuffe und Schalsteine bisher unsicheren Alters (evtl. Kambrium, Silur oder Oberdevon) werden von denselben Autoren vorzugsweise dem Oberdevon zugerechnet, da sie mit rotgefärbten oberdevonischen Schichten verbunden sind. Es ist somit auch im Görlitzer Schiefergebirge ein oberdevonischer Diabas-Vulkanismus vorhanden, der das variscische Geschehen einleitet. Jedoch ist auch im Ordovizium und Silur mit basischen Magmatiten zu rechnen.

Das neue Devonprofil des Görlitzer Schiefergebirges zeigt verwandtschaftliche Beziehungen zu dem Devon im Bereich der bayrischen Fazies des Frankenwaldes (s. auch S. 66).

Das Devon der bayrischen Fazies geht in schiefriger Ausbildung kontinuierlich oder durch Schichtlücken unterbrochen aus den silurischen Graptolithenschiefern hervor, und in ihm sind Unterdevon, Mitteldevon und Oberdevon mindestens bis zur Prolobites-Stufe (to III) enthalten (D. SANNEMANN 1955, GREILING 1957).

In das Unterkarbon (Kulm) gehören — in Übereinstimmung mit den Verhältnissen in der Elbtalzone — als markanter Horizont Kieselschiefer-Konglomerate. Die namentlich im Görlitzer Raum häufig auftretenden hellen quarzitischen Gerölle weisen auf die benachbarten älteren Quarzite hin. Die Beteiligung sicher silurischer Kieselschiefer wird durch Graptolithenfunde in Geröllen bestätigt (LEE 1938, S. 22). Die hellen Kieselschiefer (Hornsteine) und kieslige Schiefer sind von oberdevonischen Gesteinen abzuleiten (PIETZSCH 1960, S. 735).

Die Mächtigkeit des Konglomerates, welches einen Nordwest-Südost streichenden Zug zwischen Ölsa westlich Niesky und Jedzrzychowice (Hennersdorf) bei Görlitz bildet (Abb. 17), liegt etwa bei 200—500 m (BRAUSE & HIRSCHMANN 1964). Die Gerölle sind im Süden kleiner als im Norden (LEE 1938, S. 22).

In das Unterkarbon werden ferner Grauwacken und Tonschiefer gehören, deren kartierungsmäßige Abgrenzung von der nachspilitischen Lausitzer Grauwackenserie auf Grund der schlechten Aufschlußverhältnisse bisher nicht möglich war. LEE (1938, S. 23) gibt Funde von Crinoidenresten aus einer Grauwacken-Tonschieferserie an, die östlich von Kunnersdorf auf den beiden Seiten des Galgen- und Schafberges (Mbl. 4855) ausstreicht.

Ein vollständigeres Unterkarbon-Profil ist in Bohrungen bei Förstgen, etwa 12 km westlich von Niesky angetroffen worden. Es beginnt mit einer dunklen Tonschieferfolge, in die das Kieselschiefer-Konglomerat in mehreren Lagen eingeschaltet ist. Gerölle von Diabasen und Kalksteinen sind vorhanden. In den tieferen Teilen der Bohrung (bei etwa 400 m) erscheinen dunkle Kalksteine, die eine Visé-Fauna enthalten (BRAUSE & HIRSCHMANN 1964). Auch die Bohrungen am Caminaberg haben Pflanzenhäcksel und Fauna mit Visé-Alter angetroffen (BRAUSE, HIRSCHMANN & TRÖGER 1962, S. 797).

c) Tektonische Bewegungen

Beobachtungen über die Ausbildung der jeweiligen Formationsgrenzen lagen bis in die jüngste Zeit aus dem Görlitzer Schiefergebirge nicht vor. Es war nur nachzuweisen, daß die spätassyntisch in annähernd Ost–West streichende Isoklinalfalten gelegte Nordlausitzer Grauwackenserie (Nachspilit-Stufe) und das in der variscischen Orogenese Nordwest–Südost gefaltete und geschieferte Kieselschiefer-Konglomerat spitzwinklig zueinander streichen (G. Schwab 1960, S. 56).

Lee nahm für das Görlitzer Schiefergebirge auf Grund der Verhältnisse in den Westsudeten (s. Abs. II, B, 3) eine kaledonische Faltung an, die jedoch von der stärkeren variscischen Faltung weitgehend überprägt sein sollte, so daß sie nur noch in „Reliktstrukturen" erkannt werden kann (Lee 1938, S. 53).
Nach dem damaligen Stand der Kenntnisse sah Lee die Lausitzer Grauwacke als kulmisch an und stellte ihre kräftige Faltung in die variscische Orogenese. Die von Lee als variscisches Hauptstreichen angegebene Nordwest–Südost-Richtung gilt heute nur noch für die variscisch gefalteten Gesteine (Ordovizium bis Unterkarbon), denn die Lausitzer Grauwacke streicht im Raum von Görlitz etwa Ost–West und ist bereits präordovizisch — vermutlich in der jungassyntischen Phase — gefaltet. Die Grauwacke ist zusammen mit dem Görlitzer Unterkambrium in Hebungsbewegungen einbezogen, die mit der altsardischen Phase vor Beginn des Tremadoc ihren Abschluß fanden (vgl. S. 13).

Unter diesen Gesichtspunkten muß eine kaledonische Faltung im Bereich des Görlitzer Schiefergebirges einer neuen Betrachtung unterzogen werden.

Besonders hervorzuheben ist, daß die bisher aus der Vergneisung des Rumburger Granits zu Iser-Riesengebirgsgneis (Rimann 1910) geschlossene „sehr kräftige jungkaledonische Tektogenese" (Pietzsch 1960, S. 736) durch die neuen polnischen Arbeiten (s. Abschn. II, A, 4) nicht bestätigt wird. Die Prägung des Iser-Riesengebirgsgneises war bereits vor dem Ordovizium abgeschlossen (vgl. Chaloupský 1963). Jünger sind nur kataklastisch-mylonitische Beanspruchungszonen.

Die sehr eingehenden klufttektonischen Untersuchungen von G. und M. Schwab (1955) konnten in der Nordlausitzer Grauwacke mit Sicherheit keine kaledonische Überprägung nachweisen.

Die von G. Schwab (1959) gefügekundlich abgeleitete „einmalige" Auffaltung des Dubrau-Quarzites ist nach Ansicht des Verfassers in die variscische Orogenese zu stellen. Während dieser Bewegungen löste sich vermutlich die kompetente Quarzitplatte — begünstigt durch die Diskordanz im Liegenden — aus dem jüngeren, stärker gefalteten (inkompetenten) Schichtenverband heraus, so daß der Quarzit heute in der Regel flacher einfällt als die umgebenden Schichten. Ebenfalls variscisch ist eine nach der Faltung einsetzende an Störungen gebundene Schollentektonik, wobei mit posthumen Nachbewegungen bis in die jüngste Zeit zu rechnen ist.

Die Übereinstimmung der stratigraphischen Entwicklung des Görlitzer Schiefergebirges mit der des Elbtalschiefergebirges sprach bisher ebenfalls für das Fehlen einer kräftigen jungkaledonischen Faltungsphase im Görlitzer Raum (Möbus 1962a). Nachdem in jüngster Zeit die gesamte Schichtenfolge aus dem höheren Silur über das Unterdevon (Jaeger 1964[1]), Brause 1964), Mittel- und Oberdevon bis in das Unterkarbon bekannt geworden ist (Brause & Hirschmann 1964), kann mit Sicherheit eine faltenbildende jungkaledonische Beanspruchung für diesen Raum verneint werden.

Mit der kaledonischen Orogenese Nordeuropas zeitäquivalente (?) Phasen zeichnen sich in der lithofaziellen Entwicklung ab. So weist der hochordovizische Eichbergsandstein auf Bodenunruhen während der altkaledonischen (takonischen) Phase hin. Die jungkaledonische Phase wird durch einen Sedimentationsumschlag gekennzeichnet. Sehr gut sind reußische Bewegungen abzuleiten, mit denen die variscische Geosynklinalentwicklung i. e. S. eingeleitet wird. Ebenfalls sind bretonische Bodenunruhen vorhanden, mit denen die Schüttung gröberer Sedimente zu verbinden ist (z. B. Kieselschiefer-Konglomerat).

3. *Bober-Katzbachgebirge*

Unter der Bezeichnung Bober-Katzbachgebirge (Góry Kaczawskie) werden hier drei tektonisch voneinander getrennte Bereiche vereinigt, die ursprünglich — im Altpaläozoikum —

[1]) Auf die regionalen Folgerungen aus dem Fund von *Monograptus hercynicus* im Görlitzer Schiefergebirge und im Bober-Katzbachgebirge wird in Abschn. B, 5 eingegangen.

eine stratigraphische und räumliche Einheit bildeten. Hierzu gehört neben dem eigentlichen Bober-Katzbachgebirge im Raum von Bolków (Bolkenhain) das schlecht aufgeschlossene Nordsudetische (Subsudetische) Schiefergebirge südlich von Legnica (Liegnitz). Beide Bereiche werden heute durch den Sudeten-Randbruch voneinander getrennt. Der dritte, kleinste Bereich ist die Zone von Przybkowice (Prittwitzdorf) am östlichen Rand des Riesengebirges (Abb. 18).

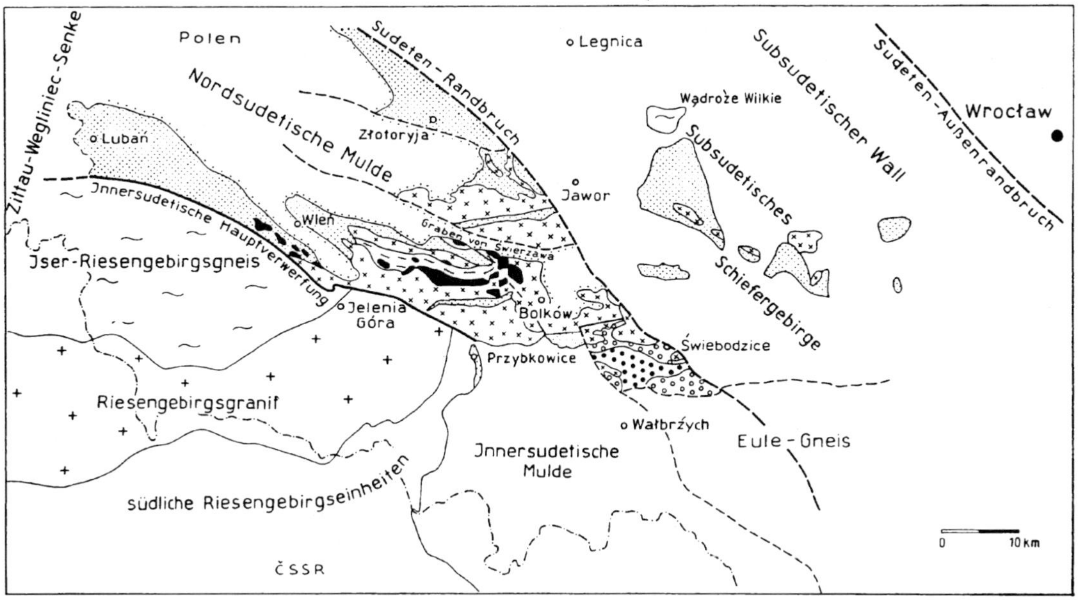

Abb. 18. Das Bober-Katzbachgebirge (nach TEISSEYRE 1961)

Wellensignatur = Gneise des Iser-Riesengebirges (assyntisch), *Kreuzraster* = Iser-Riesengebirgsgranit (variscisch), *kurze Wellenlinien* = Altenberger (Radzimovice)-Schiefer, *schwarze Flächen* = Kambrium, *schräger Kreuzraster* = Grünschieferserie, *enger Punktraster* = Ordovizium und Silur, *ausgefüllte Kreise* = Oberdevon, *nicht ausgefüllte Kreise* = unterstes Unterkarbon. Bolków = Bolkenhain, Jawor = Jauer, Jelenia Góra = Hirschberg, Legnica = Liegnitz, Lubań = Lauban, Przybkowice = Prittwitzdorf, Świebodzice = Freiburg, Świerzawa = Schönau, Wadrože Wilkie = Groß-Wandriß, Walbrźych = Waldenburg, Weglinice = Kohlfurt, Wleń = Lähn, Wroclaw = Breslau, Zlotoryja = Goldberg

a) Ordovizium und Silur

Das paläontologisch nicht belegte Ordovizium beginnt mit sandigen, oft glimmerführenden Schiefern. Sie enthalten als geringmächtige (dz, selten m) Einlagerung ein kleinkonglomeratisches Gestein, den Kuttenberg-Quarzit. In ihm treten als Gerölle überwiegend Quarz, daneben Feldspate, ferner Schieferbrocken und Porphyrstücke der kambrischen (?) Eruptivserie auf. Reine Quarzite, die lithologisch dem Dubrau-Quarzit entsprechen, soll es im Bober-Katzbachgebirge in der Ausbildung des geringmächtigen Talkenstein-, Kaltenstein- und Baumgärtner-Quarzites geben (SCHWARZBACH 1935, S. 280; MURAWSKI 1943, S. 36). Ihre stratigraphische Stellung ist unsicher. Als eine besondere Fazies des unteren Ordoviziums werden Grauwacken und Grauwackenschiefer betrachtet, die räumlich stets an die Nachbarschaft der assyntisch konsolidierten Kristallingebiete gebunden sind (s. SCHWARZBACH 1940, S. 168).

Im höheren Ordovizium wird im Bober-Katzbachgebirge die Sedimentation toniger, wobei blaugraue bis tiefschwarze Schiefer häufig sind. Nach SCHWARZBACH (1939, S. 12) gehört in das höhere Ordovizium eine vulkanische Tätigkeit, die geringmächtige Diabase und Diabastuffe hervorbrachte.

Im Silur herrschen schwarze, oft schwefelkiesreiche Schiefer (Alaunschiefer) und Kieselschiefer vor, die Graptolithen enthalten (SCHWARZBACH 1934a; JERZMANSKI 1955). Die Kieselschiefer führen manchmal Radiolarien. Mit einem silurischen initialen Vulkanismus ist zu rechnen (Block 1938).

Das stratigraphisch jüngste Glied der Graptolithenschieferfazies wurde neuerdings durch Jaeger (1964) in dem klassischen Eisenbahnprofil bei Lubań (Lauban) am Westende des Bober-Katzbachgebirges (s. Peck & Geinitz 1865) gefunden. Es handelt sich um Alaunschiefer, die *Monograptus hercynicus* führen. Auch jüngstes Wenlock (Stein 1962) und Unterludlow (Jaeger 1964) sind durch Fauna zu belegen.

Im östlichen Bober-Katzbachgebirge erfolgte im höheren Silur die Sedimentation einer Grauwackenserie, in der Jerzmanski (1955) bei Uniejowice (Leisersdorf) — in der Nähe von Zlotoryja (Goldberg) — eine Graptolithenfauna des Ludlow fand. Die Grauwacken werden als Flyschfazies der jungkaledonischen Orogenese angesprochen (Jerzmanski & Milewicz 1960). Smulikowski (Gutachten zur Habil.-Schrift) weist mit Recht darauf hin, daß im ganzen Altpaläozoikum des Bober-Katzbachgebirges Flysch im strengen Sinne dieses Wortes fehlt.

b) Oberdevon und Unterkarbon

Zwischen dem jüngsten Silur (Ludlow) und den zeitlich und räumlich nächsten Ablagerungen des Oberdevons und tiefsten Unterkarbons von Świebodzice (Freiburg) soll ein deutlicher Metamorphosesprung bestehen, der als eine Folge der jungkaledonischen Orogenese angesehen wird. Die altpaläozoischen Bildungen liegen in Grünschieferfazies vor, während die Gesteine der Mulde von Świebodzice zwar stark gefaltet und gestört, jedoch kaum metamorph sind.

Der ,,Metamorphosesprung" zwischen dem Silur des Bober-Katzbachgebirges und dem Oberdevon der Mulde von Świebodzice (Freiburg) darf nicht überschätzt werden. Ordovizische und silurische Sedimente sind oftmals nur sehr schwach metamorph und im Oberdevon sind nicht selten Anfangsstadien der Metamorphose und Albitblastese zu bemerken (Lydka 1963). Hinzu kommt, daß zwischen autometasomatischen Veränderungen basischer Vulkanite und den Wirkungen einer schwachen epimetamorphen Beanspruchung nur schwer zu unterscheiden ist.

Das Oberdevon und das tiefste Unterkarbon [Unterkarbon von Chwaliszów (Quolsdorf)] bestehen aus Konglomeraten, Grauwacken und Tonschiefern, in die örtlich Linsen von organogenen Kalksteinen eingelagert sind. Auch Hinweise auf eine vulkanische Tätigkeit von spilitischem Charakter fehlen nicht (Lydka 1958, 1963). Die Gesamtmächtigkeit dieser Folge beträgt etwa 3000—4000 m. In den Kalksteinen liegt eine marine Fauna vor, während aus den Grauwacken eine festländische Flora (Gothan & Zimmermann 1932) bekannt geworden ist. Insgesamt betrachtet beginnt die Sedimentation marin und endet kontinental. Stratigraphisch umfaßt sie sämtliche Stufen des Oberdevons (to I—VI; Pawlik 1939).

Die Oberdevon-Unterkarbon-Vorkommen von Świebodzice nehmen heute einen Raum von etwa 100 km² ein, der allseitig von tektonischen Flächen begrenzt wird (Abb. 19).

Ursprünglich dürfte das Becken in östlicher und westlicher Richtung sich weiter erstreckt haben, wobei allerdings die primären Grenzen kaum anzugeben sind.

Zu der benachbarten Innersudetischen Mulde besteht nach Teisseyre (1956b) keine enge Verbindung. Es handelt sich vielmehr um zwei geologische Einheiten, die sich in dem Alter ihrer Sedimente, in dem tektonischen Baustil und in der Zeit ihrer Faltung voneinander unterscheiden. Die unterkarbone Sedimentation (Pericyclus- und Glyphioceras-Stufe) in der Innersudetischen Mulde setzt ein, nachdem die Mulde von Świebodzice herausgehoben wurde. So erscheinen in den liegenden Teilen der nördlichen Innersudetischen Mulde Gerölle des tiefsten Unterkarbons von Chwaliszów (Quolsdorf) aus dem Bereich der Mulde von Świebodzice. Mehr oder weniger große Anteile der oberdevonischen Grauwacken sind ebenfalls als Gerölle in den verschiedenen Unterkarbonhorizonten der Innersudetischen Mulde zu finden.

c) Tektonische Bewegungen

Die takonische Phase zwischen Ordovizium und Silur kann —wenn vorhanden (Teisseyre 1960b) — nur unbedeutend gewesen sein, denn tiefere Teile des Silurs sind durch graptolithenführende Kieselschiefer belegt (SCHWARZBACH 1934a). Die mit dem Silur einsetzende Meeresvertiefung und die lithologische Ausbildung der Kiesel- und Alaunschiefer ist regional weit verbreitet und läßt keine Anzeichen auf eine jungkaledonische orogenetische Herausfaltung erkennen. Erst gegen Ende des Silurs — im Ludlow — macht sich durch das Auftreten von Grauwacken („Flysch") eine Heraushebung bemerkbar (s. SCHWARZBACH 1939, S. 19).

Die Hauptfaltungsphase des Bober-Katzbachgebirges ist nach BEDERKE (1924) die jungkaledonische Phase zwischen Obersilur und Unterdevon. Für diese Zeit wird die Entstehung

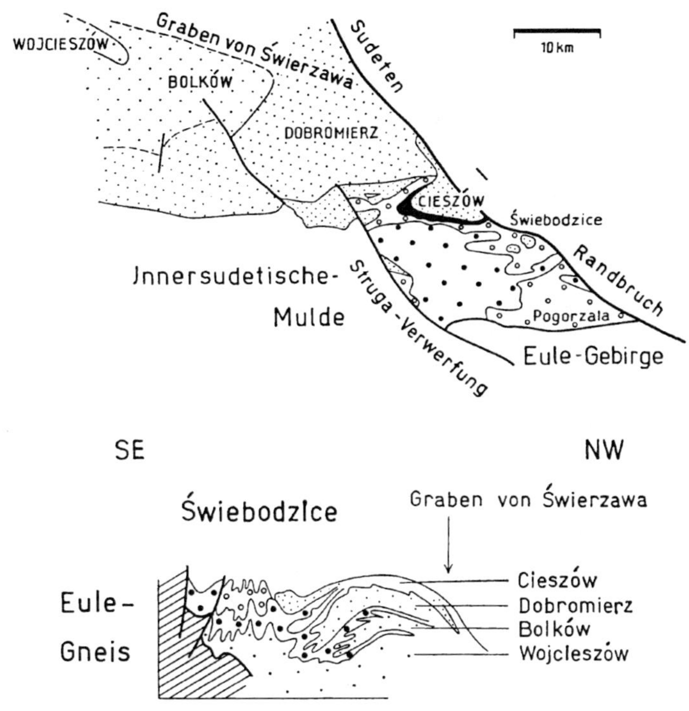

Abb. 19. Die Deckenüberschiebungen des südlichen Bober-Katzbachgebirges (nach TEISSEYRE 1956b); a = Karte; b = Profil

Im Norden liegt die authochthone (parauthochthone?) Einheit von Wojcieszów (Kauffung; *sehr weiter Punktraster*). Es folgt die Einheit von Bolków (Bolkenhain; *weiter Punktraster*) und die Einheit von Dobromierz (Hohenfriedeberg; *enger Punktraster*). Die höchste Decke von Cieszów (Fröhlichsdorf; *sehr enger Punktraster*) ist auf das Oberdevon (*ausgefüllte Kreise*) bzw. das unterste Karbon (*nicht ausgefüllte Kreise*) der Mulde von Świebodzice (Freiberg) aufgeschoben. Eine Bewegungsfläche ist die Jaskolin-(Möhnersdorfer-)Überschiebung, deren Reibungsbrekzien (*schwarze Flächen*) besonders bei Cieszów ausstreichen

der Nordwest–Südost streichenden Bolków–Wojcieszow-(Bolkenhain–Kauffunger)Antiklinale angenommen. Die Kleinstrukturen (drags folds, Lineationen) sind nach TEISSEYRE (1960c, S. 115) dieser Hauptantiklinale parallel oder subparallel gerichtet.

Mit der jungkaledonischen Faltung wird eine intensive Verschieferung der vorwiegend fein- und feinstklastischen Sedimente verbunden. Zur Bildung echter Phyllite ist es jedoch meist nicht gekommen (SCHWARZBACH 1939, S. 22). Im südwestlichen Teil des Bober-Katzbachgebirges fallen die Schieferungsflächen überwiegend nach Norden ein, das heißt, es herrscht Süd-(SSE-)Vergenz. Abweichend verhält sich das nördliche Bober-Katzbachgebirge. Dort herrscht Nordost-Vergenz (BLOCK 1938, S. 92; SCHWARZBACH 1940). Die Zone der Vergenzumkehr wird recht genau durch den drei bis vier Kilometer breiten Graben von Świerzawa (Schönau) angezeigt, der als saxonisches Strukturelement zur Nordsudetischen Mulde gehört. Er durchsetzt als einziger Graben das gesamte Bober-Katzbachgebirge bis zum Sudeten-Randbruch (s. Abb. 18).

Nördlich des Grabens von Świerzawa (Schönau) wurde von QUITZOW (1939) ein Schuppenbau erkannt, der zu der Ausbildung von Überschiebungen mit Schubweiten bis zu sechs Kilometer führte. JERZMANSKI & MILEWICZ (1960) unterscheiden in diesem Raum drei tektonische Einheiten, von denen die niedrigste parauchtochthonen Charakter hat, die anderen beiden in nördlicher Richtung überschobene Decken darstellen.

Die tiefste Einheit ist die von Rzeszówek–Jakuszowa (Reichwaldau–Jakobsdorf). Auf diese folgt die Einheit von Chełmiec (Kolbnitz) und als höchste Einheit die von Złotoryja (Goldberg). Die letztgenannte Struktur leitet bereits zum Nordsudetischen Schiefergebirge nordöstlich des variscischen Sudeten-Randbruches über.

Nach TEISSEYRE (1956a) sind südlich des Grabens von Świerzawa (Schönau) vier tektonische Einheiten vorhanden, von denen wenigstens die drei oberen Bereiche Überschiebungsdecken mit einer Schubweite bis etwa 10 km sind (Abb. 19). Die einzelnen Decken unterscheiden sich voneinander durch die Ausbildung des stratigraphischen Inventars und den Stil ihrer Tektonik.

Im Norden liegt die autochthone oder parautochthone Einheit von Wojcieszów (Kauffung)[1]. Es folgt in südlicher Richtung die Einheit von Bolków (Bolkenhain), dann die von Dobromierz (Hohenfriedeberg) und als höchste Decke die von Cieszów (Fröhlichsdorf). Die drei letzgenannten Einheiten sind über die liegende Einheit von Wojcieszów in südlicher Richtung überschoben (vgl. Abb. 19).

Die Vergenz der Überschiebungen nordöstlich und südwestlich des Grabens von Świerzawa (Schönau) sind auf die umgebenden assyntisch konsolidierten Kristallingebiete gerichtet (DAHLGRÜN 1938, SCHWARZBACH 1943, S. 29). In südlicher Richtung ist es der Iser-Riesengebirgsblock bzw. die unter dem Nordrand der Innersudetischen Mulde zu vermutende Fortsetzung des moldanubisch geformten Eule-Gneises. Im Norden sind die alten, vorordovizischen Kristallingebiete im Gneis von Wadroże Wielkie (Groß-Wandriß) aufgeschlossen, der ein Teil des Nordsudetischen (Subsudetischen) Walles ist (s. Abschn. II, A, 4).

Nach den erfolgten Überschiebungen wurde die Wojcieszów–Bolków-(Kauffung–Bolkenhainer)Antiklinale nach Nordwesten herausgehoben, wobei in dem Gebiet von Świebodzice (Freiburg) und Dobromierz (Hohenfriedeberg) eine kräftige Depression entstand. Zeitlich wird ihre Bildung mit den regional zu verfolgenden Bewegungen an der Wende Mitteldevon/Oberdevon (reußische Phase) in Verbindung gebracht (RÖHLICH & TRÖGER 1961, S. 127). In der Mulde von Świebodzice kamen die genannten oberdevonischen bis unterstkarbonischen Sedimente (Konglomerate, Grauwacken, Tonschiefer, untergeordnet Kalke) zur Ablagerung. Während dieser Sedimentation erfolgten nach PAWLIK (1939) räumlich und zeitlich sehr begrenzte Bewegungen an der Wende to II/to III.

Durch die Heraushebung der Wojcieszów–Bolków-Antiklinale wurden im westlichen Teil durch Erosion die über den Antiklinalkern (Świerzawa-Einheit) überschobenen Deckenteile von der Wurzelzone abgeschnitten (s. Abb. 19). Durch Schwerkraft kam es zu Abgleitungen der Deckenreste ins Vorland, so daß sich Teile der Cieszów-Einheit über die Sedimente der Mulde von Świebodzice (Freiburg) bewegten. Während der bretonischen Phase wurden sie zusammen mit den oberdevonisch-unterstkarbonischen Ablagerungen gefaltet.

Zwischen den Gesteinen der Cieszów-Einheit und den Sedimenten der Mulde von Świebodzice entstanden als Reibungsbrekzien an der Bewegungsfläche [Jaskólin (Möhnersdorfer)-Überschiebung] tektonische Mischgesteine. Hierzu gehört auch der sogenannte Fröhlichsdorfer Granit (DATHE & ZIMMERMANN 1912, S. 87), der von SMULIKOWSKI (1956) als tektonische Brekzie erkannt wurde.

Im einzelnen ist die bretonisch angelegte Struktur der Mulde von Świebodzice kompliziert. Es werden im wesentlichen fünf Untereinheiten unterschieden (s. TEISSEYRE 1956b, S. 51).

Im Gegensatz zu den in sich stark gestörten Ablagerungen der Mulde von Świebodzice (Freiburg) sind die Deformationen des Unterkarbons der Innersudetischen Mulde nur sehr schwach. Die Faltung erfolgte während der sudetischen Phase, die — ähnlich wie die astu-

[1] In einigen Veröffentlichungen wird sie auch als Einheit von Świerzawa (Schönau) bezeichnet.

rische Phase (v. BUBNOFF 1931) — an manchen Stellen der Innersudetischen Mulde überhaupt nicht zu Diskordanzen führte (TEISSEYRE 1959).

4. Südliches Iser- und Riesengebirge

a) Ordovizium und Silur

Die altpaläozoische Einheit des südlichen Iser- und Riesengebirges wird vorzugsweise aus ordovizischen und silurischen Sedimentgesteinen aufgebaut, in denen initiale Magmatite erscheinen. Im westlichen Verbreitungsgebiet grenzen diese Bildungen direkt an den variscischen Iser-Riesengebirgsgranit, durch den sie kontaktmetamorph verändert werden. Im östlichen Teil werden die altpaläozoischen Serien nördlich von Svobodá (Freiheit) und Vrchlabi (Hohenelbe) durch assyntisch geformte Einheiten, die nach OBERC (1961) zur Rudawy Janowickie–Śniezka-(Landeshuter Kamm–Schneekoppen)Einheit gehören, vom variscischen Granit getrennt.

Nach Südwesten bildet die postsenone Lausitzer Überschiebung eine scharfe Grenze zu den Sandsteinen der böhmischen Kreidemulde. Nach Süden verschwinden die altpaläozoischen Gesteine unter dem mächtigen Permokarbon des Beckens von Trutnow (Trautenau), an dessen Südrand sie nochmals in einigen Gebieten, besonders am Zvičina (Switschin) zu Tage treten (s. Abb. 20).

Das Ordovizium besteht vorzugsweise aus Sericitphylliten, in denen im Bereich des Jizera-(Iser)Tales von CHALOUPSKÝ (1958) Einlagerungen kristalliner Kalke festgestellt wurden. Diabase des initialen Vulkanismus liegen als Grünschiefer vor. Ein höherer Anteil an Chlorit und Titanerzen in den Phylliten weist auf größere Mengen pyroklastischer Bestandteile in den Sedimenten hin. In den höheren Teilen des Ordoviziums — im Liegenden der silurischen Kieselschiefer — erscheint ein heller, bankiger Sericitquarzit, der örtlich geröllführend ausgebildet ist (CHALOUPSKÝ 1962, 1963). Die bis zu 25% des ganzen Gesteinsgehaltes bildenden Gerölle bestehen aus Abtragungsprodukten der vorordovizischen Grauwackenserie, die im nördlichsten Ještěd-(Jeschken)Gebirge zwischen Zittau und Liberec (Reichenberg) ansteht (s. Abschn. II, A, 4). Ferner finden sich Gerölle von Rumburger Granit sowie dunkle Quarz-Turmalingesteine.

Das mikroskopische Bild der Quarz-Turmalingesteine erinnert an ein ursprüngliches Quarzitgestein n das längs Korngrenzen und Rissen Lösungen eindrangen, aus denen sich Turmalin und jüngerer Quarz ausschieden (CHALOUPSKÝ 1958, S. 230). Diese Beschreibung trifft für die Turmalinquarzite aus dem Bereich des Iser-Riesengebirgsgneises zu (s. Abschn. II, A, 4).

Das Herkunftsgebiet der Turmalinquarzite ist somit in dem assyntisch konsolidierten Kristallinbereich zu sehen, der auch als Lieferant für die in den tremadocischen Quarziten (Dubrauquarzit nördlich Görlitz, Collmberg bei Oschatz) auftretenden Turmalinquarzite in Frage kommt. Im Ordovizium bestand demnach — zumindest zeitweilig — ein Schwellengebiet zwischen dem Altpaläozoikum des Bober-Katzbachgebirges und dem des südlichen Riesengebirges.

Über die stratigraphisch tiefsten Teile des Ordoviziums kann bisher nichts Sicheres ausgesagt werden. Im Jizera-(Iser)Tal erscheint unter den ordovizischen Gesteinen ein Karbonathorizont, der sich durch Beimengungen gröberen Materials und durch eine geringe Mächtigkeit (unter 20 m) von dem silurischen Kalksteinkomplex unterscheidet. An der Basis ist ein ungefähr 2 m mächtiger Grünschieferhorizont aufgeschlossen. Ob es sich dabei eventuell um kambrische Bildungen handelt, ist nicht zu sagen (CHALOUPSKÝ 1958, S. 231).

Am weitesten ist im südlichen Iser-Riesengebirge Silur verbreitet. Die Schichtenfolge beginnt wie in allen anderen Gebieten mit Gesteinen in der Graptolithenschieferfazies. Ihre stratigraphische Einstufung in das Llandovery und Gala-Tarannon ist nach Graptolithenfunden möglich. In den höheren Teilen wird die Sedimentation überwiegend kalkig. Durch

Graptolithen hat CHLUPÁČ (1953) bei Železný Brod (Eisenbrod) das stratigraphische Niveau der Ockerkalkgruppe (Gliederung nach W. SCHMIDT 1939) nachgewiesen. Im Hangenden der Kalke, zum Teil mit den Karbonaten oder detritischen Gesteinen in Wechsellagerung, erscheinen vulkanische Gesteine in einer Mächtigkeit von etwa 300 m. Neben den vorherrschenden Tuffen sind besonders Diabase und Keratophyre vorhanden (FEDIUK 1953, S. 67; 1962).

Zur Ausbildung des Silurs im Bober-Katzbachgebirge bestehen Unterschiede, während die Beziehungen zum Barrandium enger sind. Auch dort wird die Sedimentation im höheren Silur karbonatisch und ein Diabasvulkanismus ist ebenfalls vorhanden.

Die Hauptfaltung und Metamorphose der ordovizischen und silurischen Gesteine des südlichen Iser- und Riesengebirges soll — wie im Bober-Katzbachgebirge — in der jungkaledonischen Orogenese erfolgt sein (BEDERKE 1924, KODYM & SVOBODA 1948).

Abb. 20. Das südliche Iser- und Riesengebirge
(in Anlehnung an die Tektonische Karte der ČSSR i. M. 1:500000
und SVOBODA & CHALOUPSKÝ 1962, Tab. XV)

Große Wellensignatur = Gneise des nördlichen Iser- und Riesengebirges, *sehr enger Punktraster* = sog. Glimmerschieferzüge des nördlichen Iser-Riesengebirges bzw. Grauwackenschollen westlich von Liberec, *weiter Kreuzraster* = Iser-Riesengebirgsgranit (variscisch), *kurze Striche* = Rudawy Janowickie-Śniezka-(Landeshuter Kamm-Schneekoppen)Einheit mit Orthogneisen (*kleine Wellensignatur*), *doppelte Wellensignatur* = Leszczyniec-(Haselbacher)Einheit, *weiter Punktraster* = Silur, *enger Punktraster* = Ordovizium, *kräftige schwarze Punkte* = Devon, *kro* = Oberkreide.

Jelenia Góra = Hirschberg, Liberec = Reichenberg, Spindlerov Mlýn = Spindelmühle, Stara Kamienica = Altkemnitz, Svoboda = Freiheit, Świeradów Zdróy = Bad Flinsberg, Trutnov = Trautenau, Vrchlabi = Hohenelbe, Železný Brod = Eisenbrod; Ještěd = Jeschken, Sněžka = Schneekoppe, Zvičina = Switschin, Izerka = Kleine Iser, Jizera = Iser, Kamenice = Kamnitz, Labe = Elbe, Mohelka = Mohelka, Nisa = Neiße, Úpa = Aupa

Während dieser Bewegungen unterlagen die assyntischen Gesteine der Rudawy Janowickie-Śniezka-(Landeshuter Kamm-Schneekoppen)Einheit einer Diaphthorese und glichen sich dadurch den progressiv veränderten altpaläozoischen Gesteinen im Metamorphosegrad an. Eine Zusammenfaltung beider Serien erschwert weiterhin die Trennung der verschiedenen Alterseinheiten (OBERC 1961, S. 151).

Im Süden grenzen die silurischen Gesteine im Raum Janské Lázně (Johannisbad)-Vrchlabi (Hohenelbe) tektonisch an die assyntisch geformten Bereiche. In westlicher Richtung kann die Grenze zwischen assyntischen und altpaläozoischen Einheiten schwer angegeben werden. Nach OBERC (1961, S. 161) ist die Rudawy Janowickie-Śniezka-(Landeshuter Kamm-Schneekoppen)Einheit unzweifelhaft noch westlich des oberen Labe-(Elbe)Tales vorhanden. CHALOUPSKÝ gibt die letzten Ausläufer algonkischer Gesteine am Südrand des variscischen Riesengebirgsgranites bei Harrachov (Harrachsdorf) im Bereich des Izera-(Iser)Tales an (SVOBODA & CHALOUPSKÝ 1962, Tab. XV).

MÁŠKA (1954) stellt im Gegensatz zu OBERC (1961) sämtliche Gesteine des südlichen Riesengebirges in das Altpaläozoikum. Auf Grund der petrographischen Beschreibungen dieser Gesteine in der Nähe des südlichen Riesengebirgskontaktes durch WATZNAUER (1930) könnte man zu ähnlichen Ansichten kommen. Auf der Tektonischen Karte der ČSSR im Maßstab 1:1000000 (1960) sowie auf der neuen Geologischen Karte 1:200000, Blatt Liberec (Reichenberg), wird jedoch im südlichen Riesengebirge — wie bereits angegeben — bis in den Raum von Harrachov im Sinne von OBERC (1961) „Algonkian s. s. metamorphosed by Assyntian tectogenesis and also considerably deformed by Caledonian folding" angegeben. Dieser Auffassung wird im weiteren gefolgt.

Im Jizera-Tal tritt bei Železný Brod (Eisenbrod) ein granitoides Gestein auf. Nach der Kartierung bildet es eine Einlagerung, die senkrecht zum Streichen etwa 600 m breit ist. Es steht im Intrusivverband mit fossilmäßig belegten silurischen Schichten und ist zusammen mit diesen gefaltet und metamorphosiert (FEDIUK 1953).

Der am wenigsten deformierte Gesteinstyp ist ein mittelkörniges, extrem leukokrates Gestein, dessen Feldspat Albit ist. Nach der Nomenklatur von JOHANNSEN (1952) handelt es sich um einen „Leuco-sodaclase-tonalite" (118 P). Örtlich kann dieses Gestein porphyrisch werden. Randlich geht dieses saure Gestein durch Beanspruchung in Phyllonite über (FEDIUK 1953).

Die Platznahme des Gesteins wird als synkinematisch zur jungkaledonischen Orogenese betrachtet.

SMULIKOWSKI (1956) beschreibt aus der ins höhere Kambrium gestellten vulkanischen Serie des Bober-Katzbachgebirges granitoide Gesteine, die sich aus den basischen Eruptivgesteinen örtlich durch eine Imprägnation von Quarz und Albit entwickeln. Zeitlich sind diese Umwandlungsvorgänge eng mit der Deformation verbunden. Im Anstehenden werden diese Ausbildungen allerdings nur mehrere Zentimeter mächtig. Sie sind auch aus den Kataklasiten an der Jaskolin-(Möhnersdorfer)Überschiebung bekannt. Vielleicht kann man für die Albit-Quarz-Gesteine von Železný Brod (Eisenbrod), die Amphibole und Grünschiefereinlagerungen enthalten, eine ähnliche Entstehung annehmen.

b) Oberdevon und Unterkarbon

Im südlichen Riesengebirge sind aus dem Raum nordwestlich des Ještěd-(Jeschken) Gebirges oberdevonische Gesteine bekannt, die transgressiv dem Ordovizium, Silur oder unmittelbar assyntischen Grauwacken (s. Absch. II, A, 4a) auflagern (SVOBODA & CHALOUPSKÝ 1962). Ihre stratigraphische Einstufung ist durch Funde von Korallen und Goniatiten gesichert. Klastische Ablagerungen vom Typ des Ještěd (Jeschken) werden ferner bei Železný Brod (Eisenbrod) und im Bereich des Zvičina (Switschin) ausgeschieden (Abb. 20). Ihr Alter ist jedoch unsicher.

In das Oberdevon II gehören graue Schiefer, die zum Teil graphitführend sind und Pyritkonkretionen enthalten. Örtlich erscheinen einzelne Geröllagen. Das Oberdevon III—IV besteht vorzugsweise aus kalkig-dolomitischen Gesteinen. In den hangenden Teilen dieser Serie treten tuffitische Schiefer, Diabastuffe und effusive Diabase auf. Den Abschluß bildet eine Grauwackenfolge, zu der auch Kieselschiefer-Konglomerate gehören (GALLWITZ 1930, SVOBODA & CHALOUPSKÝ 1962).

KODYM & SVOBODA (1948) und SVOBODA (1960) stellten die zum Teil konglomeratische Grauwackenserie an die Basis des Oberdevons bzw. noch in das Givet, so daß sie keine unterkarbonischen Ablagerungen kennen.

In Anbetracht der regionalen Situation und der Untersuchungen von Chaloupský (1962) erscheint jedoch diese Annahme wenig wahrscheinlich.[1])

Auf Grund der angegebenen Schichtenfolge sind die Verhältnisse im Ještěd-(Jeschken) Gebirge denjenigen im Elbtalschiefergebirge sehr ähnlich. Nach Gallwitz (1930, S. 54) treten im oberen Seidewitztal (Mbl. 102) des Elbtalschiefergebirges dieselben graphitreichen schwarzen Schiefer wie im Oberdevon II des Ještěd (Jeschken) auf. Bestätigt wird diese enge Verbindung zwischen den beiden Gebieten durch das Erscheinen von oberdevonischen Diabasen, Quarzkeratophyren und Tuffen am Marsovický vrch (Maschwitzberg) bei Česká Lípa (Böhmisch Leipa) (Müller 1925), auf halbem Wege zwischen Ještěd (Jeschken) und Děčín (Tetschen) in der Elbtalzone (s. Abb. 15). Verhältnismäßig schwach metamorphe Gesteine der Elbtalzone (Phyllite und Grauwacken) sind auch von Bukovany (Bokwitz), etwa 5 km nordöstlich von Česká Lípa bekannt (Scheumann 1913, S. 674).

Zwischen den jungkaledonisch gefalteten altpaläozoischen Serien des südlichen Riesengebirges und den jüngeren Gesteinen des Ještěd-(Jeschken)Gebirges soll ein Metamorphosesprung bestehen (Gallwitz 1930, S. 34; Kodym & Svoboda 1948, S. 151). Für die jungkaledonische Faltungsphase ist allerdings keine sehr große Intensität in diesem Gebiet mehr zu erwarten, denn die variscische Faltung ist bereits kräftig und mit einer schwachen Metamorphose verbunden.

Da östlich des Oberdevons/Unterkarbons des Ještěd-(Jeschken)Gebirges keine Ablagerungen mehr nachzuweisen sind, die dem Devon oder Unterkarbon angehören, ist eine Faltung und phyllitische Metamorphose dieser Gebiete erst zu variscischer Zeit nicht mit völliger Sicherheit auszuschließen (s. Abschn. II, B, 5).

Das Auftreten von initialen Vulkaniten sowie von Kieselschiefer-Konglomeraten in stratigraphischer Verbindung mit Oberdevonkalken zeigt, daß im Bereich des Ještěd keine kaledonischen Molasseablagerungen vorliegen.

c) Tektonische Bewegungen

Das Ordovizium liegt im südlichen Iser- und Riesengebirge transgressiv auf älteren Serien (Watznauer 1939, S. 773; Svoboda & Chaloupský 1962). In den höheren Teilen des Ordoviziums stellen sich — wie in den anderen bereits betrachteten Gebieten — sandige Schüttungen ein. Sie sind auf Bodenunruhen zurückzuführen, die mit der takonischen Phase ihren Abschluß fanden. Im Barrandium kommt diese Phase durch die Schüttung der Kosov-Quarzite zum Ausdruck (Svoboda & Prantl 1958, S. 18).

Die Hauptfaltung und Metamorphose im südlichen Riesengebirge soll in der jungkaledonischen Orogenese (Bederke 1924, Kodym & Svoboda 1948) erfolgt sein. Sämtliche altpaläozoischen Schichten aus dem Bereich des Ještěd-(Jeschken)Gebirges bis in das östliche Riesengebirge sind verschiefert, wobei die Schieferung der ehemaligen Schichtung parallel verläuft. Die Schieferung ist in Groß- und Kleinfalten gelegt. Die Faltenachsen streichen einheitlich etwa Ost–West und fallen mit zunehmendem Winkel nach Osten bzw. Südosten ein. Die Vergenz ist im südlichen Teil vorwiegend nach Süden, im nördlichen Teil nach Norden gerichtet. Es ist somit auch im südlichen Iser- und Riesengebirge ein Vergenzscheitel angelegt. Es kommt jedoch hier nicht zu deckenartigen Überschiebungen. Nur lokale Überschiebungen werden erwähnt, nachdem die Deckentheorie von Kodym & Svoboda (1948) sich nicht bestätigte (vgl. Watznauer 1953). Im Izera-(Iser)Tal bei Železný Brod (Eisenbrod) ist — wie bereits ausgeführt — ein granitoides Gestein zusammen mit silurischen Sedimenten

[1]) Chlupáč (1964) fand jetzt im tieferen Teil der aus Tonschiefern, Grauwacken und Konglomeraten bestehenden Serie Trilobiten, die ein hoch-oberdevonisches, wahrscheinlicher ein tief-unterkarbonisches Alter belegen. Damit können diese klastigenen Bildungen nicht mehr als ein Hinweis für eine post-jungkaledonische Transgression (Kodym & Svoboda 1948) angeführt werden (vgl. Jaeger 1964, S. 273).

gefaltet und metamorphisiert. Es wird als synkinematisch zur jungkaledonischen Orogenese angesehen (FEDIUK 1953, S. 574). Es besteht jedoch auch die Möglichkeit, daß es sich um ein örtliches, granitoides Produkt des silurischen Diabas-Keratophyr-Vulkanismus handelt. Abgesehen von diesem kleinen Vorkommen bei Železný Brod (Eisenbrod) und seiner möglichen genetischen Deutung sind im ganzen südlichen Iser- und Riesengebirge keine synorogenen magmatischen Körper nachzuweisen. Auch subsequente Vulkanite fehlen.

Im Gebiet von Železný Brod (Eisenbrod) zeigen die altpaläozoischen Gesteine keine höhere Metamorphose als der Grünschieferfazies (Chloritzone nach BARROW-TILLEY) entspricht. Demnach vollzogen sich die regionalen Bewegungen unter niedrigen Temperaturen und hohem Druck.

CHALOUPSKÝ (1958, S. 234) schließt aus dem Auftreten einer schwachen, etwa Nord–Süd gerichteten Querfaltung auf eine entsprechend orientierte kristalline Unterlage der altpaläozoischen Serien, die dem Iser-Riesengebirgsgneis entsprechen könnte. In Verbindung damit weist er darauf hin, daß im Izera-(Iser)Tal im Liegenden des Altpaläozoikums Gneise mit Blauquarzen erscheinen, die der assyntischen Orogenese zuzurechnen sind.

Für den ganzen südlichen Iser- und Riesengebirgsraum ist eine mehr oder weniger starke Albitisierung typisch (WATZNAUER 1938). Einen starken Anteil von Albit findet man besonders in den sericitisch-chloritischen Phylliten, die auf umgewandelte Tuffe oder Tuffite zurückgeführt werden. Eine Albitsprossung veränderte auch den ursprünglichen petrographischen Charakter des granitoiden Gesteins von Železný Brod (Eisenbrod). Die Albite wuchsen nicht nur während der tektonischen Hauptvorgänge, sondern auch in dem Zeitabschnitt, in dem die Bewegungen ausklangen (WATZNAUER 1938, CHALOUPSKÝ 1958, S. 232, FEDIUK 1962). Die Albitisierung ist auch eine Eigentümlichkeit aller alten altpaläozoischen Gesteine des Bober-Katzbachgebirges. Im Unterkarbon treten albitisierte Gesteine als Gerölle auf (WATZNAUER 1938, SMULIKOWSKI 1956).

Die oberdevonisch-unterkarbonische Serie nordwestlich des Ještěd-(Jeschken)Gebirges ist intensiv variscisch gefaltet und weist eine schwache variscische Metamorphose auf. Ihre Begrenzung gegen die älteren Einheiten ist vorzugsweise durch Störungen gegeben, ähnlich wie es bei dem Oberdevon–Unterkarbon der Mulde von Świebodzice (Freiburg) der Fall ist. Nach GALLWITZ (1930, S. 52) sind prädevonische Gesteine im Ještěd-(Jeschken)Bereich entlang einer flachen Überschiebung auf die devonischen–unterkarbonischen Einheiten übergeschoben. Auch in den einzelnen Aufschlüssen sind tektonische Bilder zu beobachten, die auf eine intensive — vielleicht bretonische — Schubbeanspruchung mit horizontaler Komponente hinweisen.

5. *Die kaledonische Orogenese (Zusammenfassung)*

Mit dem Beginn des Ordoviziums setzt ein neuer großtektonischer Entwicklungszyklus ein. Die vorangegangene assyntische Gebirgsbildung hatte im höheren Kambrium bzw. mit der sardischen Phase ihren Abschluß gefunden.

Die Sedimente des Tremadoc greifen vermutlich auf kambrische Bildungen (Görlitzer Schiefergebirge, Böhmen), auf die unvergneiste und vergneiste Grauwackenserie der Nachspilit-Stufe (Lausitzer Grundgebirge, Erzgebirge) und auf die Glimmerschiefer und Gneise des Erzgebirges transgressiv über. Die im nördlichen Gebiet vorherrschenden fossilführenden Quarzite (z. B. Dubrau- und Collmberg-Quarzit) und die darin örtlich auftretenden Geröllagen stellen Zusammenschwemmungen der Restprodukte (Quarze, Turmalinquarzite) einer vorangegangenen Verwitterungsperiode dar.

Um die Wirksamkeit und Verbreitung der jungkaledonischen Orogenese besser zu erfassen, wird in diesem Abschnitt die Entwicklung im vogtländisch-thüringischen Raum westlich des Erzgebirges ebenfalls betrachtet.

In den eingehend untersuchten Schichtenprofilen in Thüringen, im Vogtland und im Frankenwald werden für den Zeitraum vom Ordovizium bis zum Unterkarbon zwei Faziesausbildungen unterschieden. Die weitverbreitete Normalausbildung ist die thüringische Fazies, während im Bereich der Münchberger Masse die bayrische Fazies erscheint (s. Wurm 1961), S. 451). Nach Osten sind Anklänge an die bayrische Ausbildung als südwestvogtländische Fazies bis in das Gebiet von Plauen nachzuweisen (Händel 1959).

„Die bayrische Fazies ist vielfach als einheitliche Schwellenfazies der thüringischen Fazies als Geosynklinalfazies gegenübergestellt worden. Die Vorstellung läßt sich aber nicht aufrechterhalten" (Wurm 1961, S. 453). In beiden Fällen handelt es sich um Ablagerungen mit geosynklinalem Charakter, die nur im Ablauf ihrer Entwicklung gewisse Unterschiede erkennen lassen. So weist die bayrische Fazies im Vergleich mit der thüringischen Fazies unruhige Verhältnisse auf, die auf eine verstärkte Becken- und Schwellenbildung hinweisen.

Die thüringische Fazies besteht im Ordovizium aus der Frauenbachquarzit-Serie an der Basis (Unteres Tremadoc), den Phycodenschichten und dem Phycodenquarzit (Oberes Tremadoc — Unterstes Arenig) und den Gräfenthaler Schichten. Letztere setzen sich zusammen aus dem Griffel- oder Unteren Schiefer mit den chamositisch-thuringitischen Erzhorizonten (Arenig–Llandeilo), dem Hauptquarzit (höheres Llandeilo) und dem Leder- oder Oberen Schiefer (Ashgill).

Die bayrische Fazies beginnt im Tremadoc mit den Leimitz-Schiefern. Es handelt sich dabei um vorwiegend milde Tonschiefer. Untergeordnet sind feinkörnige Quarzite eingelagert. Die folgende Randschieferserie besteht aus verschieden gefärbten Schiefern, in denen initiale Vulkanite (Paläopikrite, Diabase, Keratophyre, Quarzkeratophyre) erscheinen. Den Abschluß dieser Schichtenfolge bildet der feinkörnige, manchmal schwärzliche Döbra-Sandstein (Caradoc-Ashgill).

Mit dem Frauenbach-Quarzit der thüringischen Fazies sind die über 100 m (bis 500 m) mächtigen Quarzite des Tremadoc nördlich des Erzgebirges (z. B. Collmberg bei Oschatz) und am Nordrand des Lausitzer Grundgebirges (z. B. Dubrau bei Görlitz) zu parallelisieren. Auf Grund ihres kompetenten Verhaltens müßte diese Serie auch in einer epizonal beanspruchten Serie wiederzuerkennen sein. Dementsprechende Bildungen fehlen jedoch in der altpaläozoischen Phyllithülle des Erzgebirges und in der Elbtalzone. Sie sind auch aus dem Bober-Katzbachgebirge oder den altpaläozoischen Gesteinen der südlichen Sudeten in entsprechender Mächtigkeit nicht bekannt. Es besteht somit die Vermutung, daß die Sedimentation in diesen Gebieten erst in höheren, vorwiegend schiefrig ausgebildeten Bereichen beginnt, oder — was wahrscheinlicher ist — die Basisschichten des Ordoviziums sind in einer Ausbildung vorhanden, die den Leimitz-Schiefern der bayrischen Fazies ähnelt.

Fazielle Untersuchungen in der Form, wie sie für das thüringisch-fränkisch-vogtländische Schiefergebirge durchgeführt sind, liegen aus den östlicheren Gebieten noch nicht vor. Sie versprechen — soweit sie auf Grund der tektonischen Beanspruchung möglich sind — interessante Ergebnisse.

Einen Hinweis auf mögliche fazielle Parallelisierungen geben die dunklen Quarzite, die im unmittelbaren Liegenden des silurischen Kieselschiefers aus Sachsen bekannt sind (s. Abschn. II, B, 1a). Sie sind eventuell mit dem Döbra-Sandstein der bayrischen Fazies identisch, dgl. der neu erkannte Eichberg-Sandstein im Bereich des Görlitzer Schiefergebirges.

Im südlichen Iser- und Riesengebirge sind die etwa 20 m mächtigen, sehr feinkörnigen Quarzite (Sericitquarzite), die am Ještěd (Jeschken) bei Liberec (Reichenberg)/ČSSR auf Grund ihres flachen Einfallens breit ausstreichen, mit den Sandsteinen im höheren Ordovizium Thüringens oder des Frankenwaldes zu vergleichen. Nach Svoboda & Chaloupský (1962) liegen sie unmittelbar unter den silurischen Kieselschiefern. Petrologisch handelt es sich um Restschotter, die dem ordovizischen Dubrau-Quarzit (Tremadoc) entsprechen. Daraus ist abzuleiten, daß eventuell das gesamte tiefere Ordovizium in diesem Gebiet fehlt.

Eine eigene Entwicklung weist das Ordovizium im Barrandium auf. Es handelt sich um eine lokale Trogausbildung, die in der Horizontalen und Vertikalen große Verschiedenheiten aufweist (s. Engert 1956a, Svoboda & Prantl 1958).

Allgemein betrachtet, ist die Sedimentation im Ordovizium zuerst sandig (quarzitisch), wird dann zunehmend toniger, und gegen das Hangende stellen sich wiederum mehr sandige Schüttungen ein. Abgesehen von faziellen Besonderheiten sind somit die Bildungsbedingungen recht einheitlich. Von genetischer Bedeutung ist, daß fast in allen Gebieten initiale Magmatite vorhanden sind. Größere Verbreitung erlangen sie allerdings nur in der Randschieferserie der bayrischen Fazies und in Böhmen, wo der Vulkanismus im Arenig und Llandeilo einen Höhepunkt erreicht.

Eine magmatische Sonderstellung nehmen granitoide und porphyroide Gesteine ein, die in den tieferen Teilen des Ordoviziums erscheinen und die sich auf Grund ihres ausschließlich sialischen Charakters nicht in den Bereich der initialen Magmatite einfügen. Sie bilden in der Regel konkordante, lagergangähnliche Körper. Ihre tektonische Umwandlung zu Porphyroiden (thüringisch-vogtländischer Raum) bzw. zu Sericit- und Chloritgneisen (Mittelsächsischer Zug) geschah in der variscischen Orogenese, da sie unverformt in Konglomeraten des Oberdevons nachzuweisen sind (Eigenfeld 1938).

Am ehesten sind diese Bildungen als späte Nachläufer des assyntischen subsequenten Magmatismus anzusehen (v. Gaertner 1951; Stille 1958; Pietzsch 1962, S. 799), wobei allerdings angenommen werden muß, daß sich initialer und ausklingender Magmatismus zeitlich berühren bzw. überschneiden.

In allen genannten Gebieten ergeben sich keine Hinweise auf kräftige orogenetische Bewegungen im Ordovizium oder an der Wende zum Silur. Örtliche, fazielle Wechsel und das Erscheinen von sandigen Schüttungen in Verbindung mit lokal vorhandenen — in der Hauptsache aus ordovizischen Gesteinen bestehenden — Geröllen (Lederschiefer, Döbra-Sandstein) weisen auf epirogenetische Bewegungen hin, die zeitlich etwa der Trondhjem-Phase zwischen Llandeilo und Caradoc bzw. der takonischen Phase am Ende des Ordoviziums entsprechen (Tröger 1959).

In den tieferen Teilen des Silurs fehlen in allen Gebieten Anzeichen für orogenetische oder stärkere epirogenetische Bewegungen. Die Sedimentationsbedingungen sind ausgeglichener als im Ordovizium. Die silurischen Schichten bestehen im Normalprofil aus schwarzen, sapropelitischen Graptolithenschiefern (Alaun- und Kieselschiefern), die in einem küstenfernen und tieferen Stillwasserbereich zur Bildung kamen (Jaeger 1960, S. 334). Dieser Abfolge ist eine tonig-kalkige Fazies, die Ockerkalkgruppe, eingelagert. Bei paläontologisch belegter Vollständigkeit des Silurs erreicht diese Formation in Thüringen nur eine Mächtigkeit von 60—80 m.

Die Unteren Graptolithenschiefer gehören stratigraphisch in das Valent, Wenlock und tiefere Unterludlow (Jaeger 1960). Die Ansichten von Jaeger (1955, 1957/58) über die stratigraphische Beständigkeit der Ockerkalkgruppe (höheres Unterludlow-Mittelludlow) von Thüringen aus in östlicher Richtung konnte durch das Auffinden dieser Schichtengruppe im Nossen–Wilsdruffer-Schiefergebirge bestätigt werden (Gotte 1955). In der bayrischen Fazies entspricht dem thüringischen Ockerkalk der Elbersreuther Orthocerenkalk als fossilreiche, in besser durchlüftetem Wasser entstandene Ausbildung (Jaeger 1955, S. 425). In diese Zeit fällt auch die stärkste Kalkbildung in Böhmen. Aus dem Görlitzer Schiefergebirge ist die Ockerkalkgruppe bisher nicht sicher bekannt. Im südlichen Iser- und Riesengebirge sind wiederum Kalke im höheren Silur weiter verbreitet.

Der auf den Ockerkalk im Normalprofil folgende Obere Graptolithenschiefer entspricht nach der Gliederung von Jaeger (1960) dem Oberludlow. Er war bisher außer in Thüringen nur im Bereich des Góry Bardzkie (Warthaer Gebirge) südlich des Eule-Gneises nachgewiesen worden. Jaeger (1964) fand entsprechende Fossilien (*Monograptus hercynicus*) neuerdings im Görlitzer Schiefergebirge (bei Rengersdorf) und im westlichen Bober-Katzbachgebirge (bei Lubań).

Über der Kalksteinserie des südlichen Iser- und Riesengebirges folgt ein vulkanischer Komplex, der aus Diabasen, Keratophyren sowie deren Tuffen besteht und der dem Ludlow zugerechnet wird (Chlupáč 1953). Im Bober-Katzbachgebirge hat der silurische Vulkanismus — im Gegensatz zum südlichen Iser- und Riesengebirge — nur eine untergeordnete Bedeutung. Diese Aussage dürfte auch für das Görlitzer Schiefergebirge zutreffen.

Westlich der Elbe ist außer in Böhmen ein silurischer initialer Vulkanismus besonders aus der bayrischen Fazies in der Umrandung der Münchberger Gneismasse bekannt. Er ist fast in allen aufgeschlossenen Zonen gefunden worden. Die Hauptförderung lag an der Wende vom Oberen Wenlock zum Unteren Ludlow (Greiling 1957). Auch in der thüringischen Fazies des Frankenwaldes konnten silurische Vulkanite bei Selbitz entdeckt werden. In Thüringen treten auf Blatt Gräfenthal Diabase im Silur auf, deren Altersstellung jedoch unsicher ist (s. DEUBEL 1929, S. 84).

Im östlichen Bober-Katzbachgebirge setzt im höheren Silur (belegt Ludlow) die Schüttung von Grauwacken ein, die aber nicht als „Flyschfazies" einer jungkaledonischen Orogenese angesehen werden können.

Die jungkaledonische Phase bewirkte nach den bisherigen Ansichten die Faltung und Verschieferung der altpaläozoischen Schichten des Bober-Katzbachgebirges und des südlichen Riesengebirges. Im Oberdevon und untersten Unterkarbon der Mulde von Świebodzice (Freiburg) erscheinen die beanspruchten Gesteine des Bober-Katzbachgebirges als Gerölle.

Die tektonischen Bewegungen können bis an die Basis des Oberdevons forgedauert haben, da Ablagerungen des Unter- und Mitteldevons nicht bekannt sind. Vielleicht geschahen die deckenartigen Überschiebungen, die aus dem Gebiet von Świerzawa (Schönau) in nördlicher und südlicher Richtung erfolgten, erst an der Wende von Mittel- zu Oberdevon.

Für die Einschätzung der jungkaledonischen Orogenese in den Westsudeten sind die nach Abschluß der Habilitationsarbeit (MÖBUS 1962 a) bekanntgewordenen Funde von *Monograptus hercynicus* in Alaunschiefern des Görlitzer und des westlichen Bober-Katzbachgebirges von hervorragender Bedeutung (JAEGER 1964).

Monograptus hercynicus PERNER ist der jüngste bekannte Graptolith. Er zeigt in Böhmen das Ende der Lochkov-Stufe (eγ) und in Thüringen die Hangendgrenze der Oberen Graptolithenschiefer an. Nach neuen paläontologischen Arbeiten von verschiedenen Seiten liegt diese Zeitmarke im Siegen (ALBERTI 1963, JAEGER 1962, WALLISER 1962, SOLLE 1963).

Unabhängig davon, wohin durch internationale Vereinbarungen die Grenze Silur/Devon gelegt wird (vgl. JAEGER 1962, S. 129), sollen in dieser Arbeit sämtliche Bewegungen zwischen Ordovizium und Mitteldevon auf die kaledonische Orogenese bezogen werden und zwar auf Grund der Tatsache, daß zu dieser Zeit in Nordeuropa das kaledonische Gebirge entstand.

Der Nachweis des Oberen Graptolithenschiefer-Horizontes im Görlitzer Schiefergebirge und im westlichen Bober-Katzbachgebirge (etwa 20 km östlich von Görlitz) ergibt — unter Berücksichtigung der stratigraphischen Einstufung der *hercynicus*-Zone — keine Bewegungen vor dem Siegen. Ein Schlüsselprofil für die Beurteilung der kaledonischen Faltung in den Westsudeten liegt nach JAEGER im Góry Bardzie (Warthaer Gebirge) südlich des Eulegneises. Obwohl dieses Gebiet außerhalb des betrachteten Gebietes liegt, soll es hier Erwähnung finden.

Monograptus hercynicus wurde in den untersten 5—10 m der etwa 200 m mächtigen Herzogswalder Schichten des Warthaer Gebirges gefunden (TELLER 1960, JAEGER 1964). Es handelt sich um eine Wechselfolge grünlicher bis roter wetzschieferartiger Tonschiefer, denen untergeordnet bis dezimeterstarke Bänke feinkörniger Sandsteine (oft mit Nereiten) sowie helle Radiolarien-Hornsteine und Kieselschiefer eingelagert sind. Diese Schichten werden mit der bayrischen Fazies in der Umrandung der Münchberger Gneismasse (Frankenwald) verglichen (z. B. BEDERKE 1927). Deren Schieferfazies reicht aus der *hercynicus*-Zone lückenlos durch das Unterdevon und Mitteldevon mindestens bis zur Prolobites-Stufe (to III) des Oberdevons (s. GREILING 1960). JAEGER (1964) sieht in den Herzogswalder Schichten gleiche Verhältnisse gegeben, womit „in den Westsudeten der zwischen Silur und Oberdevon angenommene Hiatus gebietsweise völlig geschlossen und eine praktisch lückenlose und konkordante Schichtenfolge . . ." festgestellt ist (JAEGER 1964). Die Transgression des Oberdevons auf ältere Schichten, so z. B. im Gebiet von Świebodzice (Freiburg), wird auf Bewegungen der reußischen Phase zurückgeführt, die die variscische Orogenese einleitet.

Beweisende Fossilien sind in den höheren Teilen der Herzogswalder Schichten bisher nicht gefunden worden. Auch im eigentlichen Bober-Katzbachgebirge und im südlichen Iser- und Riesengebirge fehlen entsprechende paläontologisch belegte Schichten bisher.

Im östlichen Teil des südlichen Riesengebirges sind die Verhältnisse durch die diaphthoritische Angleichung des assyntischen Gesteinskomplexes an die jungkaledonisch (?) erstmalig gefalteten und metamorphosierten altpaläozoischen Einheiten schwieriger zu überblicken, so daß die Ansichten über die Verbreitung assyntischer und jünger geformter Gesteine verschieden sind (MÁŠKA 1954, OBERC 1961, SVOBODA & CHALOUPSKÝ 1962).

Fest steht, daß die regionale Metamorphose in westlicher Richtung abnimmt. Der Übergang von den relativ höher metamorphen Gesteinen des östlichen Riesengebirges zu den schwach epizonal verformten Bildungen des westlichen Riesengebirges vollzieht sich im Bereich des Jizera-(Iser)Tales. Im Gebiet des Ještěd (Jeschken) bei Liberec (Reichenberg) ist der Einfluß der variscischen Orogenese deutlich zu erkennen.

Für letztere Aussage spricht die Ausbildung des am Ještěd erhaltenen Oberdevonkomplexes. Hier sind die Beziehungen zu der Ausbildung des Oberdevons im Elbtalschiefergebirge — zu dem über ein kleines Vorkommen bei Česká Lípa (Böhmisch Leipa) und über die Aufschlüsse bei Děčín (Tetschen) eine Verbindung besteht — sehr eng. Im Ještěd-Devon — wahrscheinlich auch in der Mulde von Świebodzice (LYDKA 1958) — treten initiale Vulkanite auf, die im ganzen nicht jungkaledonisch beanspruchten Raum schlagartig im Oberdevon erscheinen und die den Magmatismus der variscischen Orogenese einleiten (s. folg. S.). Auch die hangenden oberdevonischen Kalke entsprechen denen des Elbtalschiefergebirges. Ein Kieselschiefer-Konglomerat ist gleichfalls vorhanden, das in der Elbtalzone in das Unterkarbon eingestuft wird (PIETZSCH 1960).

Im Elbtalschiefergebirge und im Nossen-Wilsdruffer Raum gelang es, zwischen Silur und Devon — bei konkordanter Lagerung — eine Schichtlücke festzustellen, die das Unter- und Mitteldevon umfaßt. Eine jungkaledonische Faltungsdiskordanz ist in den neu bearbeiteten Profilen nirgends vorhanden (GOTTE 1955, ENGERT 1956b).

Im Görlitzer Schiefergebirge ist jetzt ein fast lückenloses Profil vom Silur über Unter-, Mittel- und Oberdevon bis in das Unterkarbon bekannt (JAEGER 1964, BRAUSE & HIRSCHMANN 1964). Eine faltenbildende jungkaledonische Bewegungsphase ist hier mit ziemlicher Sicherheit auszuschließen (vgl. MÖBUS 1962a).

Westlich der Elbtalzone ist mit Annäherung an das Vogtland ein Verschwinden der Schichtlücke zwischen Silur und Oberdevon im Bereich des Nossen-Wilsdruffer Schiefergebirges wahrscheinlich. Bei Colditz (Mbl. 44) sind bereits Nereitenquarzite und Tentaculitenkalke zu finden, die als Unter- bzw. Mitteldevon anzusprechen sind. Im Vogtland und in Thüringen, wo in den letzten Jahren die Silur-Devon-Grenze durch ausgezeichnete stratigraphisch-paläontologische Arbeiten genauer bekannt geworden ist (JAEGER 1955, 1959; TRÖGER 1959) sind keine orogenetischen Bewegungen vorhanden. Im Vogtland weist lediglich ein Faziesumschwung von den kalkhaltigen Alaunschiefern des oberen Ludlow zu den Kalksandsteinen und Kalken des Unterdevons auf eine Erhöhung der Reliefenergie hin (TRÖGER 1959, S. 125). In Thüringen liegt ebenfalls nur ein deutlicher Fazieswechsel bei pausenloser mariner Sedimentation vor (JAEGER 1960, S. 329). In der bayrischen Fazies haben örtlich Sedimentationsunterbrechungen stattgefunden. Faltungen sind jedoch nicht nachzuweisen (s. WURM 1961).

Ähnlich sind die Verhältnisse in Böhmen. Im Barrandium ist die jungkaledonische Phase durch ein kurzes Sedimentationsintervall im Nordostteil des Beckens angezeigt bzw. gibt sich durch einen auffälligen Wechsel der Faunenassoziation und des lithologischen Charakters der Sedimente zu erkennen (CHLUPÁČ 1953; SVOBODA & PRANTL 1958, S. 19). Dieser Einfluß der jungkaledonischen Orogenese nimmt nach Westböhmen ab, so daß dort kaum noch eine Änderung der Sedimentationsverhältnisse zu bemerken ist.

Für das Unterdevon wird die mannigfaltige Faziesdifferenzierung der Kalkablagerungen in Böhmen als eine Folge der ausklingenden jungkaledonischen Orogenese in den Westsudeten angesehen. Deutliche Bewegungen sind an der Wende vom Unter- zum Mitteldevon im Nordostteil des Barrandiums vorhanden. Sie werden belegt durch Brekzien an der Basis der Zlichov-Kalke (SVOBODA & PRANTL 1958, S. 21). Diese Beobachtungen sprechen dafür, daß auch in den Westsudeten mit Bewegungen in diesem Zeitraum zu rechnen ist, die jedoch dort auf Grund des Fehlens entsprechender Ablagerungen nicht einzuengen sind (s. w. u.).

Im Vogtland bestand im Unter- und Mitteldevon ein einheitliches epikontinentales Meer, in dessen Bereich nur geringfügige fazielle Differenzierungen zu bemerken sind (TRÖGER 1959,

S. 55). Die Mächtigkeit der Ablagerungen (etwa 300 m) ist wie im Silur sehr gering. Ein initialer Magmatismus ist überall dort, wo Unter- und Mitteldevon ausgebildet sind — bis auf einige Ausnahmen — nicht nachzuweisen. Zu den Ausnahmen gehört das Görlitzer Schiefergebirge, in dessen Bereich ein unterdevonischer effusiver Magmatismus vorliegt (BRAUSE 1964).

Im Frankenwald wurde neuerdings von THURSCH (1959) eine Schichtlücke zwischen den Orthoceraten-Kalken des Ludlow und den devonischen Tentaculitenkalken (Siegen?) festgestellt, die nach GREILING (1957) mit einer schwachen Winkeldiskordanz verbunden ist. Die Intensität der jungkaledonischen Bewegungen dürfte nie so stark gewesen sein, daß es zu Verfaltungen kam. Geringe Schichtverstellungen (Winkeldiskordanz) und Aufarbeitungshorizonte sind ihre Erscheinungsbilder.

Eine durchgreifende Änderung des Gesamtbildes erfolgte im thüringisch-vogtländischen Raum erst an der Wende vom Mittel- zum Oberdevon im Zusammenhang mit der reußischen Phase (v. GAERTNER 1951). So bildeten sich Nordwest–Südost und Nordost–Südwest gerichtete Hebungszonen — entstanden durch Schollenkippungen —, an deren Flanken ein kräftiger initialer Magmatismus ausbrach (SCHÖNENBERG 1951, 1952). Die vulkanische Serie greift zum Teil diskordant auf ältere Schichten bis hinab zu den Phycodenschichten (Tremadoc) über (DEUBEL 1927/28, S. 33; v. GAERTNER 1951, SCHÖNENBERG 1952). Nach HEMPEL (1962) entstanden sogar flache, doch bereits asymmetrische Falten von 20 m Wellenlänge, deren Schenkelbrüche Diabase als Aufstiegsweg benutzen. Die an der Basis und zusammen mit den vorwiegend basischen Vulkaniten erscheinenden Konglomerate (Granitkonglomerate) zeugen von einem starken Bodenrelief, auf welches auch die im Oberdevon auftretenden verschiedenen Faziesausbildungen (vulkanische, schiefrige und kalkige Fazies) zurückzuführen sind. Bemerkenswert ist, daß die Bewegungen zu Beginn des Oberdevons zeitlich mit der Heraushebung und Verlandung des zentralböhmischen Troges zusammenfallen.

Die reußische Phase wird als einleitende (initiale) Phase der variscischen Gebirgsbildung angesehen. Daraus ergibt sich, daß für die kaledonische Orogenese zwischen Erzgebirge (Vogtland) und Westsudeten der Zeitraum vom Beginn des Tremadoc bis zum Ende des Mitteldevons anzusetzen ist.

Dabei werden in Übereinstimmung mit WATZNAUER (1960, S. 103) sämtliche, aus sedimentären Faziesverhältnissen, Schichtlücken oder Faltungsdiskordanzen ableitbaren Bewegungen als orogen in ihrem Ursprung betrachtet. Hinweise für die Richtigkeit dieser Annahme sind nach Ansicht des Verfassers aus der regional sehr einheitlichen Entwicklung abzuleiten. So ist im Ordovizium und im Silur ein initialer Magmatismus weit verbreitet, dessen Intensität nach den örtlichen tektonischen Gegebenheiten des tieferen Untergrundes wechselt. Dieser Magmatismus erlischt, als in den Westsudeten am Ende des Silurs während der jungkaledonischen Zeit Bewegungen erfolgten. Im Unter- und Mitteldevon sind fast nirgends mehr basische Vulkanite zu finden.

Für eine einheitliche Reaktion des Gebietes zwischen Vogtland und Westsudeten auf tektonische „Phasen" spricht unter anderem auch, daß die einzelnen sedimentären Faziesausbildungen weiträumig vorhanden sind. Abgesehen von der in Mitteleuropa allgemein verbreiteten Graptolithenschieferausbildung im tieferen Silur erscheinen z. B. Kalkbildungen im höheren Silur in dem thüringischen und bayrischen Bereich sowie in Böhmen und im südlichen Iser- und Riesengebirge.

Die Mächtigkeiten der ordovizischen und silurischen Sedimente in den Westsudeten bleiben für geosynklinale Bildungen relativ gering. Eine Flyschfazies ist kaum andeutungsweise im östlichen Bober-Katzbachgebirge im höheren Silur (Ludlow) vorhanden. Der Nachweis von *Monograptus hercynicus* bei Lubań (Lauban) und im Warthaer Gebirge schließt im Zusammenhang mit dem Bekanntwerden eines Devonprofiles aus dem Görlitzer Schiefergebirge (BRAUSE 1964, BRAUSE & HIRSCHMANN 1964) orogenetische Faltungsphasen zu jungkaledonischer Zeit in diesen Gebieten aus. Die Oberdevon-Vorkommen am Ještěd (Jeschken) und bei Świebodzice

(Freiburg) sind — u. a. auf Grund des Vorhandenseins initialer Magmatite — nur schwerlich als Molassen einer vorangegangenen jungkaledonischen Gebirgsbildung anzusprechen. Der Metamorphosesprung zu den vor-oberdevonischen Ablagerungen scheint hier bisher überbewertet zu sein. Ferner fehlen in den gesamten Westsudeten synorogene und subsequente kaledonische Magmatite sowie eine stärkere Regionalmetamorphose.

Auf Grund der neuen Beobachtungen ist zu kaledonischer Zeit in dem ganzen Raum vorwiegend mit epirogenetischen Bewegungen zu rechnen, die örtlich Sedimentationsunterbrechungen und Fazieswechsel hervorgerufen haben. Einschränkend muß gesagt werden, daß im eigentlichen Bober-Katzbachgebirge [Gebiet bei Bolków (Bolkenhain)] und in dem südlichen Iser- und Riesengebirge die Zugehörigkeit der Faltung und epizonalen Metamorphose zu dem jungkaledonischen Geschehen bisher nicht zu widerlegen ist, obwohl auch hier eine variscische Hauptfaltung nicht ausgeschlossen erscheint (vgl. Abschn. IV).

C. Die variscische Tektogenese

1. Elbtalzone–Lausitzer Grundgebirge

a) Die sudetische Phase

Innerhalb der variscischen Orogenese hat für das betrachtete Gebiet zweifellos die sudetische Faltungsphase die größte Bedeutung (s. Gallwitz 1934, S. 376; Pietzsch 1956a, S. 112; 1962, S. 801). Ihre zeitliche Stellung ist im erzgebirgisch-vogtländischen Raum gut einzuengen.

Im Vogtland tritt in den sog. Oberen Kalken des Unterkarbons, die in den Steinbrüchen auf dem Koßberg bei Kürbitz und bei Pirk (Mbl. 142) in der Nähe von Plauen aufgeschlossen sind, eine korallenführende Fauna auf. Nach dem Auftreten der Koralle *Caninia juddi* (Thoms.) können diese Schichten in die Goniatites-Stufe (*Dibunophyllum*; D_2) eingestuft werden (Tröger 1959, S. 108). Am Koßberg bei Plauen ist auch eine Flora gefunden worden, die Mittelvisé bis Untervisé charakterisiert (Gothan 1927; Daber 1959, S. 47). Dieser Schichtenverband ist in die sudetische Faltungsphase einbezogen.

Von den sudetischen Bewegungen nicht mehr erfaßt wurden die Borna–Hainicher Schichten des erzgebirgischen Beckens im Raume von Karl-Marx-Stadt. Sie bestehen vorzugsweise aus Konglomeraten, daneben aus Sandsteinen und Schiefertonen, in denen geringmächtige Steinkohlenflöze eingelagert sind (s. Meyer 1956/57). Auf Grund der Florenfunde gehört diese Folge der Gonitatites-Stufe IIIβ an (Daber 1959, S. 47), und zwar nach Patteisky (1957, S. 76) dem IIIβ_3.

Für die sudetische Faltungsphase steht somit „nur ein sehr bescheidener Zeitraum innerhalb des jüngeren Unterkarbons zur Verfügung" (Pietzsch 1956c, S. 113).

Die sudetische Phase ist die tektonische Hauptphase der variscischen Orogenese. In dieser Zeit kam es westlich der Elbe zu der Ausbildung eines Nordost–Südwest (erzgebirgisch) streichenden Großfaltenbaues, zu dem die Antiklinalzone des Erzgebirges, die erzgebirgische Mulde, die Antiklinalzone des Sächsischen Granulitgebirges, die Nordsächsische Mulde und der Nordsächsische Sattel gehören (s. Taf. 1). Auch die Phyllitisierung der altpaläozoischen Gesteine und ihre „Verschweißung" mit den assyntisch geformten Serien gehört in die sudetische Phase. In den nachsudetischen Borna–Hainicher Schichten, deren mächtige Konglomerate für eine kräftige Hebung der Antiklinalzonen sprechen, erscheinen bereits Phyllitgerölle (Altpaläozoikum). Auch die Herausschuppung der sächsischen Zwischengebirge von Frankenberg und Wildenfels (Pietzsch 1956c, S. 115; Schwan 1957) war vor der Bildung der Borna–Hainicher Schichten beendet, da letztere bei Frankenberg diskordant auf diaphthorisierte und mylonitisierte kristalline Serien des Zwischengebirges übergreifen (vgl. Schüller 1954).

Die variscische Einengungstektonik war im wesentlichen bis zum Ende der sudetischen Phase abgeschlossen. Das Haupterscheinungsbild der nachsudetischen Bewegungen war eine Bruchschollentektonik, die Transversalbewegungen nicht ausschließt (Schmidt 1959, S. 91).

Im Bereich der Elbtalzone sind die Einengungsbewegungen während der sudetischen Phase nicht Nordwest–Südost gerichtet gewesen, sondern sie verliefen senkrecht dazu. Diese Abweichungen können auf den Einfluß des Elbelineamentes zurückgeführt werden. Die paläozoische Sedimentationsfolge wurde in diesem Gebiet (Elbtalschiefergebirge, südliches Nossen-Wilsdruffer Schiefergebirge) in isoklinale Nordwest–Südost streichende Falten gelegt.

Wie bei jeder Isoklinalfaltung sind Schichtumbiegungen selten zu beobachten. Einen Eindruck von den Bedingungen, die zur Faltungszeit geherrscht haben, gibt nach Gallwitz das tektonische Verhalten der bis zu 100 m mächtigen oberdevonischen Kalkvorkommen im Bereich des Elbtalschiefergebietes. Während die Schiefer im allgemeinen plastisch und die Kalke spröde reagieren, müssen hier Bedingungen bestanden haben, die die Umkristallisation des Kalkes soweit begünstigten, daß er plastischer als die Toneinlagerungen reagierte (Gallwitz 1955, S. 209). Die Beschaffenheit der phyllitischen Einheit sagt jedoch aus, daß insgesamt betrachtet die Deformation im Bereich der Epizone verlief. Die Fließtektonik der Kalksteinserie gehört zu den ersten Verformungen, die den Kalk betroffen haben (Gallwitz 1955, S. 212).

Die sudetische Faltung der Elbtalzone ist mit der Bildung einer ausgeprägten Lineation verbunden. Diese wurde bisher als a-Lineation (Rillung) gedeutet und als Folge einer großen kilometerweiten Transversalverschiebung angesehen, in deren Verlauf das Lausitzer Grundgebirge entlang des Elbelineamentes gegen das Erzgebirge nach Südosten verschoben wurde (Pietzsch 1927).

Diese Ansicht schien durch den Versatz der geophysikalischen Anomalien zwischen Dessau und Torgau um mehrere zehn Kilometer bestätigt zu werden (Siemens 1953; Lauterbach 1953/54). Nach den neuen tektonischen Arbeiten gibt es jedoch keine Hinweise für eine solche weite Transversalverschiebung zur Zeit der sudetischen Phase. Wenn eine viele Kilometer weite Transversalverschiebung vorhanden ist, so erfolgte diese im Zusammenhang mit der vermuteten spätassyntischen Störung (s. Abschn. II, A, 3d, S. 32).

Bei den linearen Texturen, die die altpaläozoischen Gesteine im Bereich der Elbtalzone aufweisen, handelt es sich um keine Harnischrillungen (a-Lineation), sondern um eine ausgesprochene B-Lineation (Striemung), die ein primärer Bestandteil der sudetischen Faltung ist (Wiedemann 1958, Haase 1959).

Die damit verbundene starke Streckung in b gibt sich auch im mikroskopischen Gefügebild zu erkennen. So beobachtete Wiedemann (1958, S. 59) Feldspataufweitungen, die besonders in den augig entwickelten Mylonitgneisen deutlich sind. Stenzel (1930) hat aus Betrachtungen über die Schichtmächtigkeiten in der Elbtalzone im Vergleich zu Nachbargebieten eine mittlere Ausdünnung von 4,6:1 berechnet, die nach Wiedemann (1958, S. 58) größenordnungsmäßig zutreffen dürfte.

In der unmittelbaren Nähe der Mittelsächsischen Überschiebung wurde durch Haase (1959) in den Gneisen des Erzgebirges ebenfalls eine Nordwest–Südost verlaufende Striemung (B-Lineation) festgestellt. Sie gibt sich als Schnittgerade eines zweischarigen, postkristallin gebildeten Scherflächensystems zu erkennen.

Die Lineartextur als Richtung der größten Streckung des Gesteins ist nach Wiedemann (1958, S. 56) auch in der südöstlichen Fortsetzung des Elbtalschiefergebirges in den Grundgebirgsaufschlüssen nördlich von Děčín (ČSSR) vorhanden. Sie wurde von Ebert (1934, S. 69) nach dem damaligen Stand der Erkenntnis als „Rutschstriemung" beschrieben.

Auf Grund dieser Beobachtungen ist — wie bereits ausgeführt — innerhalb der sudetischen Phase der variscischen Orogenese im Bereich der Elbtalzone mit keinen wesentlichen Horizontalverschiebungen zu rechnen. Es herrschte eine kräftige Nordost–Südwest gerichtete Einengungsbeanspruchung vor. Erst in einer späteren Zeit der variscischen Tektogenese kam es — durch Wiederbelebung der spätassyntischen Elbestörung — zu einer einige Kilometer weiten Transversalverschiebung (s. Abschn. II, C, 1f).

Ähnlich wie in der Elbtalzone lagen die Verhältnisse zu Beginn der sudetischen Faltungsphase im Görlitzer Schiefergebirge. Auch in diesem Gebiet ist das Paläozoikum in Nordwest–Südost streichende Falten gelegt.

Da die Aufschlußverhältnisse ungünstig sind, kann die Auswirkung der sudetischen Faltung nur am unterkarbonischen Kieselschiefer-Konglomerat gut beobachtet werden. Die Achsenflächen der 110°—130° streichenden Isoklinalfalten fallen — wie die Schieferungsflächen — vorwiegend mittelsteil nach Nordosten ein (G. SCHWAB 1960, S. 47). Aus den neuen Bohrungen ist für die sudetische Phase eine intensive, oft isoklinale und stark Südwest-vergente Faltung der paläozoischen Schichten bis einschließlich Visé abzuleiten (BRAUSE & HIRSCHMANN 1964). Schichten des Westfal (ROSELT 1959) sind in diese Hauptfaltungsphase des Görlitzer Schiefergebirges nicht einbezogen.

G. SCHWAB parallelisiert die sudetische Phase des Görlitzer Schiefergebirges mit der Entstehung von vorzugsweise Nordwest–Südost gerichteten und nach Nordosten einfallenden Störungszonen in der Nordlausitzer Grauwackenserie sowie in deren Granitisationsprodukt, dem Lausitzer Zweiglimmergranodiorit.

Das zuletzt genannte Gestein bildete sich vermutlich in einem beginnenden Stadium der variscischen Orogenese aus der jungassyntisch gefalteten Nordlausitzer Grauwackenserie (Nachspilit-Stufe) durch anatektisch-metasomatische Vorgänge. Biotit- und Feldspatneusprossungen sowie Sammelkristallisationen bewirkten die Entstehung des kleinkörnigen Lausitzer Zweiglimmergranodiorits, welcher durch seine reichliche Führung an reliktischen Grauwackeneinschlüssen und -schlieren sowie durch die unruhige Gesteinsausbildung seine Herkunft aus Lausitzer Grauwacke stets deutlich zu erkennen gibt (EBERT 1935).

Nach HOPPE (1962, S. 39) ist für die Entstehung des Lausitzer Zweiglimmergranodiorits ein Vorgang (Granitisation) anzunehmen, bei dem ein älteres, relativ reichlich Zirkon führendes Gestein, die Lausitzer Grauwacke, ohne Zerstörung der Zirkone und damit auch ohne vollständige Aufschmelzung als Ganzes in das neue Gestein übergegangen ist. Im hybriden Zweiglimmergranodiorit sind — an Hand der Zirkone — verschiedene Stadien der Umwandlung zu beobachten.

Die Granitisierung verlief bei relativ niedrigen Temperaturen in nicht allzu großer Tiefe, wie ERDMANNSDÖRFER (1936) aus der Paragenese der granitischen Gesteine in der Oberlausitz schließt. In der Zeit bis zum Unterkarbon (einschl.) braucht somit nicht unbedingt die Tiefenzone, in der sich die Nordlausitzer Grauwackenserie befand, tiefgreifend verändert worden zu sein.

MEHNERT kam für das Schwarzwald-Grundgebirge zu ähnlichen Ergebnissen. Die anatektischen Mobilisationen, die sich bis zur Magmenbildung steigern, sind ebenfalls frühvariscisch. Durch absolute Altersbestimmungen nach der K–Ar-Methode konnte diese Annahme (MEHNERT 1958) bestätigt werden. Die Mobilisation ist auch hier nicht in einer Tiefe von 15 bis 20 km vor sich gegangen, wie es auf Grund der normalen geothermischen Tiefenstufe angenommen werden müßte. „Dagegen steht eine allgemeine Hebung der Geoisothermen in seichtere Erdkrustenbereiche durchaus mit den geologischen und petrographischen Beobachtungen in Einklang" (MEHNERT 1961, S. 12).

In den tieferen Bereichen der Granitisation bildete sich aus der Lausitzer Grauwacke durch fast völlige Umwandlung ein palingener Magmenkörper, der in der Nachfolge der sudetischen Phase als Lausitzer Granodiorit in höhere Krustenbereiche aufstieg (s. folgend. Abschnitt).

Die akzessorischen Zirkone dieses Gesteins haben mit denen des Zweiglimmergranodiorits große Ähnlichkeiten[1]), so daß nach der Zirkon-Analyse zwischen Lausitzer Grauwacke — Zweiglimmergranodiorit und Lausitzer Granodiorit enge genetische Beziehungen bestehen (HOPPE 1957, 1962).

Die Granitisationsvorgänge waren im Lausitzer Grundgebirge abgeschlossen, als die bereits genannten Nordwest–Südost streichenden Störungszonen in der sudetischen Phase entstanden. Diese „Schubflächen" in der Lausitzer Grauwacke und dem Zweiglimmergranodiorit sind als

[1]) Diese Annahme gilt nur für den westlichen Teil des Lausitzer Granodiorits. Im östlichen Verbreitungsgebiet treten Abweichungen auf, die noch näherer Untersuchungen bedürfen (HOPPE 1962).

Flächengefüge einer zweiten Überprägung aufzufassen (G. Schwab 1960, S. 33), die der ersten Verformung in der jungassyntischen Phase in weitem zeitlichen Abstand folgt.

Bei den Schubflächen handelt es sich um teils ebene, teils sich unregelmäßig verzopfende, enggescharte Bewegungsflächen, die sich zu Störungszonen zusammenschließen können. Die kataklastische bis mylonitische Beanspruchung der Nordlausitzer Grauwacke und des Lausitzer Zweiglimmergranodiorits (Granitisationsprodukt) sagt aus, daß diese „Schubbewegungen" in einem höheren Krustenniveau erfolgten.

Für den Raum Elbtalzone–Lausitzer Grundgebirge–Görlitzer Schiefergebirge ergibt sich für die sudetische Faltungsphase folgender Vergleich:

Elbtalzone	Lausitzer Grundgebirge	Görlitzer Schiefergebirge
Anlage NW–SE streichender Isoklinalfalten, deren Achsenfläche nach NE einfällt	Entstehung NW–SE streichender, nach NE einfallender Störungszonen („Schubflächen") als Folge einer 2. Überprägung	Anlage NW–SE streichender Isoklinalfalten, deren Achsenfläche nach NE einfällt

b) Intrusion des Lausitzer Granodiorits

Der Lausitzer Granodiorit intrudierte unter Benutzung der Nordwest–Südost streichenden Störungszonen („Schubflächen") in die granitisierten (Lausitzer Zweiglimmergranodiorit) und nicht granitisierten (Lausitzer Grauwacke) Dachgesteine.

Es liegt nach allen Beobachtungen ein zeitlicher Hiatus zwischen der Entstehung des Zweiglimmergranites („Granitisation") und der Intrusion des Lausitzer Granodiorits. Das Hybridgestein ist somit nicht als kontaktmetasomatisch verändertes Dachgestein des Lausitzer Plutons anzusehen.

In diesem Zusammenhang sei darauf aufmerksam gemacht, daß das variscische Alter der Mobilisation der Lausitzer Grauwackenserie zu dem hybriden Zweiglimmergranodiorit durch Aufschlußbefunde nicht direkt zu belegen ist. Es bleibt generell die Möglichkeit einer frühassyntischen (intra-algonkischen) Granitisierung bestehen. Der Lausitzer Zweiglimmergranodiorit wäre in diesem Falle nicht aus Lausitzer Grauwacke (Nachspilit-Stufe) hervorgegangen, sondern als Ausgangsmaterial kommen — wie im Erzgebirge — Gesteine der Vorspilit- und Spilit-Stufe in Betracht.

Die Beobachtung, daß der Granodiorit auf tektonischen Bruchzonen in seine Umgebung eindringt, ist bereits dem Kartenbild der westlichen Lausitz zu entnehmen. So folgen z. B. bei Ortrand sowie zwischen Radeburg und Weißig einzelne Granodioritvorkommen in nordwest–südöstlicher Richtung aufeinander. Auch die Nordwest–Südost gerichtete Erstreckung der sog. Grauwackenzunge von Kamenz weist auf die Bedeutung dieser Richtung für die Dachbereiche des Plutons hin (Abb. 21).

In jüngerer Zeit ist das Lausitzer Grundgebirge als Scholle nach Südosten herausgehoben worden (Möbus 1956b). Dadurch wurden von der Abtragung in südöstlicher Richtung immer tiefere Gesteinsbereiche freigelegt. Diese Beobachtung ist für die folgenden Ausführungen von Bedeutung.

Je weiter man die Verbreitung des hybriden Lausitzer Zweiglimmergranodiorits nach Osten verfolgt, um so häufiger werden Ost–West gerichtete Strukturen. Die Ost-West-Richtung ist die Leitlinienrichtung des Lausitzer Granodioritplutons (Möbus 1956a). Sie wird gekennzeichnet durch den steilstehenden und Ost–West gerichteten Verlauf der Flächen der besten Teilbarkeit. In den Biotitgefügediagrammen gibt sich diese Richtung als *b*-Achse zu erkennen. Ebenfalls Ost–West verlaufen die steilstehenden *S*-(*ab*-)Klüfte, so daß die Hauptbeanspruchung [(*ac*-)Klüfte = Nord–Süd] anzunehmen ist.

Auch am Westrand des Lausitzer Grundgebirges zwischen Klotzsche und Radeburg — im Bereich der Nordwest–Südost gerichteten Dachstrukturen — herrscht das Ost–West verlaufende Streichen der *s*-Teilbarkeiten und der *S*-(*ab*-)Klüfte im Granodiorit vor (Schmidt 1951, S. 20).

Der Lausitzer Granodiorit und der Zweiglimmergranodiorit enden südlich von Dresden an der postsenonen Lausitzer Überschiebung nur oberflächlich. Westlich der Elbe steht südwestlich von Pirna der Lausitzer Granodiorit als Dohnaer Granodiorit im Intrusivkontakt mit der nachspilitischen Weesensteiner (Lausitzer) Grauwacke nochmals an. In der petrographischen und tektonischen Ausbildung des Dohnaer Granodiorits bestehen — außer einer stärkeren jüngeren Beanspruchung im Bereich der Elbtalzone — keine Unterschiede zum eigentlichen Lausitzer Granodiorit, so daß dieses Gestein ,,ohne zu zögern an den Lausitzer

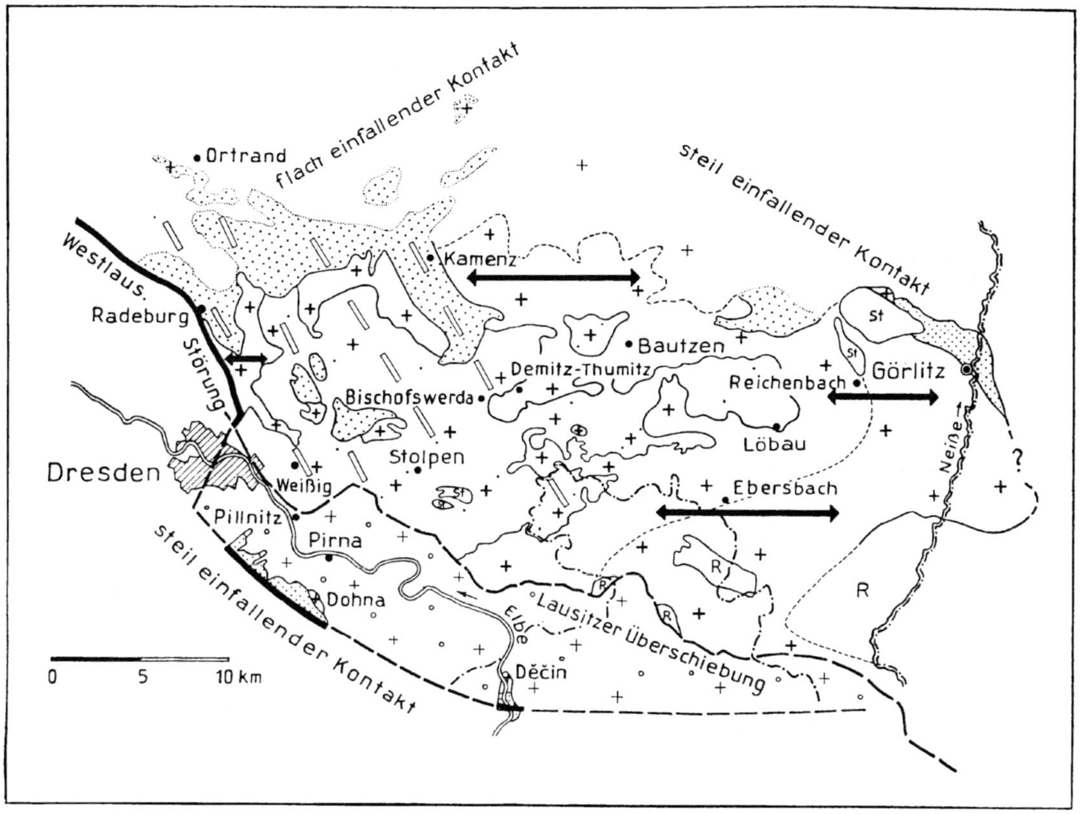

Abb. 21. Das Lausitzer Granodioritmassiv

Punktraster = Lausitzer Grauwackenserie, *Kreuz-Punkt-Raster* = Lausitzer Zweiglimmergranodiorit, *Kreuzraster* = Lausitzer Granodiorit, *Kreuz-Kreis-Raster* = Lausitzer Granodiorit unter Oberkreide, *St* = Stockgranite der Oberlausitz, *R* = Rumburger Granit, *Balkensignaturen* = Strukturlinien im Dach des Granodioritplutons, *schwarze, durch Pfeile begrenzte Geraden* = Ausweichrichtungen des kleinsten Druckes im Lausitzer Granodiorit [*ab* = (*S*)-Richtung], *gestrichelt* = Grenze zwischen Westlausitzer und Ostlausitzer Granodiorit (in Anlehnung an PIETZSCH 1956a)

Raum anzuschließen ist" (SCHMIDT 1956, S. 41). Auch der in Verbindung mit dem Granodiorit von Dohna erscheinende hybride Lausitzer Zweiglimmergranodiorit bestätigt diese Aussagen (vgl. S. 88).

Unter den Kreidesedimenten der Elbtalzone sind magmatische Gesteine des Lausitzer Grundgebirges an mehreren Stellen erbohrt worden. So wurde z. B. in einer Bohrung am Großen Garten in Dresden im Jahre 1951 unter Oberkreide in einer Teufe von etwa 190 m unter der Erdoberfläche Lausitzer Granodiorit angetroffen (PRESCHER 1953, S. 45).

Der Dohnaer Granodiorit besitzt im allgemeinen eine Ost–West gerichtete, steil nach Norden einfallende, schwach angedeutete primäre Textur (REICHERT 1926, S. 27). Durch die statistische Kluftanalyse lassen sich Ost–West streichende *S*-(*ab*-)Klüfte belegen, die SCHMIDT (1956, S. 18) zusammen mit etwa Nord–Süd streichenden *Q*-(*ac*-)Klüften und Diagonalklüften auf einen Beanspruchungsplan P_1 bezieht. Es besteht somit Übereinstimmung mit den magmentektonischen Verhältnissen im Lausitzer Raum.

In der südöstlichen Verlängerung der Grundgebirgsvorkommen im Raum von Pirna erscheint im Elbtal nördlich von Děčín (Tetschen) unter Kreidesandsteinen nochmals Lausitzer Granodiorit (Granodiorit von Niedergrund) zusammen mit Lausitzer Grauwacke (Grauwacke von Niedergrund). Die Identität des granodioritischen Gesteins bei Děčín mit dem Dohnaer (Lausitzer) Granodiorit hat schon TRÖGER (1930) erkannt. Eine tektonische Analyse der Erstarrungsverhältnisse ist hier auf Grund der sehr starken kataklastisch-mylonitischen Überarbeitung nicht möglich.

Petrographisch gleicht der im Norden des altpaläozoischen Strehlaer Schiefergebirges aufgeschlossene Laaser Granodiorit dem östlich der Elbe verbreiteten Lausitzer Granodiorit (SCHMIDT 1956). Diese Übereinstimmung mit den lausitzer Verhältnissen wird dadurch ergänzt, daß der Granodiorit ebenfalls mit der nachspilitischen Grauwackenserie — hier Clanzschwitzer Grauwacke genannt (s. Abschn. II, A, 1a) — im Intrusivkontakt steht und seine *ab*-Flächen ebenfalls annähernd Ost–West (80 F 90°) verlaufen (SCHMIDT 1956).

Es ist zu vermuten, daß der weiter westlich bei Otterwisch örtlich anstehende und bei Leipzig erbohrte Granodiorit gleichfalls zum genetischen Typ des Lausitzer Granodiorits gehört. Die Bindung an nachspilitische Grauwacken ist auch in diesem Teil des Nordsächsischen Sattels — wie bei Clanzschwitz — gegeben (s. Taf. 1).[1])

Im Hauptverbreitungsgebiet des Lausitzer Granodiorits in der Oberlausitz sind die Ost–West ($S = ab$-Klüfte) und die Nord–Süd ($Q = ac$-Klüfte) in der Regel sehr großflächig ausgebildet. Oft setzen sie diskordant durch ältere Strukturen der Lausitzer Grauwacken und des Zweiglimmergranodiorits hindurch.

Die Entstehung dieser weitreichenden Kluftflächen in den „Dachgesteinen" ist zeitlich an das Ende der Erstarrung des Lausitzer Granodiorits zu stellen, denn die Klüfte sind jünger als Schollenrotationen randlicher Grauwackenbereiche, die auf die Intrusion des Magmas zurückzuführen sind (SCHWAB 1960, S. 34). Die Tektonik des Granodioritplutons paust sich in die Rahmengesteine durch.

Die Geländebeobachtungen sprechen für ein steiles Einfallen der östlichen und westlichen Begrenzungsfläche des Lausitzer Granodioritmassivs (STENZEL 1922; s. Abb. 21). An der ganzen Nordostflanke des Massivs bei Görlitz streicht der Intrusivkontakt durchgehend Nordwest–Südost, wobei der Kontakthof nur schmal ist. Dieselben Verhältnisse liegen im Elbtalbereich südwestlich von Pirna vor, wo der Kontakt des Dohnaer (Lausitzer) Granodiorits gegen die Weesensteiner (Nordlausitzer) Grauwacke von Kauscha über Weesenstein bis zum Bahratal in generell nordwest–südöstlicher Erstreckung zu verfolgen ist (s. Abb. 11).

Noch weiter im Süden sind in dem kleinen Grundgebirgsvorkommen im Elbtal nördlich von Děčín (ČSSR) im Verband mit kontaktmetamorph veränderter Grauwacke auch von den Kontaktwirkungen nicht betroffene Glieder aufgeschlossen (EBERT 1934, S. 45).

Diese Aussagen über ein steiles Einfallen des Granodioritkontaktes im Westen und im Osten stehen im Gegensatz zu dem sehr deutlichen, flachen Abtauchen des Plutons in nördlicher Richtung. So ist die kontaktmetamorphe Beeinflussung der Nordlausitzer Grauwackenserie weit nach Norden zu verfolgen. Letztmalig tritt am Koschenberg bei Senftenberg — etwa 25 km von dem zusammenhängenden Granodioritgebiet entfernt — kontaktmetamorph veränderte Grauwacke aus tertiären und quartären Deckschichten heraus (s. Abb. 3). Für ein flaches Einfallen des Intrusivkontaktes spricht auch der — im Gegensatz zu der gradlinigen Begrenzung im Osten und Westen — stark geschwungene Verlauf der Berührungslinie Grauwacke gegen Granodiorit am Nordrand des Massivs. Zum Teil greifen Grauwackenbereiche weit nach Süden auf den Granodiorit über, so besonders bei Kamenz (sog. Grauwackenzunge von Kamenz) und bei Weißenberg. Die Verstellung von einzelnen Grauwackenschollen, die

---

[1]) Die sich aus der Verbreitung granodioritischer Gesteine vom Typ des Lausitzer Granodiorits ergebenden regionalen Folgerungen werden in der Zusammenfassung zur variscischen Tektogenese (Abschn. II, C, 4) besprochen.

bei der Intrusion des Granodiorits erfolgte, ist nach G. SCHWAB ebenfalls nur an dem flach unter die Grauwacke einfallenden, nördlichen Rand des Plutons zu beobachten. Im östlichen und im westlichen Kontaktbereich (Raum Görlitz bzw. Elbtalzone) fehlen sie (G. SCHWAB 1960, S. 55).

Im Lausitzer Grundgebirge steht der Granodiorit allein mit der nachspilitischen Nordlausitzer Grauwackenserie im Intrusivkontakt. Es ist an Hand der Kontaktverhältnisse nur auszusagen, daß das magmatische Gestein nach der jungassyntischen Faltung dieses Sedimentgesteins eindrang. Als Geröll erscheint der Lausitzer Granodiorit zusammen mit dem hybriden Zweiglimmergranodiorit erstmalig in den Ablagerungen des Unterrotliegenden von Weißig bei Dresden.

In der Elbtalzone ist das Alter des Lausitzer (Dohnaer) Granodiorits besser zu bestimmen. Seine Intrusion erfolgte, nachdem die altpaläozoischen Glieder des Elbtalschiefergebietes in der sudetischen Phase isoklinal gefaltet worden waren (REICHERT 1926). Die Grenze des Kontakthofes des Dohnaer (Lausitzer) Granodiorits verläuft diskordant über die Nordwest-Südost streichenden Schichtkomplexe am Nordostrand des Elbtalschiefergebirges hinweg (SCHMIDT 1956, S. 40).

Der Kontakthof des Laaser (Lausitzer) Granodiorits in der nördlichen Elbtalzone bei Strehla greift ebenfalls diskordant über die Schichtgrenzen des in der sudetischen Phase gefalteten Strehlaer Schiefergebirges hinweg (SCHMIDT 1956, S. 42).

Das Strehlaer Schiefergebirge der Nordsächsischen Mulde besteht aus ordovizischen und silurischen Folgen (s. Abb. 16). Ihre westliche Verlängerung finden diese altpaläozoischen Serien in den bekannten Collmberg-Quarziten des Tremadoc sowie in den Gesteinen der Deditzhöhe östlich Grimma und den Vorkommen von Otterwisch-Hainichen.

Die Intrusion des Lausitzer Granodiorits geschah somit nach der sudetischen Phase der variscischen Orogenese, wobei die Parallelisation des Dohna-Laaser-Granodiorits mit dem Lausitzer Granodiorit als richtig vorausgesetzt wird.

Die gegebene Altersaussage wird durch die Beobachtung weiter eingeengt, daß der Lausitzer (Dohna-Laaser) Granodiorit bereits in der erzgebirgischen Phase epizonal beansprucht wurde, und diese Verformungen während der Intrusion der Gesteine des Meißener Masivs rekristallisierten (SCHMIDT 1956, S. 15; ERZBERGER 1959, S. 325). Zu dieser wichtigen Aussage sollen nähere Ausführungen gemacht werden.

Im Bereich des Laaser Granodiorits tritt ausgesprochen richtungslos körniger, unbeanspruchter Granodiorit nur im westlichen Teil des Aufschlußgebietes bei Leisnitz auf. Nach Norden und Osten nimmt die — in der erzgebirgischen Phase angelegte — Deformation immer mehr zu, so daß schließlich völlig „vergneister" Granodiorit vorliegt. „Die enge Verknüpfung der Strukturvarianten rechtfertigt die genetische Zusammenfassung der Granodiorite aller Deformationsgrade" (SCHMIDT 1956, S. 30). In der gleichen Weise wie der Granit zeigen seine Aplite Streckungserscheinungen, und zwar im Norden und Nordosten des Gebietes stärker als im Süden und Westen (GRAHMANN 1927, S. 27). Auch das Kontaktgestein, die Clanzschwitzer Grauwacke und die angrenzenden altpaläozoischen Einheiten wurden von der Deformation erfaßt. Es ist hier ebenfalls zwischen einem weniger intensiv deformierten Teil im Südwesten und einem stark verformten Teil im Nordwesten zu unterscheiden.

Die beschriebenen Beanspruchungserscheinungen im Laaser (Lausitzer) Granodiorit, in der Clanzschwitzer (Lausitzer) Grauwacke und in den altpaläozoischen Gesteinen des Strehlaer Schiefergebirges werden durch den Quarzdiorit bzw. Hornblendegranodiorit von Strehla-Görzig rekristallisiert, der zum Meißener Massiv gehört (SCHMIDT 1955/56; 1956, S. 42).

Am Westrand des Meißener Massivs ist am Tümmelsberg bei Klotzsche im Gebiet von Dresden eine kleine Scholle epizonaler Biotitgneis aufgeschlossen, die sich mit einem deutlichen Faziessprung von den umgebenden meso- bis katazonal eingeformten erzgebirgischen Gneisen abhebt (s. Abb. 13). Bei dem Biotitgneis handelt es sich um Mylonite. Sie sind abzuleiten vom Dohnaer Granodiorit, der von seinem Aufschlußgebiet bei Dohna südwestlich Pirna in nördlicher Richtung über kleinere Vorkommen bei Lockwitz und Kauscha bis an den südlichen

Stadtrand von Dresden (Gamig–Hübel) sowie in das Stadtgebiet (Bohrung im Großen Garten) zu verfolgen ist. Die Mylonitisationserscheinungen am Tümmelsberg bei Klotzsche sind ebenfalls im Kontakthof des Meißener Massivs rekristallisiert (SCHMIDT 1956).

Die beschriebenen Beanspruchungserscheinungen werden auf die erzgebirgische Phase bezogen, da die Intrusion des Meißener Syenodiorits nach übereinstimmenden Meinungen (GALLWITZ 1934; PIETZSCH 1956, 1962) im Anschluß an die erzgebirgische Phase erfolgte. Für die Platznahme des Lausitzer (Dohnaer, Laaser) Granodiorits bleibt somit der Zeitraum im Anschluß an die sudetische Phase und vor Beginn der erzgebirgischen Phase.

BERG (1943) und EBERT (1943) glaubten, innerhalb des Lausitzer Granodioritmassivs zwei altersverschiedene Granodiorite zu erkennen. Der sog. Westlausitzer (Demitzer) Granodiorit westlich einer Linie, die durch die Orte Reichenbach–Ebersbach angegeben wird (s. Abb. 21), soll variscisch intrudiert sein. Östlich der genannten Orte liegt nach diesen Bearbeitern der Ostlausitzer (Seidenberger) Granodiorit, dessen Platznahme bereits assyntisch beendet war. Dieses Gestein wäre älter als der Rumburger Granit (PIETZSCH 1956, S. 148; 1962, S. 771) und somit das älteste magmatische Gestein der Oberlausitz überhaupt.

Im Handstück sind beide Granodiorite nicht voneinander zu unterscheiden. Ihre Trennung erfolgte auf Grund der verschiedenen Ausbildung des Kalifeldspates. Im Westlausitzer Granodiorit ist nach EBERT allein Mikroklin vorhanden, während im Ostlausitzer Granodiorit Orthoklas die alleinige Kalifeldspatausbildung darstellt (EBERT 1939, S. 11). Neue Untersuchungen ergaben, daß in der westlichen Lausitz Orthoklas und Mikroklin[1]) nebeneinander auftreten. Diese Beobachtungen sind bereits in den Erläuterungen zu den betreffenden Blättern der geologischen Karte des Landes Sachsen i. M. 1:25000 enthalten. In dem östlichen Verbreitungsgebiet überwiegt Orthoklas, Mikroklin ist jedoch gleichfalls vorhanden und scheint östlich der Neiße wiederum der vorherrschende Bestandteil zu sein. Die Kalifeldspatausbildung ist somit für die Unterscheidung von zwei altersverschiedenen Plutonen nicht zu verwenden. Modale Integrationsanalysen ergeben gleichfalls keine Hinweise auf eine quantitativ unterschiedliche Beteiligung der Hauptgemengteile an der Gesteinszusammensetzung. Auch bestehen in der charakteristischen Bildungsfolge der Mineralien (MÖBUS 1955), in dem Auftreten von Neben- und Übergemengteilen, in der Führung von Einschlüssen und Schlieren sowie in dem kluftektonischen Bild im ganzen Raum zwischen der Elbe im Westen und der Neiße im Osten keine entscheidenden Unterschiede (MÖBUS 1956). An Hand der Spurenelemente ist ebenfalls keine Gliederung in zwei altersverschiedene Granodioritmassive möglich. In den Spektren ist überall die Caesium-Linie deutlich sichtbar (mit Ausnahme der Granodiorite von Dohna und Laas), die nach MOENKE (1960) kennzeichnend für die variscischen deutschen Granite ist.

HIRSCHMANN (1962) glaubt, die kataklastisch-mylonitische Beanspruchung des östlichen Lausitzer Granodiorits als Unterscheidungsmerkmal für den assyntischen (Seidenberger) Granodioritpluton heranziehen zu können. Bei der starken, sicher variscischen epizonalen Beanspruchung des Lausitzer Granodiorits in der Elbtalzone und in der Nähe derselben (s. folgend. Abs.) scheint diese Grundlage sehr unsicher, zumal mit variscischen Bewegungen entsprechender Intensität durchaus am Ostrand des Lausitzer Massivs zu rechnen ist.

Die von HIRSCHMANN (1962) angeführten Rekristallisationserscheinungen an der Grenze des variscischen Westlausitzer gegen den assyntischen Ostlausitzer Granodiorit im Bereich südlich von Löbau (Kleinschweidnitz; MÖBUS 1958) sind bisher in ähnlicher Form nur aus dem Kontakthof des Königshainer und Stolpener Stockgranites bekannt. Nach Ansicht des Verfassers besteht durchaus die Möglichkeit, die genannten Kontakterscheinungen auf einen „schornsteinartigen" Ausläufer des Königshainer Stockgranites zu beziehen (s. Abschn. II, C, 1h).

Die Intrusion des Westlausitzer Granodiorits in einen leicht mylonitisierten Granodiorit vom Typus Seidenberger (Ostlausitzer) Granodiorit parallel zu dessen s_1-Flächen (HIRSCHMANN 1962, S. 620) ist in dem in Frage kommenden Steinbruch südlich von Kleinschweidnitz (Höhe 325,0; Mbl. 71) problematisch.

Wenn eine Gliederung des Lausitzer Granitmassivs in zwei altersverschiedene granodioritische Plutone (Ostteil = assyntisch, Westteil = variscisch) mit petrographischen, tektonischen oder anderen Methoden einwandfrei zu belegen wäre, so würde dies eine angenehme Lösung der bestehenden Probleme darstellen. Die bisherigen Beobachtungen im Grenzbereich Rumburger Granit–Lausitzer Granodiorit der südöstlichen Lausitz sind zwangloser mit einem jüngeren Alter des vorordovizischen Rumburger Granits (s. S. 40) zu erklären. Am westlichen Rande des assyntischen Iser-Riesengebirgsgneises treten bei Lesná (Marklissa; s. Abb. 15) granodioritische Typen auf, die mit dem Lausitzer Granodiorit verglichen werden (KOZLOWSKA-

[1]) Beurteilung nach dem Dünnschliffbild.

KOCH 1961). In der westlichen Lausitz dagegen sprechen absolute Altersbestimmungen und die Verhältnisse in der Elbtalzone für ein variscisches Alter des Lausitzer Granodiorits.

Weitere Ergebnisse der zur Zeit laufenden Untersuchungen müssen abgewartet werden.

Am Lausitzer Granodiorit sind in den letzten Jahren eingehende absolute Altersbestimmungen durchgeführt worden. SCHÜRMANN und seine Mitarbeiter (1955, 1956, 1957, 1960) bestimmten an Gesteinsmaterial (2 t) aus den Steinbrüchen bei Demitz–Thumitz östlich von Bischofswerda (s. Abb. 21) das Alter nach den verschiedenen gebräuchlichen Bestimmungsmethoden. Die bisher vorliegenden Ergebnisse (s. Tab. 2) lassen eine relative Übereinstimmung der Alterswerte erkennen. Für das Alter des Lausitzer Granodiorits ergibt sich ein Wert von etwa 300 Mio. Jahren. Diese Angabe stimmt mit der Altersangabe von WINOGRADOW und Mitarbeitern (1959) überein, die unabhängig von den angeführten Messungen nach der Kalium–Argon-Methode (Gesamtgestein) für den Lausitzer Granodiorit einen Alterswert von 310 Mio. Jahren erhielten (s. Tab. 2).

Tabelle 2. Absolute Altersbestimmungen am Lausitzer Granodiorit

1. Westlausitzer (Demnitzer) Granodiorit, bearbeitet von:

SCHÜRMANN, BOT, STEENSMA, SURINGA, EBERHARDT, V. GUNTEN, HOUTERMAN, SIGNER, NIGGLI, GEISS, DEUTSCH, KLEY, SCHMIDLIN, KIESSLING, MÜRITZ, ATEN, BOERBOOM, COUWENBERG, DANCE, HURLEY, LEDENT, STAUFFER.

veröffentlicht in: Geologie en Mijnbouw, N.S., 1955, 1956, 1957, 1960.

Zirkon, hell	Pb^{206}/U^{238}	280 Mio. Jahre
Zirkon, dunkel	Pb^{206}/U^{238}	550 Mio. Jahre
Feldspat (Durchschnitt)	K–Ar	292 Mio. Jahre
Monazit	Pb^{206}/U^{238}	220 Mio. Jahre
Biotit	pleochroit. Höfe	280 Mio. Jahre
Biotit	K–Ar	367 Mio. Jahre
Biotit	K–Ar	bzw. 408 Mio. Jahre

2. Westlausitzer (Demnitzer) Granodiorit, bearbeitet von:

WINOGRADOW, TUGARINOW, ZHIROWA, SYKOW, KNORRE, LEBEDEW.

veröffentlicht in: Freiberg. Forschungsh. C 57, S. 73–85, Berlin 1959.

Gesamtgestein	K–Ar	310 Mio. Jahre

3. Westlausitzer (Demnitzer) Granodiorit, bearbeitet von:

WINOGRADOW, TUGARINOW, SYKOW, KNORRE, STEN'KO, LEBEDEW.

veröffentlich in: Freiberg. Forschungsh. C 124, S. 39–56, Berlin 1962.

Biotit	K–Ar	410 Mio. Jahre
Gesamtgestein	K–Ar	345 Mio. Jahre
Zirkon	Pb^{206}/U^{238}	580 Mio. Jahre

4. Ostlausitzer (Seidenberger) Granodiorit, bearbeitet von:

WINOGRADOW, TUGARINOW, SYKOW, KNORRE, STEN'KO, LEBEDEW.

veröffentlicht in: Freiberg. Forschungsh. C 124, S. 39–56, Berlin 1962.

Biotit	K–Ar	360 Mio. Jahre

In seiner letzten Arbeit gibt WINOGRADOW u. a. (1962) für den Granodiorit von Demitz (Westlausitzer Granodiorit) nach der Kalium–Argon-Methode ein absolutes Alter von 410 Mio. Jahre (Glimmerfraktion) bzw. 345 Mio. Jahre (Gesamtgestein) an (s. Tab. 2). Der östliche Lausitzer Granodiorit aus dem Raum von Görlitz (Aufschluß in Klein-Biesnitz) besitzt nach derselben Methode ein Alter von 360 Mio. Jahren (Glimmerfraktion). Von WATZNAUER wird in einer Fußnote zu der Arbeit von WINOGRADOW (1962, S. 42) darauf hingewiesen, daß der Biotit nicht mehr in seiner ursprünglichen frischen Form vorgelegen hat, so daß die erzielten Ergebnisse mit einer größeren Unsicherheit behaftet sind.

Für ein variscisches Alter sprechen auch die zwei Zirkongenerationen, die im Lausitzer Granodiorit zu finden sind. Die älteren, vermutlich aus der Lausitzer Grauwacke übernommenen Zirkone sind dunkelgefärbt und zeigen rundliche und unregelmäßige (zerbrochene) Umrisse, die oft eine rauhe Oberfläche aufweisen. Sie machen etwas mehr als 2/3 der Gesamtkörnerzahl aus. Schürmann und seine Mitarbeiter (1956, S. 330) erhielten für diese ältere Generation Werte, die bei 550 Mio. Jahren liegen. Die dunklen Zirkone werden von einer hellen Generation umwachsen, die kristallographisch deutliche Begrenzungen besitzt und von der anzunehmen ist, daß sie während der Erstarrung des palingenen Magmas neu gebildet wurde (Hoppe 1957, 1962). Ihr Alter ist 280 Mio. Jahre (Schürmann u. a. 1956).

Auf Grund der Altersangaben für den Lausitzer Granodiorit wird eine variscische Intrusion im Anschluß an die sudetische Phase angenommen.

c) Die erzgebirgische Phase

In Sachsen kommt neben der sudetischen Phase der erzgebirgischen Phase eine besondere Bedeutung zu.

Obwohl die erzgebirgische Phase in Sachsen aufgestellt wurde (Kossmat), ist eine genauere zeitliche Einstufung nicht möglich. Die nachsudetischen Unterkarbonschichten von Borna–Hainichen sind stark eingemuldet. Diskordant legt sich über diese teilweise bereits wieder abgetragenen Sedimente das Oberkarbon von Flöha, das dem Westfal B/C zugeordnet wird. In dem Zeitraum zwischen diesen beiden Serien war die erzgebirgische Phase wirksam.

Zur genaueren Altersfestlegung werden die Verhältnisse im Oberkarbon der Innersudetischen Mulde herangezogen, wo eine deutliche Diskordanz zwischen den Waldenburger Schichten (Namur A) und den Weißsteiner Schichten (Namur C) liegt. Diese Schichtlücke entspricht der erzgebirgischen Phase, die sich phytopaläontologisch durch den sog. „Florensprung" zu erkennen gibt (Gothan 1952).

Der Lausitzer Raum ist mit der Erstarrung des ausgedehnten Lausitzer Granodioritplutons im Anschluß an die sudetische Phase zu einer magmatisch konsolidierten Einheit geworden. Die tektonischen Spannungen, die im Bereich Erzgebirge–Lausitzer Grundgebirge in der Folgezeit zur Ausbildung kamen, gelangten dadurch in der Hauptsache in der labilen Elbtalzone sowie im Bereich des Görlitzer Schiefergebietes zur Auslösung.

Im Elbtalschiefergebirge erfolgte in der erzgebirgischen Phase eine tektonische Überprägung der sudetisch gebildeten Isoklinalfaltung. Es entstanden nach Südwesten gerichtete Aufschiebungen und Überschiebungen, durch welche die phyllitische Einheit auf die Gneise, die altpaläozoische Einheit auf die Phyllite und die Weesensteiner Grauwackenserie auf das Altpaläozoikum überschoben wurden. Gallwitz (1955, S. 212) spricht in diesem Zusammenhang von einem zweiten tektonischen Akt, der das Elbtalschiefergebiet betraf. Besondere Intensität erlangten die Bewegungen an der Grenze der beiden mechanisch verschieden reagierenden Einheiten Erzgebirge und Elbtalschiefergebiet, wo sie sich zur sog. Mittelsächsischen Überschiebung (Pietzsch 1915a, 1918) steigerten.

Pietzsch (1956b, S. 125) deutete diese Störung im wesentlichen als eine große Überschiebungsfläche, entlang der das Elbtalschiefergebirge nach Südwesten auf das Erzgebirge kilometerweit überschoben wurde.

Kartierungsarbeiten im Bereich der Mittelsächsischen Überschiebung ergaben, daß diese nicht — wie bisher angenommen — überwiegend flach einfällt, sondern in den meisten Fällen steil steht (Engert 1956b, S. 50; Wiedemann 1959; Schmidt 1960b, S. 185).

Schmidt (1959, S. 76) schlägt daher vor, an Stelle des Ausdruckes „Mittelsächsische Überschiebung" die neutralere Bezeichnung „Mittelsächsische Störung" zu verwenden, zumal mit posthumen Nachbewegungen bis in die jüngste Zeit zu rechnen ist, die zum Teil Abschiebungscharakter besitzen (Schmidt 1960b, S. 186).

In der erzgebirgischen Phase entstand — zusammen mit der Mittelsächsischen Aufschiebung — wahrscheinlich auch ein Teil der sehr häufigen Längsstörungen des Elbtalschiefergebietes, die im Streichen und Fallen den *s*-Flächen der benachbarten Gesteine genau oder fast genau folgen. Ihre Anlage dürfte zum Teil bereits während der Isoklinalfaltung erfolgt sein. Oft sind sie jedoch zweifellos jünger als sudetisch, denn die Längsstörungen schneiden die Falten spitzwinklig (ENGERT 1956b, S. 48). Überhaupt wird die Mittelsächsische Störung aus einer ganzen Schar von Parallelstörungen und Mylonitzonen sowie aus Bewegungsflächen in den angrenzenden erzgebirgischen Gneisen und den liegenden Teilen des Elbtalschiefergebietes begleitet.

Auf die Verformungen der Gesteine im nördlichen Teil der Elbtalzone zwischen dem Tümmelsberg bei Klotzsche und dem Raum von Strehla während der erzgebirgischen Phase wurde im vorangegangenen Abschnitt bereits eingegangen. Auch südlich von Dresden werden nicht nur die phyllitische und altpaläozoische Einheit des Elbtalschiefergebirges von den Verformungen erfaßt, sondern auch der westliche Rand des Lausitzer Granodioritplutons in Form des Dohnaer (Lausitzer) Granodiorits und der angrenzenden Weesensteiner (Nordlausitzer) Grauwacke.

Der ursprünglich richtungslos-körnig vorliegende Mineralverband des Granodiorits erfuhr eine kataklastische bis mylonitische Beanspruchung. Die Richtung der entstandenen Texturflächen stimmt im allgemeinen mit dem regionalen Verlauf der *b*-Achsen im Elbtalschiefergebiet überein (WIEDEMANN 1958, S. 62).

Die postkristalline Regelung der Biotitindividuen in nordwest-südöstlicher Richtung geht auch aus den Korngefügediagrammen stärker deformierter Granodioritbereiche hervor (SCHMIDT 1956, S. 19). Ebenfalls ist ein zweiter Kluftplan, dessen *ab*-Klüfte 130° streichen (*ac*-Klüfte 40°), in den Kluftdiagrammen zu erkennen (SCHMIDT 1956, S. 18).

Von Nordwest–Südost streichenden Beanspruchungszonen wird auch der westliche Rand des zusammenhängend aufgeschlossenen Lausitzer Granitgebietes durchzogen. Ihre Anlage ist ebenfalls in die erzgebirgische Phase zu stellen. Die Beanspruchungserscheinungen werden von dem Stockgranit von Stolpen ausgeheilt (s. Abschn. II, C, 1h).

FEDIUK, LOSERT, RÖHLICH & ŠILAR (1958) erkannten bei Kartierungsarbeiten im Raume von Krasna Lipa (Schönlinde), südlich von Rumburk (Rumburg)/ČSSR, daß die postsenone Lausitzer Überschiebung älteren Beanspruchungszonen folgt, die u. a. Nordwest-Südost verlaufen.

Im Görlitzer Schiefergebirge sind gleichfalls Bewegungen nachzuweisen, die die sudetisch angelegten Strukturen überprägen. Sie äußern sich besonders als nach Südwesten gerichtete Aufschiebungen und Überschiebungen entlang Nordwest–Südost streichenden Flächen. Auch in diesem Bereich sind sie an der Grenze der tektonisch verschiedenen Einheiten (Lausitzer Granitmassiv einschl. Lausitzer Grauwacke/Görlitzer Schiefergebirge = Innerlausitzer Hauptverwerfung) am stärksten ausgebildet. Hierzu gehören Störungen zwischen dem unterkarbonischen Kieselschiefer-Konglomerat und der jungassyntisch gefalteten Nordlausitzer Grauwackenserie (Tal des Weißen Schöpses zwischen Kleeberg und Oberrengersdorf, nördlich von Görlitz). In ungefährer Verlängerung der Störung bilden nordöstlich von Wiesa unter Ausfall der Nordlausitzer Grauwacke altpaläozoische Gesteine den Rand des Lausitzer Granodioritmassivs (Hornblendegranodiorit von Wiesa). Weiter im Nordwesten liegen an der Dubrau bei Groß-Radisch die Basisquarzite des Ordoviziums tektonisch auf der Nordlausitzer Grauwackenserie (LEE 1938, S. 46).

Auch die einzelnen mechanisch verschieden reagierenden Einheiten des Görlitzer Schiefergebietes werden durch Nordwest–Südost streichende Störungen voneinander getrennt (G. SCHWAB 1960, S. 40). Inwieweit es sich dabei im einzelnen Falle um Aufschiebungen in südwestlicher Richtung handelt, kann auf Grund der schlechten Aufschlußverhältnisse nicht immer unterschieden werden.

LEE beschreibt aus den Kalksteinbrüchen bei Ludwigsdorf eine Aufschiebung (sog. „Ludwigsdorfer Überschiebung"), entlang der kambrische Kalke auf Tonschiefer des höheren Ordoviziums (?) aufgeschoben sind. Die Aufschiebung streicht etwa 100—120° und fällt mit 70° und steiler nach Nordosten ein (LEE

1938, S. 37). Die sog. „Ludwigsdorfer Überschiebung" soll nach Lee das gesamte östliche Görlitzer Schiefergebirge vom Sandberg, 1,5 Kilometer östlich Nieder-Rengersdorf, bis zum Teufelsstein etwa 700 m östlich der Neiße beherrschen. Sie ist jünger als die Spezialtektonik des kambrischen Kalkes. Die regionale Bedeutung des Ludwigsdorfer Störungssystems konnte auch bei der Neukartierung des Görlitzer Schiefergebirges durch Brause & Hirschmann (1964) bestätigt werden.

Alle diese überwiegend nach Südwesten gerichteten Auf- und Überschiebungsbewegungen werden in Analogie zu den sehr ähnlichen stratigraphischen und tektonischen Verhältnissen in der Elbtalzone in die erzgebirgische Phase der variscischen Orogenese gestellt. Eine sichere Beweisführung ist nicht möglich.

Überhaupt geschieht die stratigraphische Einordnung der Ereignisse nur dadurch, daß die petrographisch-tektonischen Beobachtungen (Aufeinanderfolge von Erstarrung, Beanspruchung, Rekristallisation) auf die tektonischen Phasen der variscischen Orogenese bezogen werden. Ergibt sich für deren stratigraphische Stellung auf Grund von Fossilfunden eine andere Einordnung, so ändert sich damit auch die Altersstellung der damit in Verbindung gebrachten Ereignisse. Bestehen bleibt die relative Altersfolge. Auf Grund des bisher vorliegenden Beobachtungsmaterials ist dies jedoch der einzige Weg, um zu einer Gliederung der magmatisch-tektonischen Ereignisse im Bereich der Elbtalzone und des Lausitzer Grundgebirges zu kommen. Dabei werden die tektonischen Phasen im Sinne von Stille als eine Grundlage der Parallelisierung verwendet, wobei sich der Verfasser der Fraglichkeit einer strengen Gleichaktigkeit in geologisch größeren Räumen bewußt ist. Unsere Kenntnisse des behandelten Gebietes sind bisher jedoch zu lückenhaft, um auf dieses Gliederungsschema verzichten zu können.

Im einzelnen können variscisch angelegte Störungsflächen durch jüngere variscische Bewegungen oder durch die saxonische Tektonik posthum belebt werden. Es kommt im Rahmen dieser Ausführungen jedoch weniger darauf an, das Alter einer einzelnen lokalen Störungsfläche zu ermitteln, sondern das Ziel ist es vielmehr, die tektonisch vorherrschenden Bewegungspläne herauszustellen. Also für die sudetische Phase die Anlage der Faltung in der Elbtalzone und im Görlitzer Schiefergebirge durch Einengungstektonik in nordost-südwestlicher Richtung. Danach Intrusion des Lausitzer Granodiorits und Erstarrung in einem Nord–Süd gerichteten Kräftefeld. In der erzgebirgischen Phase wiederum eine kräftige Einengungstektonik in nordost-südwestlicher Richtung mit Aufschiebungen und z. T. auch Überschiebungen nach Südwesten.

Wie im Elbtalbereich, so wurde auch am östlichen Rande des Lausitzer Grundgebirges nicht nur der sedimentäre Anteil von den erzgebirgischen Bewegungen erfaßt, sondern auch der östliche Rand des Lausitzer Granodioritmassivs. Kataklastische Umwandlungszonen, die örtlich mylonitisch ausgebildet sind, durchsetzen im Raum Görlitz–Reichenbach–Weißenberg vorzugsweise in nordwest–südöstlicher Richtung (120—140°) das magmatische Gestein. Das Alter dieser Störungen ist dadurch genauer bestimmbar, daß der spättektonische Königshainer Stockgranit (s. Abschn. II, C, 1h) die Beanspruchungserscheinungen in seinem Kontakthof rekristallisiert (Hazard 1895, Ebert 1943, Möbus 1962b).

d) Intrusion der Gesteine des Meißener Massivs

Im Anschluß an die erzgebirgische Phase intrudierten in der Elbtalzone die Gesteine des Meißener Massivs (Pietzsch 1956a, S. 110; 1962, S. 809). Ihr relatives Alter ist dadurch gegeben, daß sie die in der erzgebirgischen Phase entstandenen Beanspruchungserscheinungen rekristallisieren und selbst wiederum während der nachfolgenden tektonischen Bewegungen an der Westlausitzer Störung kataklastisch verformt werden.

Im Bereich des Elbtalschiefergebietes durchsetzt der Meißener Pluton die in der erzgebirgischen Phase im Zusammenhang mit den nach Südwesten gerichteten Aufschiebungen entstandenen Störungsflächen diskordant (Pietzsch 1918, S. 267).

Die Längserstreckung des Meißener Massivs verläuft generell in Nordwest–Südost-Richtung, ist also parallel zum Verlauf der Elbtalzone gerichtet.

Die Kontaktmetamorphose, die auf die Intrusivgesteine des Meißener Plutons zu beziehen ist, kann im Elbtalschiefergebiet von Weesenstein in südöstlicher Richtung über Friedrichswalde bis nach Ottendorf verfolgt werden (Abb. 22). Geomagnetisch sind die Gesteine des Meißener Massivs (magnetitführender Pyroxensyenit und Hornblende-Granit) ebenfalls südöstlich von Weesenstein nachzuweisen (Kopf 1959). Das Meißener Massiv taucht flach nach Südosten ab.

In den erzgebirgischen Gneisen zwischen Großenhain und Klotzsche bewirkten die Gesteine des Meißener Massivs eine Neubildung von Andalusit und Muskovit. Es entstand ein statischer Hornfels-Knotenschiefer-Kontakt (Schmidt 1956, S. 41).

Im Kartenbild zeigt das Meißener Massiv eine längliche Gestalt mit spindelförmig ausgezogenen Enden. Jene liegen im Norden bei Strehla und im Süden bei Weesenstein südwestlich von Pirna, beide Vorkommen sind etwa 60 Kilometer voneinander entfernt.

An der Zusammensetzung des Massivs sind verschiedene Gesteinsausbildungen beteiligt. Die syenitische Varietät (Syenodiorit nach Pfeiffer 1961) nimmt vorzugsweise die Ränder des Massivs ein. Durch Zunahme des Quarzes und des Biotitgehaltes geht der Syenodiorit ohne scharfe Grenze in einen Hornblende-Biotitgranit über, der besonders im Südosten des Massivs verbreitet ist.

In einer zeitlich bald folgenden Intrusionsphase drang ein normaler Biotitgranit, der sog. Hauptgranit auf, der nach Pfeiffer (1961, S. 141) auf Grund seines modalen Bestandes als Granodiorit zu bezeichnen ist. Gallwitz gibt an, daß der Hauptgranit im normalen Intrusivkontakt mit dem Syenodiorit steht.

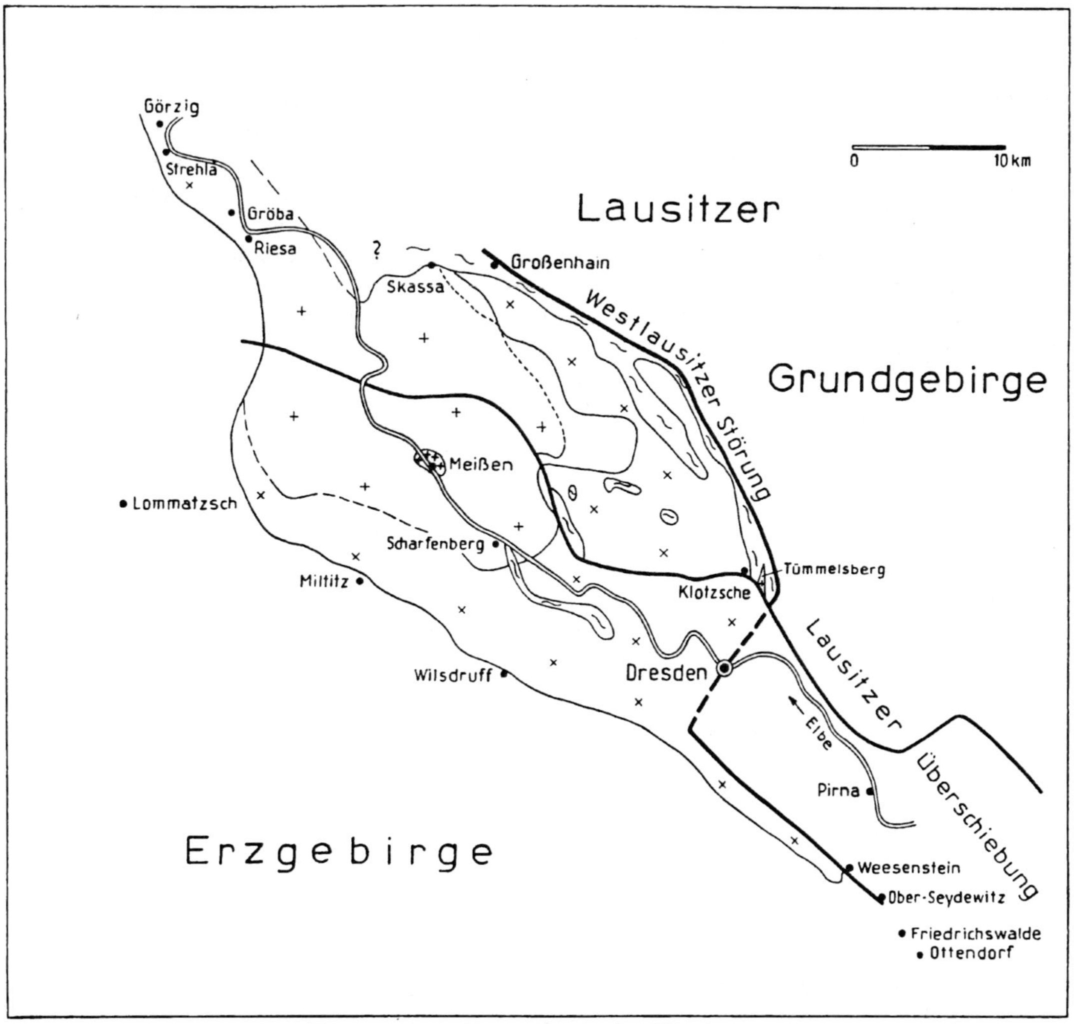

Abb. 22. Das Meißener Massiv der Elbtalzone

Meißener Massiv: *schräger Kreuzraster* = Syenodiorit, *gerader Kreuzraster* = Hauptgranit, *kleine kräftige Kreuze* = Riesensteingranit von Meißen; Rahmen: *Wellensignatur* = Gneise vom Typ des Erzgebirges (vgl. Abb. 13)

Allerdings fehlt dem Hauptgranit eine ausgesprochene Randfazies. Seine Korngröße verringert sich nur wenig gegen den Kontakt hin (GALLWITZ 1934, S. 358).

Der Granodiorit (Hauptgranit) nimmt nach dem Kartenbild die Mitte und den nordwestlichen Teil des Meißener Massivs ein (s. Abb. 22).

Nach der Erstarrung des Granodiorits (Hauptgranit) setzt eine sehr dichte Durchaderung des ganzen Massivs mit granitischen, aplitischen und pegmatitischen Gängen ein. Die viel selteneren Lamprophyre erweisen sich dort, wo sie mit anderen Gängen in Kontakt treten, als jünger (z. B. an der Knorre bei Meißen).

Als jüngster Nachschub, der erst nach den Gangbildungen aufgedrungen ist, gilt der sog. Riesensteingranit; ein glimmerarmer, sehr saurer Stockgranit. Er tritt nur bei Meißen auf. Sein Kontakt ist nirgends aufgeschlossen. Als Ganggefolge des Riesensteingranites sind bisher nur zwei aplitisch-pegmatitische Gänge bekannt geworden (GALLWITZ 1934, S. 360). Seine Intrusion erfolgte vielleicht erst im Anschluß an die asturische Phase.

Eine flächenhafte Paralleltextur ist nur im syenodioritischen Gestein deutlich entwickelt. Sie fällt fast stets in nördlicher Richtung ein. Die Fallwinkel betragen am Rande des Massivs 50—80° (REICHERT 1926, S. 27). In der Regel bestimmt der erzgebirgische Gneis die örtliche Lage des Einfallens.

Im Gegensatz zu REICHERT (1926), der eine Intrusion unter einem Nordwest–Südwest gerichteten Kräfteplan annimmt, ist SCHMIDT (1960b) der Ansicht, daß die Texturen des syenodioritischen Gesteins weniger auf Spannungen im Erstarrungsraum zurückzuführen sind, sondern überwiegend als Einströmungsgefüge gewertet werden müssen. Diese Meinung wird den regionalen Kräfteverhältnissen eher gerecht, die im Anschluß an die erzgebirgische Phase zu erwarten sind. Es ist nicht anzunehmen, daß eine magmatische Intrusion entlang einer regionalen Scherfläche erfolgte, die unter starkem tangentialen Druck stand (SCHMIDT 1960b, S. 189). Der Meißener Syenodiorit zeichnet somit die in spätassyntischer Zeit entstandenen Umbiegungen der Texturen im Bereich des Elbelineamentes nur nach (s. Abschn. II, A, 3d). Die Intrusion selbst folgt dem Elbelineament.

Der Meißener Granodiorit (Hauptgranit) und der Stockgranit (Riesensteingranit) sind richtungslos-körnig ausgebildet. Der Kontakt des Granodiorites verläuft über weite Strecken diskordant zu der Textur der syenodioritischen Intrusion. So schneidet er im Gebiet südlich von Lommatzsch die Texturen des älteren Gesteins ab. Am Nordrand des Massivs verläuft der Kontakt quer zur flächenhaften Textur der erzgebirgischen Gneise bei Skassa.

Neue magmentektonische Untersuchungen zur Klärung der Lage der gefügetektonischen Daten liegen aus dem Bereich des Hauptgranites und des Riesensteingranites nicht vor. Für letzteren werden Ost–West streichende *S*-(*ab*-)Klüfte und Nord–Süd verlaufende *Q*-(*ac*-)Klüfte angenommen (REICHERT 1926, S. 20; HERRE & H. SCHEUMANN 1960, S. 96).

Im Oberdevonkalk von Miltitz südlich von Meißen ist ein lagergangartiges Vorkommen von Turmalingranit aufgeschlossen, dessen Mächtigkeit in der Regel nur wenige Zentimeter beträgt. Das magmatische Gestein durchsetzt diskordant eine Hornblendeschieferlage, die als eine im Kontakthof des Meißener Syenodiorits umgewandelte Diabastufflage anzusprechen ist. Der Turmalingranit ist nach GOTTE (1955) jünger als die in der sudetischen Phase erfolgte Faltung des Devons. Andererseits zeigt der Granit eine starke Kataklase (REINISCH 1928, S. 49), die auf eine Durchbewegung in Nordwest–Südost-Richtung zurückgeführt werden kann. Die Kataklase muß nach der Platznahme des nur 300 m entfernten Meißener Plutons erfolgt sein, denn sonst wären Rekristallisationserscheinungen zu beobachten. Wahrscheinlich gehört der Turmalingranit zu dem Ganggefolge des Meißener Massivs. Eine genetische Beziehung zu dem Turmalingranitvorkommen im Elbtalschiefergebirge besteht nicht.

e) Der lamprophyrische Magmatismus

Das Lausitzer Grundgebirge ist im Gegensatz zu seiner Armut an Apliten und Pegmatiten sehr reich an Lamprophyren. Es gibt kaum einen Steinbruch, in dem nicht ein oder mehrere basische Gänge aufgeschlossen sind. STENZEL (1922) schätzt ihre Anzahl auf etwa 1250. In der Regel sind sie einige Zentimeter bis Dezimeter mächtig, aber auch Gänge von mehreren Metern bis über einhundert Meter Mächtigkeit treten auf (z. B. Klunst bei Ebersbach). In ihrer chemischen Zusammensetzung sind die basischen Ganggesteine sehr variabel, wobei vermutlich die Aufnahme von granitischem Material bei der Magmendifferenzierung einen Einfluß gehabt haben dürfte. BEGER (1914b) vermutet ein Ausgangsmagma vom Typ eines Proterobases, wobei sich aus diesem Magma vorzugsweise Spessartite, außerdem Kersantite, Camptonite und auch noritartige Gesteine entwickelten.

Genetisch sehen BEDERKE (1947) und v. WOLFF (1951) in den basischen Gängen kein Differentationsprodukt des granodioritischen Magmas. Nach WATZNAUER (1954) stammen die Lamprophyre von einem größeren selbständigen Tiefenkörper ab, der auf Grund petrographischer und physikalisch-chemischer Überlegungen eine basaltische Magmenzusammensetzung haben dürfte (CHATTERJEE 1959, BAUTSCH 1963).

Die Anordnung der Lamprophyrgänge zeigt in der Oberlausitz ein gesetzmäßiges Bild (MÖBUS 1956a; 1959, S. 602). Im Norden bei Kamenz füllte das lamprophyrische Magma geöffnete Q-Klüfte des Granodiorits, im Westen sind Nordwest–Südost streichende Diagonalklüfte und bei Bautzen Ost–West streichende S-Klüfte besetzt. Östlich von Löbau sind dagegen vorzugsweise Nordost–Südwest verlaufende Diagonalklüfte mit basischen Ganggesteinen gefüllt (s. Abb. 23).

Im Raum südlich von Löbau geht das Nordwest–Südost-Streichen der Lamprophyrgänge über eine Zone mit Nord-Süd gerichtetem Verlauf in das Nordost-Südwest gerichtete Streichen über, welches im Ostteil des Lausitzer Grundgebirges vorherrscht.

In der Elbtalzone südwestlich von Pirna verlaufen die Lamprophyre, welche auf den Dohnaer (Lausitzer) Granodiorit bezogen werden (Malchite; BEGER 1916) vorzugsweise Nordwest–Südost, wobei sie häufig den in der erzgebirgischen Phase entstandenen Längsklüften der Elbtalzone folgen (ENGERT 1956b, S. 49). Ihre Streichrichtung entspricht also den Verhältnissen im westlichen Lausitzer Grundgebirge.

Lamprophyrische Ganggesteine, die in der Zeit zwischen Meißener Syenodiorit und Hauptgranit intrudierten, konnten bisher nicht mit Sicherheit nachgewiesen werden (GALLWITZ 1943). Die Mehrzahl der basischen Gänge ist nach der Erstarrung des Hauptgranits (Granodiorits) vorzugsweise auf Nordost–Südwest streichenden Spalten aufgestiegen.

Eine sichere Unterscheidung, welche Lamprophyre des Elbtalschiefergebirges zum Ganggefolge des Meißener Massivs gehören und welche dem benachbarten Dohnaer (Lausitzer) Granodiorit zuzurechnen sind, ist nicht immer möglich.

Im allgemeinen sollen die Minetten des Meißener Massivs jünger sein als die malchitischen Gänge des Dohnaer Granodiorits (GALLWITZ 1934). Bei dem Varietätenreichtum, der uns in den Lamprophyren des Lausitzer Grundgebirges entgegentritt, erscheint jedoch eine solche Unterscheidung unsicher, zumal erschwerend hinzukommt, daß der primäre Mineralbestand und meist auch die primäre Struktur des Ganggesteins oft durch jüngere Beanspruchungen stark umgewandelt sind.

Die Voraussetzung für die Intrusion des lamprophyrischen Magmas war das Öffnen von Klüften zu Spalten. Aus der regionalen Verteilung der jeweils geöffneten Klüfte des Granodiorits (Q-, S- bzw. Diagonal-Klüfte) ist für das Lausitzer Grundgebirge eine Aufwölbung abzuleiten, deren Scheitelpunkt südlich von Löbau zu suchen ist (MÖBUS 1956a, S. 35). Für die Zeit der Platznahme der Lamprophyre sind somit im wesentlichen vertikal gerichtete Dehnungsbeanspruchungen anzunehmen. Sie lassen keine direkte Beziehung zu der Nord–Süd gerichteten Beanspruchung erkennen, unter welcher das granodioritische Magma erstarrte.

Die Intrusion der Lamprophyre wird sich über einen längeren Zeitraum erstreckt haben. Sie dürfte nach der völligen Erstarrung des Lausitzer Granodiorits und seines armen aplitisch-pegmatitischen Ganggefolges begonnen haben. Die Hauptintrusionszeit wird in die Zeit nach der erzgebirgischen Phase gehören. Die Platznahme der basischen Gesteine war im wesentlichen abgeschlossen, als die spättektonischen Stockgranite der Oberlausitz intrudierten. So wird der Stockgranit von Königshain nordwestlich von Görlitz nur von wenigen Lamprophyren durchgesetzt.

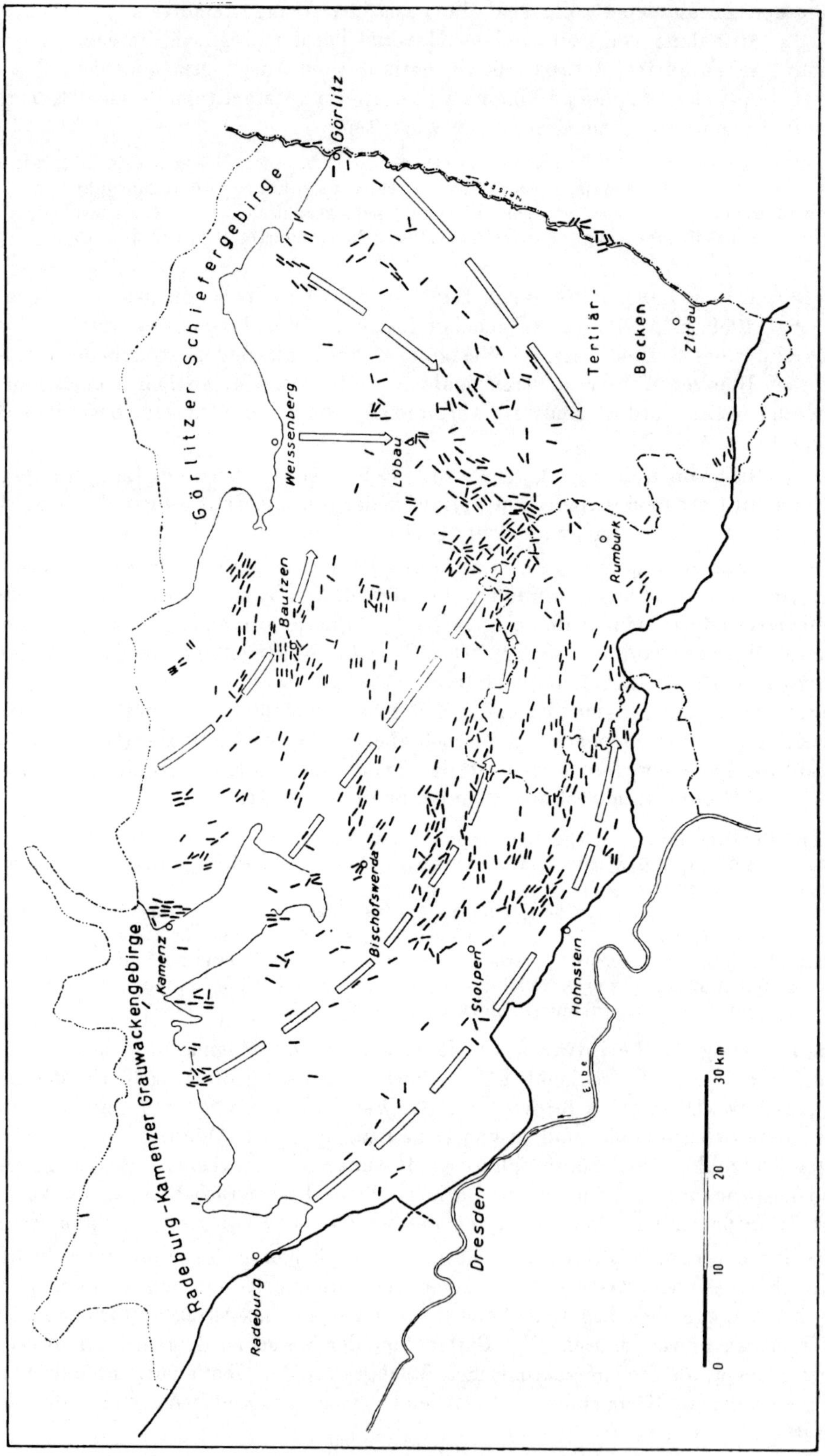

Abb. 23. Die lamprophyrischen Ganggesteine im Lausitzer Grundgebirge (nach MÖBUS 1959, Abb. 2 u. 5)

Die öfter zu beobachtenden Durchkreuzungen von Lamprophyrgängen sprechen für einen im einzelnen mehraktigen Intrusionsablauf (s. LÖFFLER 1962).

f) Die Westlausitzer Störung

Jünger als der Meißener Syenodiorit ist die variscische Westlausitzer Störung, welche zwischen Klotzsche und Großenhain am besten aufgeschlossen ist. Ihre Entstehung kann mit keiner bekannten Phase der variscischen Gebirgsbildung zeitlich in Beziehung gesetzt werden. Ihre untere Altersgrenze ist dadurch gegeben, daß entlang der Westlausitzer Störung die kontaktmetamorphen Erscheinungen des Meißener Plutons in den Gesteinen des Westlausitzer Zuges (Andalusit- und Muskovitneubildungen) kataklastisch bis mylonitisch abgebaut werden. Auch die in der erzgebirgischen Phase entstandene Verformung des Lausitzer (Dohnaer) Granodiorits, die im Kontakthof des Syenits rekristallisierte, wurde erneut beansprucht (SCHMIDT 1956, S. 15).

Von SCHMIDT (1956) wurde bei der Kartierung des Raumes zwischen Klotzsche und Radeburg ein Aufschluß der Westlausitzer Störung an der Autobahnstraße Dresden-Bautzen in der Nähe des Spitzen Berges östlich von Volkersdorf (s. Abb. 13) erkannt und beschrieben (SCHMIDT 1956; 1960b, S. 180).

Die Betrachtungen über die regionale Entwicklung im Raume Erzgebirge-Lausitzer Grundgebirge ließen vermuten, daß der Westlausitzer Störung eine spätassyntische Anlage zugrunde liegt (s. Abschn. II, A, 3d). Die Nordost-Südwest gerichteten Einengungsbewegungen der sudetischen Phase und der nachfolgenden erzgebirgischen Phase müssen sie bereits betroffen haben. Vielleicht gehört in diese Zeit die Verfaltung der erzgebirgischen Gneise des Westlausitzer Zuges um Nordwest-Südost (100 bis 140°) streichende Achsen, wie sie am Börnsbach südwestlich Radeburg zu beobachten ist (SCHMIDT 1960b, S. 184).

REICHERT (1926) kam bei der tektonischen Aufnahme des Meißener Massivs zu dem Ergebnis, daß die Westlausitzer Störung in ihrer Anlage bei dem Aufdringen des Meißener Massivs bestanden haben muß. Das Fließgefüge des Syenits paßt sich ihrem Verlauf bzw. dem Verlauf der erzgebirgischen Gneise in diesem Gebiet an.

Ein weiterer Hinweis für eine bereits bestehende vorvariscische Störung ist darin zu sehen, daß der Meißener Syenodiorit das Umbiegen der erzgebirgischen Gneistexturen zwar nachzeichnet, selbst jedoch dem Streichen des Elbelineamentes folgt und in nördlicher Richtung bis in die südliche Umgebung von Torgau geophysikalisch nachzuweisen ist (SIEMENS 1935).

Die tektonische Neuaufnahme der an die Westlausitzer Störung angrenzenden Nordlausitzer Grauwacke ergab eine nachträgliche Verstellung ihrer Schichtflächen mit Annäherung an die Störung (M. & G. SCHWAB 1957, S. 401). Das bei Königsbrück vorherrschende Ost-West bis Nordost-Südwest gerichtete Streichen lenkt einige Kilometer östlich der Störung in die Nordwest-Südost-Richtung um (s. Abb. 4).

G. SCHWAB (1960) kommt bei der klufttektonischen Bearbeitung des Gebiets bei Radeburg zu der Feststellung, daß die Anordnung der tektonischen Daten in den Gefügediagrammen keine Aussage auf eine primäre Anlage dieses Streichrichtungswechsels erlaubt. Auch bestehen keine Beziehungen zu dem 150° streichenden Großkreis, auf dem die — in der sudetischen Phase entstandenen — Störungszonen („Schubflächen") aus der Gegend von Radeburg angeordnet sind (SCHWAB 1960, S. 50).

Die Beobachtungen sprechen für eine nach Südosten gerichtete Verschiebung der Lausitzer Grauwacke im Zusammenhang mit Transversalbewegungen an der Westlausitzer Störung.

SCHMIDT beobachtete im Lausitzer Granodiorit, der südlich der Grauwacke an die Westlausitzer Störung anschließt, einen bevorzugten Verlauf von Rillungen (a-Lineationen) in südöstlicher Richtung. Besonders häufig sind 125° und 165° streichende Lineationen, die auf Verschiebungszonen (Klüften) unterschiedlichen Streichens zu finden sind. Auch die a-Lineationen im östlichen Teil des Meißener Plutons verlaufen bevorzugt in südöstlicher Richtung (120—165°) (SCHMIDT 1960b, S. 183—184). Diese Angaben sprechen gleichfalls für Horizontalbewegungen (Blattverschiebungen) nach der Erstarrung des Meißener Plutons.

Bei der stratigraphisch-tektonischen Neuaufnahme des Elbtalschiefergebietes stellte ENGERT um Nord–Süd streichende (im Original „frankonisch bis rheinisch"; ENGERT 1956b, S. 59) Blattverschiebungen fest. Derselbe Bearbeiter wies auf die Existenz einer Nordwest–Südost verlaufenden, flach einfallenden Lineation hin, die nicht als B-Lineation zu deuten ist (ENGERT 1956b, S. 50).

Faltung des Elbtalschiefergebirges, Überprägung der Faltenstrukturen und Blattverschiebungen sind zeitlich voneinander unabhängige Vorgänge. GALLWITZ (1955, S. 212) spricht sehr zutreffend von einer dritten tektonischen Phase, in der es im Elbtalschiefergebiet zu horizontalen Schleppungen an steil stehenden Störungsflächen kam, die unter einer starken Kataklase der davon betroffenen Gesteine verlief. Die Schleppung der Elbtalzone ist „ein verhältnismäßig später Teilakt im tektonischen Geschehen dieses Gebietes. Die großen tektonischen Verformungen und Überschiebungen haben vorher stattgefunden, und zwar in einer schon primär herzynisch angelegten Zone" (GALLWITZ 1955, S. 212).

Auf die variscischen Horizontalbewegungen ist im wesentlichen das heutige Aufschlußbild zurückzuführen.

Im Nossen-Wilsdruffer Schiefergebirge ist eine größere Anzahl von großen, mehr oder weniger Nord–Süd streichenden Verwerfungen aufgeschlossen, die die Mittelsächsische Störung an mehreren Stellen, z. B. bei Tharandt, versetzen. Neben diesen größeren Störungen gibt es zahlreiche kleinere Parallelstörungen dazu. ENGERT setzt diese Störungen mit den Blattverschiebungen im Elbtalschiefergebiet altersgleich (ENGERT 1956b, S. 60).

Eine neue magnetische Regionalvermessung mit dichtem Punktabstand im Bereich der Elbelinie zwischen Dessau und Torgau erbrachte, daß mit einer flexurartigen Verbiegung von 10—12 Kilometer Reichweite gerechnet werden kann. (SONNTAG 1955/56)

Der für die assyntische Orogenese mögliche Versatz mit einer Schubweite von mehreren zehn Kilometern wird eventuell während der variscischen Tektonik in dergleichen südöstlichen Richtung um etwa 10 Kilometer erweitert (vgl. SONNTAG 1955/56).

Auch im Bereich des Görlitzer Schiefergebirges und der benachbarten Lausitzer Grauwacke ist mit horizontalen Schollenverschiebungen zu rechnen. So wurden im Bereich des Kieselschiefer-Konglomerates nordwestlich von Kunnersdorf auf großen Nordwest–Südost streichenden Flächen von SCHWAB (1960, S. 48) flach nach Westen einfallende Harnische (a-Lineation) beobachtet. Harnischrillung in der gleichen Richtung wurde auch auf Störungen parallel der Schichtung gemessen. Eine zeitliche Datierung der horizontal verlaufenden Bewegungen ist im Görlitzer Schiefergebiet nicht möglich. Ihre Alterseinstufung erfolgte in Analogie zu den Verhältnissen in der Elbtalzone, wobei für den gesamten Raum Erzgebirge–Lausitzer Grundgebirge ein gleichgerichteter Beanspruchungsplan angenommen wird.

Die lamprophyrischen Ganggesteine im Bereich der Elbtalzone sowie im Lausitzer Grundgebirge wurden während der Horizontalverschiebungen kataklastisch bis mylonitisch verformt.

Der Verlauf der Westlausitzer Störung wird auf den geologischen Karten mit einem scharfen Knick bei Dresden (Klotzsche) in die südwestliche Richtung angegeben (s. Abb. 24). Südlich von Dresden weist die geradlinige Anordnung der Aufschlußpunkte des Dohnaer (Lausitzer) Granodiorits in den Tälern auf einen erneuten Verlauf der Störung in der alten nordwest–südöstlichen Richtung hin (PIETZSCH 1918, S. 269). Im Müglitztal nördlich von Dohna (vgl. Abb. 11) glaubt PIETZSCH (1956b, S. 127) die Westlausitzer Störung als Grenze zwischen dem mittelkörnigen Dohnaer (Lausitzer) Granodiorit und dem feinkörnigen Zweiglimmergranodiorit (granitisierte Nordlausitzer Grauwacke) wiederzuerkennen. Bei den schlechten Aufschlußverhältnissen dürfte es schwer sein, diese Störung richtig zu bewerten, zumal die Grenze Granodiorit gegen Zweiglimmergranodiorit in der westlichen Lausitz oft tektonisch vorgezeichnet ist (Schubflächenstörungszone; s. Abschn. II, C, 1 a) und leicht zu posthumen Bewegungen neigt.

Nördlich von Dresden trennt die Westlausitzer Störung das Lausitzer Grundgebirge von der Elbtalzone bzw. dem Erzgebirgskristallin (Westlausitzer Zug). Südlich von Dresden entspricht dieser Dislokation am ehesten die Störung zwischen der genetischen Einheit Weesensteiner (Nordlausitzer) Grauwacke — Dohnaer (Lausitzer) Granodiorit und den paläozoischen Gliedern des Elbtalschiefergebietes bzw. dem darunter vermuteten Erzgebirgskristallin.

Unter diesem Gesichtspunkt muß in den lokalen Grundgebirgsaufschlüssen bei Děčín die Westlausitzer Störung zwischen die Einheiten vom Typ des Lausitzer Grundgebirges (Granodiorit und Grauwacke) und die sog. phyllitische Serie gelegt werden, die der altpaläozoischen und phyllitischen Einheit des Elbtalschiefergebietes entspricht.

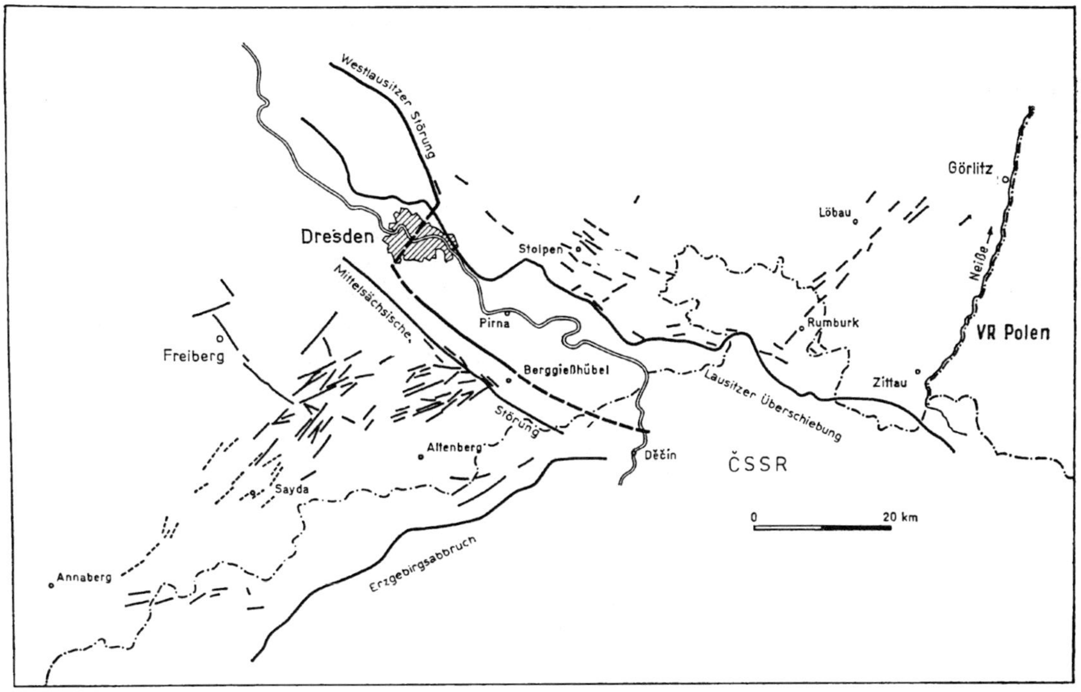

Abb. 24. Der porphyrische Gangmagmatismus in Erzgebirge, in der Elbtalzone und im Lausitzer Grundgebirge (nach MOESTA 1928 und MÖBUS 1959)

Unabhängig davon, wohin man den Verlauf der Westlausitzer Störung im Bereich südlich von Dresden legt, bleibt die Tatsache bestehen, daß die Störung bei Dresden (Klotzsche) fast rechtwinklig aus dem Nordwest–Südost-Streichen vorübergehend in die Südwest-Richtung umlenkt.

g) Die asturische Phase

Der plötzliche Streichrichtungswechsel der variscischen Westlausitzer Störung bei Dresden (Klotzsche) aus der Nordwest–Südost- in die Nordost–Südwest-Richtung ist nach Ansicht des Verfassers auf einen jüngeren Versatz der Westlausitzer Störung entlang erzgebirgisch streichender Flächen zurückzuführen.

SCHMIDT (1960b, S. 182) fiel bei der Neuaufnahme der Westlausitzer Störung im Bereich zwischen Dresden und Großenhain auf, daß eine starke Bruchbildung und Zerspaltung mit Annäherung an den Knickpunkt der Dislokation bei Klotzsche festzustellen ist. Das dort vorhandene Flächengefüge streicht nicht mehr Nordwest–Südost, sondern ist sekundär verstellt. SCHMIDT vermutet eine Überprägung durch die postkretazische–praeoligozäne Lausitzer Überschiebung, die in diesem Bereich die variscische Westlausitzer Störung kreuzt.

Die Lausitzer Überschiebung ist aus dem Gebiet von Železný Brod (Eisenbrod)/ČSSR, entlang dem Südwestrande des Ještěd-(Jeschken) Gebirges sowie südlich von Zittau über Hohnstein und Dresden bis nördlich von Meißen durchgehend zu verfolgen. Dem entspricht eine Entfernung von etwa 200 Kilometern. Entlang dieser Störung sind in der Regel praekretazische Gesteine auf die Ablagerungen des böhmischen Kreidebeckens (Mittelböhmisches Kreidegebiet, Zittauer Gebirge, Elbsandsteingebirge) aufund überschoben worden. Im älteren Tertiär war die Bewegungslinie bereits weitgehend eingeebnet, denn der im Oligozän einsetzende Vulkanismus überlagert die Verwerfungslinie ungestört.

An den Stellen, wo die Grenze Lausitzer Grundgebirge gegen Elbtalzone morphologisch hervortritt, ist dies auf eine sehr junge Tektonik zurückzuführen, die zum Teil erst während des Pliozäns und im Quartär erfolgte. Besonders ausgeprägt sind diese Bewegungen im Raum zwischen Dresden und Pillnitz, wo das Lausitzer Grundgebirge mit einem etwa 100 Meter hohen Steilrand zur Elbtalaue abfällt.

Vom Verfasser wurde in den letzten Jahren die Lausitzer Überschiebung im Bereich zwischen Dresden-Pillnitz und darüber hinaus bis nach Sebnitz (Staatsgrenze) tektonisch auf genommen. Dabei ergab sich, daß in dem Gebiet zwischen Dresden und Pillnitz eine Schubflächentektonik zu erkennen ist, die in ihrer Anlage nichts mit den jungen pliozän-quartären Bewegungen zu tun hat und die auch älter ist als die Bewegungen an der postkretazischen Lausitzer Überschiebung. Für ihre Alterseinstufung ist wichtig, daß zwischen den bajonettartigen Vorsprüngen der Grenze Lausitzer Grundgebirge gegen Elbtalzone und dem porphyrischen Gangvulkanismus, der als subsequenter Vulkanismus zur variscischen Orogenese gehört, ein Zusammenhang besteht.

Von Engert wurden bei der Neuaufnahme des Elbtalschiefergebietes Nordost–Südwest streichende Blattverschiebungen festgestellt, denen Porphyrgänge aufsitzen (Engert 1956b, S. 25). Ein Zusammenhang zwischen erzgebirgisch streichenden Blattverschiebungen und dem Porphyrvulkanismus ist aus dem östlichen Erzgebirge bereits seit längerer Zeit bekannt. Moesta (1928) wies nach, daß der mehrere hundert Porphyrgänge umfassende Sayda–Berggießhübler-Gangschwarm Nordost–Südwest streichenden Blattverschiebungen folgt.

Mit Annäherung an die Elbtalzone lenken die Gänge des Berggießhübler Schwarmes aus dem erzgebirgischen Streichen in die Nordwest–Südost-Richtung der Elbtalzone ein. Moesta (1928, S. 405) glaubt, daß die gleichen Kräfte, welche im kristallinen Grundgebirge Nordost–Südwest streichende Blattverschiebungen hervorriefen, in der Elbtalzone unter anderem erneute Bewegungen auf den vorhandenen Nordwest–Südost streichenden Gleitflächen verursachten.

Auch am Westrand des Lausitzer Grundgebirges herrscht die Nordwest–Südost-Richtung im Streichen der porphyrartigen Ganggesteine vor (s. Abb. 24).

Im Lausitzer Grundgebirge besteht ein enger Zusammenhang zwischen den Nordost–Südwest gerichteten Teilstücken der Grenze Grundgebirge–Elbtalzone, die als Blattverschiebungen anzusehen sind, und porphyrischen Ganggesteinen (Glimmerporphyrite, quarzführende und quarzreiche Porphyrite, Quarzporphyre). So ist in der Verlängerung des bajonettartigen Vorsprunges der Lausitzer Überschiebung südlich von Rumburk (Rumburg)/ČSSR ein Porphyrgangsystem bis nördlich von Löbau aufgeschlossen (Abb. 24).

Die sauren Gänge folgen im Streichen einer Zone mylonitisierten Granodiorits, die — im Gegensatz zu örtlichen Störungszonen — bis mehrere hundert Meter Breite erreichen kann (Reinisch 1925, S. 6). Die Lamprophyre sind von diesen Bewegungen, die besonders an ihren Salbändern zur Auswirkung gelangten, erfaßt. Dagegen zeigen die porphyrischen Ganggesteine kaum Verformungen. Sie sind somit jünger als die Lamprophyre und die in die asturische Phase (s. w. o.) gestellten, vorzugsweise Nordost–Südwest gerichteten Bewegungen (Blattverschiebungen).

Blattverschiebungen in Verbindung mit einem nachfolgenden sauren, gangförmig auftretenden Magmatismus sind im Erzgebirge, in der Elbtalzone und im Lausitzer Grundgebirge vorhanden. Engert (1956b, S. 60) ist der Ansicht, daß für derartige, im Rahmen der Bruchtektonik bedeutende Bewegungen nur eine orogene Phase im Sinne von Stille in Frage kommt.

Der subsequente Vulkanismus beginnt in Sachsen bereits im Oberkarbon und setzt bis in das Unterrotliegende durch. Im Oberrotliegenden sind vulkanische Erscheinungen nicht mehr festzustellen (PIETZSCH 1959, S. 33).

Im Osterzgebirge sind die ältesten sauren Effusiva aus dem Gebiet des Schönfelder Oberkarbonvorkommens (Westfal B oder C) bekannt (GOTHAN 1932; WOLF 1960, S. 343). Der subsequente Vulkanismus beginnt somit wahrscheinlich im Westfal (auch SATTRAN 1961, S. 124).

Im Görlitzer Schiefergebirge sind in neuerer Zeit durch Bohrungen im Bereich von Ludwigsdorf bei Görlitz sedimentäre (Konglomerate, Sandsteine und Schiefertone) sowie magmatische Gesteine aus dem Westfal B (evtl. oberes Westfal A) bekannt geworden (ROSELT 1959, S. 778). Es handelt sich um tektonisch unter die unterkambrischen Kalke eingeschuppte Lagen von Sedimenten, Porphyriten, Tuffen und Tuffiten. Die in den Tuffiten erhaltenen Pflanzenreste (bes. *Linopteris neuropteroides* und *Imparipteris oblique*) ermöglichen die genannte Alterseinstufung.

Bei Schönfeld im Osterzgebirge werden die ins Westfal B (C) gestellten Ablagerungen durch eine Nordost–Südwest streichende Verwerfung gestört, die als nordöstliche Fortsetzung des bei Schönfeld auftretenden — zum Berggießhübler Gangschwarm gehörenden — Quarzporphyrganges anzusehen ist.

Die Blattverschiebungen sind auf Grund dieser Verhältnisse vermutlich an den Beginn des subsequenten Vulkanismus zu stellen und liegen zeitlich etwa in dem Grenzbereich Westfal/Stefan. Es besteht somit die Berechtigung, sie in die asturische Phase einzuordnen (ENGERT 1956b, S. 60). Die Platznahme der Porphyrgänge der Sayda–Berggießhübler-Gruppe wird in der Hauptsache während des Stefan erfolgt sein. Zeitlich jünger — jedoch ebenfalls nach der asturischen Phase — ist der Haupterguß des Teplitzer Quarzporphyrs sowie der osterzgebirgischen Granitporphyre (PIETZSCH 1956c, S. 118).

Im Lausitzer Grundgebirge erscheint an der Kreuzung der Nordost–Südwest streichenden Bewegungszone—deren Entstehung mit der asturischen Phase in Verbindung gebracht wird — mit den in der erzgebirgischen Phase entstandenen Nordwest–Südost gerichteten Überprägungen des östlichen Randes des Lausitzer Granitmassives der Königshainer Stockgranit. In seinem Kontakthof sind sämtliche Beanspruchungserscheinungen im Lausitzer Granodiorit rekristallisiert.

h) Intrusion der Lausitzer Stockgranite

Im Lausitzer Grundgebirge sind im Oberflächenanschnitt zwei Vorkommen von sog. Stockgraniten bekannt. Innerhalb der Nordwest–Südost streichenden Porphyrzone am Westrand des Massivs erscheint östlich von Dresden der Stolpener Stockgranit (6 km²). Einen flächenmäßig größeren Raum (30 km²) nimmt der Königshainer Stockgranit nordwestlich von Görlitz ein (s. Abb. 21).

Der morphologisch heraustretende Königshainer Stockgranit ist ein saurer, biotitarmer mittel- bis grobkörniger Granit, mit einer hellrosa Gesamtfarbe. In ihm sind zahlreiche pegmatitische Drusen und Schlieren zu finden, die oft mit Mineralien (darunter seltene Mineralien; s. HAZARD 1895) gefüllt oder ausgekleidet sind. Die magmentektonischen Kluftsysteme sind im Stockgranit sehr deutlich und von jüngeren Störungen fast unbeeinflußt entwickelt. Die *Q*-(*ac*-)Klüfte verlaufen bei steiler Stellung in nordnordost–südsüdwestlicher Richtung (20°), die *S*-(*ab*-)Klüfte entsprechend senkrecht dazu, also Westnordwest–Ostsüdost (110°). Als Kluftbeläge des orthogonalen Kluftsystems und diagonaler Systeme treten Quarz, Feldspat, Chlorit, Fluorit, Pyrit sowie Molybdänglanz und Wolframit auf (STENZEL 1922, LINDERT 1963).

Die kontaktmetamorphe Verheilung des beanspruchten Lausitzer Granodiorits in der Nachbarschaft äußert sich in einer ausgeprägten Rekristallisation des Biotits und der Quarze. Am Nordostrand kam es örtlich in unmittelbarer Kontaktnähe im benachbarten Lausitzer Granodiorit (Hornblendegranodiorit von Wiesa) zu Kalifeldspat- und Quarzneubildungen (MÖBUS 1962b).

Die Rekristallisationserscheinungen sind in südlicher Richtung bis zur Höhe 281,6 bei Reichenbach zu verfolgen. Vom Verfasser konnte noch weiter im Südwesten, und zwar bei Kleinschweidnitz, südwestlich von Löbau, eine kräftige Rekristallisation im beanspruchten Lausitzer Granodiorit nachgewiesen werden (vgl. Abschn. II, C, 1b). Die Erhaltung der Deformationsstrukturen im Granodiorit weist darauf hin, daß die posttektonische Durchwärmung unter statischen Bedingungen vor sich ging (Möbus 1958).

Im Nordosten erfaßt der Kontakthof des Königshainer Stockgranites auch die altpaläozoischen Ablagerungen des Görlitzer Schiefergebirges, u. a. das unterkarbonische Kieselschiefer-Konglomerat, so daß in der Annahme variscischen Alters sich alle Bearbeiter einig sind. Die Intrusion wird vermutlich im Anschluß an die Bewegungen der asturischen Phase erfolgt sein; genetisch ist der Stockgranit eine posttektonische Intrusion.

Dem Königshainer Stockgranit im Nordosten des Lausitzer Granitmassivs entspricht im Westteil des Massivs petrographisch fast völlig der bereits genannte Stockgranit von Stolpen östlich von Dresden. Er ist ebenfalls ein echter Granit, der oft miarolitische Hohlräume führt. Im Kontakthof des Granits wurde — wie beim Königshainer Stockgranit — die blastische Verheilung alter Kataklasstrukturen mehrfach beobachtet (Ebert 1943, S. 30).

Vom Verfasser wird vermutet, daß die beiden Stockgranitvorkommen der Lausitz unter der Oberfläche miteinander in Verbindung stehen. Bei einem tieferen Anschnitt könnten sich eventuell Umrisse ergeben, die denen des gleichalten (?) Iser-Riesengebirgsgranits entsprechen, d. h.: im Osten eine Nordost-Südwest gerichtete Intrusionszone, die nach Westen in ein etwa Ost-West gerichtetes Streichen überleitet (vgl. Abb. 3 u. S. 93).

Hinweise für einen möglichen Zusammenhang der Lausitzer Stockgranite sind — neben den Rekristallisationserscheinungen bei Kleinschweidnitz im Raum von Löbau (Möbus 1958) — kaum gegeben (vgl. Möbus 1962a, S. 127).

Der Stolpener Stockgranit wird von porphyrischen Ganggesteinen durchsetzt. Er ist somit älter als der saure Gangmagmatismus der westlichen Lausitz. Dies trifft auch für den Königshainer Stockgranit zu. Obwohl in diesem bisher keine porphyrischen Ganggesteine beobachtet wurden, spricht für ein höheres Alter die Beobachtung, daß die Porphyre und Quarzporphyre in der Umgebung des Königshainer Stockgranites keine kontaktmetamorphe Erscheinungen aufweisen (Hazard 1895a, S. 24).

Es ergibt sich für die jüngere, variscische Entwicklung des Lausitzer Grundgebirges folgendes Zeitschema: Intrusion der posttektonischen Stockgranite im Bereich von tektonischen Schwächezonen und danach Platznahme der sauren porphyrischen Ganggesteine.

i) Die saalische Phase[1])

Im erzgebirgischen Becken und in Nordsachsen liegt das keine magmatischen Gesteine mehr enthaltende Oberrotliegende mit deutlicher Diskordanz auf den Bildungen des Unterrotliegenden.

Im Bereich der Elbtalzone und des Lausitzer Grundgebirges ist eine sichere Einstufung von Störungen saalischen Alters nicht möglich, da hier Oberrotliegendes fehlt. In die saalische Phase gehören vermutlich die großen Nordwest-Südost streichenden Störungen mit Abschiebungscharakter, die das Rotliegendbecken von Döhlen (s. Pietzsch 1962) durchsetzen. Auch im Unterrotliegend-Vorkommen von Weißig östlich von Dresden (Becker 1959) können bereits saalische Störungen entstanden sein.

In allen Gebieten mit Oberrotliegendem geht dieses allmählich in die Ablagerungen des Zechsteins über.

---

[1]) Der Abschnitt „Das Rotliegende" der Habilitationsschrift (Möbus 1962a, S. 129) wurde vollständig gekürzt.

2. *Westsudeten*

a) Magmatismus und Tektonik

Das Kernstück der variscischen magmatischen Gesteine in den Westsudeten bildet der Iser-Riesengebirgsgranit. Mit seiner im großen gesehen ost–westlichen Erstreckung liegt er — in seinem westlichen Teil — zwischen den assyntisch geformten Iser-Riesengebirgsgneisen im Norden und den jungkaledonisch (?) gefalteten altpaläozoischen Serien des südlichen Iser-Riesengebirges.

Seine Intrusion erfolgte nach Cloos (1925, S. 15) in der asturischen Phase. Mit der Platznahme wird eine Heraushebung des Riesengebirgskammes in Verbindung gebracht, die sich in der Schüttung eines mächtigen Gneiskonglomerates in die Innersudetische Mulde zu erkennen gibt (Bederke 1956). Im höheren Oberkarbon erscheinen in den Konglomeraten der Innersudetischen Mulde die lamprophyrischen Ganggesteine des posttektonischen Granitmassives als Gerölle.

Die Ergebnisse der ersten absoluten Altersbestimmungen des Iser-Riesengebirgsgranits, die aus den Laboratorien des U.S. Geological Survey in Washington vorliegen, stimmen mit der geologischen Einstufung nicht genau überein. Proben des Granites aus Szklarska Poreba (Schreiberhau) haben nach der K/Ar-Methode ein Alter von 304 Mio. Jahren, nach der Rb/Sr-Methode ein Alter von 292 Mio. Jahren (Przewlocki, Magda, Thomas & Faul 1962). Der Iser-Riesengebirgsgranit wäre danach nur wenig jünger als der Lausitzer Granodiorit (vgl. S. 79).

Cloos unterscheidet auf Grund des Schlierenbaues zwei Intrusionszonen („Quellkuppen"). Der einen folgt mit Ost-West-Streichen der morphologische Kamm des Riesengebirges, die andere kulminiert am Ostrand mit nordost–südwestlichem Verlauf. „Der Granit stieg in zwei langgestreckten, breitgeöffneten, in der SO-Ecke des Massivs stumpfwinklig zusammenstoßenden Öffnungen — sozusagen riesenhaften Spalten — empor . . ." (Cloos 1925, S. 115).

In diesen beiden „Spalten" sind alt angelegte tektonische Elemente zu sehen. Die Nordost–Südwest-Störung am Ostrand des Riesengebirgsgranites ist bereits in assyntischer Zeit deutlich wirksam (Oberc 1961; s. Abschn. II, A, 4a). Im Unterkarbon bildet sie etwa die Grenze zwischen dem Hebungsgebiet des Riesengebirges und dem Senkungsgebiet der Innersudetischen Mulde. Lamprophyrische und porphyrische Ganggesteine des Riesengebirgsgranites sind — Nordost–Südwest verlaufend — im Ostteil des Massivs deutlich gehäuft.

In der nordöstlichen Verlängerung des Gangzuges liegt im Bober-Katzbachgebirge der Porphyrstock von Altenberg, der als subvulkanischer Ausläufer des Riesengebirgsgranites angesehen wird.

Tektonisch tauchen die Achsen des Grundgebirges mit Annäherung an die Nordost–Südwest-(Lineament-)Zone mit zunehmendem Einfallen in einer Großflexur ab (Máška 1954).

Auch die zweite, etwa Ost–West gerichtete Haupterstreckung des asturischen Granites ist als eine alte tektonische Zone anzusprechen. Sie trennt —zumindest im westlichen Teil — die assyntischen Iser-Riesengebirgseinheiten von den altpaläozoischen Gesteinen. Auffällig ist, daß die beiden größten Devonvorkommen der Westsudeten auf dieser Linie liegen, und zwar westlich (Mulde von Świebodzice) und östlich (Ještěd-Devon) des Riesengebirgsgranites. Die Grenze des Lausitzer Granodiorits und des Rumburger Granits verläuft — nach neueren Bohrungen — unter dem tertiären Braunkohlenbecken von Zittau ebenfalls in ost–westlicher Richtung (Vacl & Cadek 1962, S. 380).

Der Riesengebirgsgranit benutzte — ebenso wie der Stockgranit der Lausitz — Störungszonen des tieferen Untergrundes zu seinem Aufstieg in höhere Krustenbereiche.

Vor der Intrusion des Riesengebirgsgranites war nach Cloos (1925, S. 178) bereits ein Gewölbebau vorhanden, der durch das Magma nicht angelegt, sondern nur weitergebildet worden ist. Diese Verhältnisse erinnern an den erzgebirgischen Raum, für den Gneisgewölbe kennzeichnende tektonische Strukturen sind.

Über die Auswirkungen der variscischen Faltung auf die älteren Gesteine der Westsudeten liegen keine näheren Angaben vor. Erschwerend für die Aussagen ist das weiträumige Fehlen von Devon und Unterkarbon im Raum nördlich und südlich des Iser-Riesengebirgsgranits.

3. Erzgebirge

a) Magmatismus und Tektonik

Aus dem umlaufenden Streichen der assyntisch geformten Gneiseinheiten des Erzgebirges sind Kuppeln abzuleiten, von denen die bekanntesten die Freiberger, Annaberger und Marienberger Gneiskuppel sind (s. PIETZSCH 1962, S. 657). Im Kern der Aufwölbungen stecken granitische Intrusionen, die z. B. als Granit von Niederbobritsch in der Freiberger Gneiskuppel die Oberfläche erreichen. Neben den aufgeschlossenen Graniten sind in den letzten Jahren durch bergmännische Aufschlüsse und Bohrungen auch an anderen Stellen des Erzgebirges, so z. B. in der Annaberger Gneiskuppel (BEYER 1960), granitoide Gesteine nachgewiesen worden.

Zwischen den erzgebirgischen Gneiskuppeln und den Granitintrusionen besteht nach SCHMIDT (1959, S. 85) kein ursächlicher Zusammenhang dergestalt, daß die Granite die Emporwölbung verursachten (WATZNAUER 1954). Die tektonische Anlage der Kuppeln ist älter als die Platznahme der Granite. Die aufsteigenden Schmelzen haben die zur Verfügung stehenden Räume jedoch weiter ausgestaltet. So wurden die Scherflächen der (sudetischen) Einengungstektonik und die dazu gehörenden Streckflächen (sogenannten „Schwebenden"; s. BEYER 1960; RADTKE 1959) der Beulung (Aufkupplung)zu Spalten erweitert, in denen die flüchtigen Phasen der eindringenden Schmelzen zum Absatz kommen konnten.

Bereits KOSSMAT (1925) vermutete, daß das Erzgebirge durch einen ausgedehnten granitischen Körper unterteuft wird, von dem die sichtbaren Granite nur Ausstülpungen der reich gegliederten Kopffläche darstellen (WATZNAUER 1954; 1960, S. 64). Geophysikalisch hebt sich der Gesamtpluton durch ein ausgedehntes und kräftiges Schwereminimum in Bereich des gesamten Erzgebirges hervor (GROSSE, CH. OELSNER & BREMER 1961; CH. OELSNER 1963).

In Verbindung mit den angeführten Beobachtungen aus dem Lausitzer und erzgebirgischen Raum ist von Interesse, daß die Kammlinien des etwa Ost–West bis Nordost–Südwest streichenden Gesamtplutons bevorzugt Nordwest–Südost verlaufen. Im Oberflächenanschnitt sind diese Verhältnisse besonders gut am Kirchberg–Eibenstocker Granit sichtbar, der in südöstlicher Richtung in den böhmischen Raum fortsetzt. Die tektonischen Hauptrichtungen spiegeln sich auch in den Kluftplänen der erzgebirgischen Granite wider (s. SCHMIDT 1959, S. 85).

Die Intrusion der einzelnen Teilkörper des erzgebirgischen granitoiden Tiefenmassives hat sich über einen längeren Zeitraum erstreckt, der vom tieferen Oberkarbon bis in das Ende des Unterrotliegenden reicht (s. WATZNAUER 1954). Auf Grund der unterschiedlichen geologischen Stellung, des verschiedenen Charakters der zugehörigen Lagerstätten und des Gesteinschemismus ist mit drei (?) zeitlich unterschiedlichen, bevorzugten Intrusionszeiten zu rechnen, die tektonischen Bewegungen zugeordnet werden können (s. BAUMANN 1958, S. 21).

Die Platznahme der lamprophyrischen Ganggesteine des Erzgebirges vollzog sich im wesentlichen in dem Zeitraum nach der Intrusion der sog. älteren Granite [Niederbobritsch bei Freiberg, Schellerhau, Fláje (Fleyh)] im Anschluß an die erzgebirgische Phase und vor der asturischen Phase (BAUMANN 1958, S. 22).

Die vom Verfasser in die spätassyntische Zeit gestellte Herauskippung der erzgebirgischen Scholle nach Südosten bewirkte, daß die Granite — bezogen auf die prae-ordovizischen Serien — im westlichen Erzgebirge in höheren Bereichen (Glimmerschiefer) liegen als im Osten (Gneise). Die Kippungstendenz der Erzgebirgsscholle belebte sich in der variscischen Tektogenese erneut, so daß im östlichen Erzgebirge die altpaläozoischen Gesteine bis auf Reste (z. B. Scholle von Altenberg) abgetragen sind.

Der Platznahme der Granite ging im Erzgebirge eine frühvariscische Stoffmobilisation voraus. Sie bewirkte in den heute aufgeschlossenen Bereichen eine Albit–Oligoklas-Neusprossung, die in den Oberen Freiberger Gneisen (Marienberger, Annaberger Gneis), der Glimmerschieferhülle und in den untersten Phylliten in gleicher Weise vorhanden ist (SCHMIDT 1959, S. 94)[1]).

Für ein frühvariscisches Alter der geothermischen Reaktivierung der erzgebirgischen Metamorphite sprechen die nach der K/Ar-Methode ermittelten letzten Stoffveränderungen. Das absolute Alter der erzgebirgischen Gneise (Graugneise, Rotgneise) liegt zwischen 380 und 310 Mio. Jahren (WINOGRADOW u. a. 1959, 1962). „Wenn wir nach der Zeittabelle von KULP (1960) die Grenze Devon/Karbon im groben auf 350 bis 355 Mio. Jahre legen, ist das bestimmte Alter nirgends größer als der Unterkarbon" (SATTRAN 1961, S. 122).

4. *Die variscische Orogenese (Zusammenfassung)*

Der initiale Magmatismus der variscischen Orogenese setzt in den vollständigen Devonprofilen des Vogtlandes nach der reußischen Phase zu Beginn des Oberdevons ein. Im Elbtalschiefergebirge beginnt — nach einer durch jungkaledonische Bewegungen verursachten Schichtlücke — das Oberdevon ebenfalls mit initialen Magmatiten, auf die im höheren Oberdevon eine vorzugsweise kalkige Sedimentation folgt. Im Görlitzer Schiefergebirge ist Unter-, Mittel- und Oberdevon nachgewiesen. In den Westsudeten ist nach den neuen Beobachtungen eine orogenetische Herausfaltung in jungkaledonischer Zeit fraglich geworden. Epirogene Geschehnisse werden überwiegen. Die Oberdevon-Vorkommen des Ještěd (Jeschken) ČSSR lassen die Beziehungen des südlichen Iser- und Riesengebirges zu dem sicher variscisch gefalteten Elbtalschiefer-Gebirge besonders deutlich erkennen.

Die bretonische Phase macht sich in Sachsen kaum bemerkbar. Konglomeratische Schüttungen (Kieselschiefer-Konglomerat) im Unterkarbon weisen auf eine verstärkte Bodenunruhe hin.

In die frühvariscische Zeit gehört vermutlich eine metasomatische Mobilisation des Untergrundes. Sie bewirkte in den heute aufgeschlossenen Bereichen des Erzgebirges (Gneise, Glimmerschiefer, Altpaläozoikum) eine Albit–Oligoklas-Neusprossung. Die zeitliche Stellung dieser Tiefenvorgänge spiegelt sich vermutlich in den absoluten Alterszahlen der erzgebirgischen Gneise wider.

Im Lausitzer Grundgebirge ist heute ein Niveau der metasomatischen Umbildungen aufgeschlossen, in dem es durch Granitisierung bis zur Bildung des feinkörnigen, hybriden Zweiglimmergranodiorits aus Lausitzer Grauwacke kam.

In größerer Tiefe führten die anatektisch-metasomatischen Vorgänge zu der Entstehung von palingenen Schmelzen. Vermutlich im Anschluß an die sudetische Phase stieg das palingene Magma in der Lausitz in höhere granitisierte (Zweiglimmergranodiorit) und nicht veränderte Dachgesteine (Lausitzer Grauwacke) auf und kam dort als Lausitzer Granodiorit zur Erstarrung.

Im erzgebirgischen Raum entstand in der Tiefe vermutlich in frühvariscischer Zeit der granitoide Tiefenkörper, aus dem im Verlaufe des Oberkarbons bis zum Ende des Unterrotliegenden die heute bekannten Granite in mehreren Intervallen gefördert wurden.

Der Lausitzer Granodiorit setzt westlich der postsenonen Lausitzer Überschiebung unter den Kreidesandsteinen der Elbtalzone fort und steht südwestlich von Pirna als Dohnaer Granodiorit im Intrusivkontakt mit nachspilitischer Grauwacke (Weesensteiner Grauwacke) nochmals an. Entsprechende Verhältnisse liegen in den kleinen Grundgebirgsvorkommen im Elbtal bei Děčín (Tetschen) vor.

Nördlich von Dresden ist bei Strehla ein Granodiorit vom Typ des Lausitzer Granodiorits — ebenfalls im Kontakt mit nachspilitischer Grauwacke (Clanzschwitzer Grauwacke) — aufgeschlossen. Unter jüngerer Bedeckung setzen beide Gesteine vermutlich bis in den Raum von Leipzig fort.

---

[1]) Auch hierin ist ein Hinweis für eine spätassyntische Schollenkippung des Erzgebirges zu sehen. Wären diese Vorgänge erst in der variscischen Tektogenese erfolgt, so müßte eine Steigerung der variscischen Metamorphose von den Phylliten über die Glimmerschiefer bis zu den Gneisen erkennbar sein.

Die Entstehung des Lausitzer Granodiorits aus Lausitzer Grauwacke bzw. Zweiglimmergranodiorit ist durch schwermineralanalytische Untersuchungen an Zirkonen zu verfolgen. Die große lithologische Einförmigkeit der nachspilitischen Grauwackenserie wird die sehr homogene Ausbildung des fast stets mittelkörnigen Lausitzer Granodiorits begünstigt haben. In bezug auf Erzlagerstätten ist der Granodiorit steril. Das räumliche Gebundensein von Grauwacke und Granodiorit spricht für keinen weiten Intrusionsweg der palingenen Schmelze.

Die sudetische Phase ist die tektonische Hauptphase der variscischen Orogenese. Sie bewirkte den Umschwung des initialen zum synorogenen Magmatismus. Die erzgebirgisch streichenden Antiklinalzonen des westelbischen Raumes wurden zu dieser Zeit herausgewölbt. Die Schwächezone des Elbelineamentes bewirkte vermutlich eine Abweichung der regionalen variscischen Druckrichtung (NW–SE), so daß die isoklinale Faltung der altpaläzoischen Gesteine im Elbtalgebiet durch eine Nordost–Südwest gerichtete Einengung hervorgerufen wurde.

Der Wechsel der Verformungsrichtungen gab vielleicht zur Bildung der erzgebirgischen Gneiskuppeln Anlaß, die vor der Intrusion der variscischen Granite bereits vorhanden waren und von diesen weiter ausgestaltet wurden.

Eine Nordost–Südwest gerichtete Einengungstektonik ist auch im Görlitzer Schiefergebirge wirksam gewesen. Die sudetische Phase bewirkte im Lausitzer Grundgebirge eine zweite Überprägung der jungassyntisch gefalteten Lausitzer Grauwacke. Die dabei entstandenen Nordwest–Südost gerichteten Störungszonen benutzte der Lausitzer Granodiorit zu seinem Aufstieg in höhere Krustenbereiche. Die tektonischen Leitlinien des Lausitzer Granodiorits, die sich in einem späteren Stadium der Erstarrung als weitreichende Kluftflächen in die Dachgesteine (Zweiglimmergranodiorit, Grauwacke) durchpausten, sind stets Ost–West gerichtet. Letzteres trifft auch für die Vorkommen zu, die westlich des zusammenhängend aufgeschlossenen Lausitzer Granitmassives liegen (z. B. Granodiorit von Strehla).

Das seit der sudetischen Phase gefaltete und teilweise phyllitisierte Schiefergebirge im Bereich der Elbtalzone sowie das Erstarrungsgefüge des Lausitzer (Dohna, Laaser) Granodiorits und die benachbarten Grauwacken wurden in der erzgebirgischen Phase von Beanspruchungen erfaßt. Im Zusammenhang mit diesen Bewegungen entstanden nach Südwesten gerichtete Aufschiebungen und Überschiebungen, die sich besonders an der Grenze tektonisch verschieden reagierender Einheiten, so z. B. zwischen Elbtalschiefergebirge und Erzgebirge (Ausbildung der Mittelsächsischen Störung) steigerten.

Im Anschluß an die erzgebirgische Phase intrudierten in der Elbtalzone die Hauptgesteine des Meißener Massivs. Der Syenodiorit zeichnete bei seinem Aufstieg die assyntisch entstandenen Texturumbiegungen aus der erzgebirgischen in die herzynische (sudetische) Richtung nach (?). Der Magmenkörper selbst folgt dem Elbelineament und ist nach Norden und Süden unter jüngeren Gesteinen geophysikalisch weiter zu verfolgen.

Die magmatischen Gesteine des Meißener Massivs rekristallisierten die erzgebirgisch entstandenen Deformationen. Im Erzgebirge stiegen im Anschluß an die erzgebirgische Phase aus dem sich differenzierenden palingenen granitoiden Tiefenkörper in einer ersten Intrusionsperiode die Granite von Niederbobritsch bei Freiberg, Schellerhau und Fláje (Fleyh) auf. Sie sind arm an Lagerstätten.

Zwischen erzgebirgischer Phase und Bewegungen an der variscischen Westlausitzer Störung liegt im Erzgebirge, in der Elbtalzone und in der Lausitz die Hauptintrusionszeit der lamprophyrischen Ganggesteine. Im Lausitzer Grundgebirge spiegelt die räumliche Anordnung der Lamprophyre, die im Gegensatz zu Apliten und Pegmatiten reichlich vorhanden sind, einen fächerförmigen Bau wider. Der Mittelpunkt des nach Norden geöffneten Fächers ist südlich von Löbau zu suchen. Ursache dieser Anordnung dürfte eine Aufwölbung sein, die in den jeweiligen Gebieten Q-, S- oder Diagonalklüfte des Granodiorits zu Spalten öffnete. Auf ihnen drang die sich differenzierende lamprophyrische Schmelze auf.

Jünger und mit keiner tektonischen Phase in Verbindung zu bringen sind die bereits erwähnten Bewegungen an der vermutlich spätassyntisch angelegten Westlausitzer Störung zwischen

Großenhain und Dresden. Die Restkristallisationen im Kontakthof des Meißener Plutons werden dabei abgebaut.

Die tektonischen Erscheinungen (Schichtverstellungen, Harnischrillungen) lassen im Bereich der Westlausitzer Störung auf Horizontalbewegungen von einigen Kilometern Schubweite schließen, wobei in Nachzeichnung der spätassyntischen Bewegungen (?) die östliche Scholle relativ nach Südosten bewegt wurde. Auf diese Vorgänge, die in ähnlicher Form auch im Görlitzer Schiefergebirge zu vermuten sind, geht im wesentlichen die heutige Lage der Gesteinseinheiten zueinander zurück.

Im Raum von Dresden wird die Westlausitzer Störung durch eine Nordost–Südwest verlaufende Blattverschiebung versetzt. Ähnliche Bewegungen sind auch in anderen Teilen der Elbtalzone und im Erzgebirge beobachtet worden. Sie sind ferner im Lausitzer Granitmassiv vorhanden und bilden dort besonders eine Störungszone, die von Rumburk in nordöstlicher Richtung bis nördlich von Löbau zu erkennen ist. Im Görlitzer Schiefergebirge bewirkten Nordost–Südwest gerichtete Blattverschiebungen u. a. vermutlich die Zerstückelung des unterkambrischen Kalksteinzuges.

Das Alter dieser Störungen ist generell gesehen asturisch, wie die Verhältnisse in den Oberkarbonvorkommen des östlichen Erzgebirges und das Erscheinen von porphyrischen Ganggesteinen auf diesen Verwerfungsflächen erkennen lassen.

Im Anschluß an die asturische Phase vollzog sich im Erzgebirge die zweite Intrusionsphase, zu der die Granite von Kirchberg–Eibenstock, Annaberg und Freiberg gehören. Sie bilden Erzlagerstätten von großer wirtschaftlicher Bedeutung.

Im Lausitzer Raum gehören die Stockgranite von Stolpen und Königshain zeitlich hierher. Zu ihrem Aufstieg benutzen sie vorhandene Störungszonen. So sitzt der Königshainer Granit auf der Kreuzungsstelle der Nordost–Südwest verlaufenden Rumburk–Löbauer Störung mit den während der erzgebirgischen Phase entstandenen randlichen Verformungszonen des Lausitzer Plutons.

Zwischen beiden Stockgranitvorkommen der Lausitz wird ein Zusammenhang unter der Oberfläche vermutet. Bei einem tieferen Anschnitt dürfte eventuell eine dem Riesengebirgsgranit ähnliche Umrißform zu erwarten sein.

Der Riesengebirgsgranit, das variscische Kernstück der Westsudeten, hat ebenfalls alt angelegte Nordost–Südwest (Ostteil) bzw. etwa Ost–West (Westteil) verlaufende Störungszonen zu seinem Aufstieg benutzt. An ihn sind Lagerstätten gebunden.

Der Porphyrmagmatismus des betrachteten Raumes setzt im höheren Oberkarbon (Westfal B) ein und ist bis in das Unterrotliegende zu verfolgen, wobei eine sichere zeitliche Einstufung der einzelnen Vorkommen oft nicht möglich ist. Im Lausitzer Grundgebirge sind die porphyrischen Gänge in der Hauptsache jünger als die Stockgranite (z. B. Stockgranit von Stolpen).

Unterrotliegende Sedimente sind in mehr oder weniger ausgedehnten Resten besonders in der Elbtalzone und in der dem Görlitzer Schiefergebirge benachbarten Nordsudetischen Mulde zu finden.

III. Hinweise auf Erzlagerstättenbildungen

In Anlehnung an den in den vorangegangenen Abschnitten dargelegten geologisch-tektonischen Entwicklungsablauf des betrachteten Raumes sollen abschließend einige allgemeinere Hinweise auf die wichtigsten Erzlagerstättenbildungen zu den verschiedenen Zeiten gegeben werden. Als zweckmäßig erweist es sich, innerhalb der an Magmatite gebundenen Erzlagerstätten zu unterscheiden zwischen: a) Bildungen, die mit dem initialen Magmatismus in Verbindung zu bringen sind, b) Kontaktlagerstätten in der Umgebung von Plutonen und c) Erzen, die im Laufe der Erstarrung von granitoiden Schmelzen in den pneumatolytischen und hydrothermalen Stadien vorzugsweise auf Spalten zum Absatz gelangten. Hinzuzufügen sind sedimentäre klastische Lagerstätten, deren Bedeutung jedoch gering ist.

a) Für die Geosynklinalzeit kommt vorzugsweise die Entstehung von submarin hydrothermal-sedimentären Eisenerzen in Betracht, die besonders aus der variscischen geosynklinalen Zeit unter der Bezeichnung Lahn–Dill-Typ bekannt geworden sind (s. RÖSLER 1962).

Oberdevonische Eisenerze treten in lagerstättenbildendem Ausmaß, wie sie z. B. im Schleizer Raum Ostthüringens zu finden sind, in der Umrandung des Erzgebirges und in dem Oberdevon der Elbtalzone nicht auf. Im Lausitzer Raum können sie nur im Görlitzer Schiefergebirge erwartet werden, in Zusammenhang mit einem oberdevonischen, basischen Magmatismus. In den Westsudeten fehlen bisher Hinweise auf variscische geosynklinale Lagerstätten des Oberdevons und Unterkarbons.

Die Bildung von geosynklinalen Erzvorkommen ist in dem betrachteten Gebiet grundsätzlich auch während der kaledonischen und assyntischen Zeit möglich gewesen. Kaledonische Roteisenerzbildungen sind in dem im höheren Silur des südlichen Iser- und Riesengebirges anzutreffenden initialen Vulkanitkomplex enthalten.

Eine größere Bedeutung scheint diesem Lagerstättentyp während der assyntischen Geosynklinalzeit (Spilit-Stufe) zuzukommen. Die primären Bildungsbedingungen sind in der Regel schwer zu erkennen, da bereits während der frühassyntischen anatektisch-metasomatischen Mobilisierung der Vorspilit- und Spilit-Stufe eine Umwandlung (meist unter Magnetitbildung) zu Skarnen erfolgte. Erschwerend kommt hinzu, daß in der Nähe der assyntischen Biotitgranite (Rotgneise) und der variscischen Granite mit kontaktmetamorphen Veränderungen und hydrothermalen Zufuhren zu rechnen ist.

Ein Verbreitungsgebiet solcher ursprünglicher Roteisenlager liegt im westlichen Erzgebirge (LANGE 1962). In den Westsudeten gehört unter anderem die seit langem bekannte Magnetitlagerstätte von Kowary (Schmiedeberg) hierher (W. E. PETRASCHECK 1933, S. 194), deren Erzlager bevorzugt zwischen initialen Vulkaniten (Grünschiefern) im Liegenden und kristallinen Kalken im Hangenden erscheinen (W. E. PETRASCHEK 1933). Nach neuen polnischen Arbeiten besitzt auch die Pyritlagerstätte von Wiesciszowice (Rohnau) eine effusiv-exhalativ-sedimentäre Entstehung (JASKOLSKI 1962). Sie liegt ebenfalls in den algonkischen Geosynklinalserien des östlichen Riesengebirges, in denen neben basischen Vulkaniten auch Quarzkeratophyre vorhanden sind.

Im Lausitzer Grundgebirge fehlt dieser assyntische Lagerstättentyp, da die bekannte Sedimentation erst mit der Nachspilit-Stufe einsetzt.

b) Kontaktlagerstätten treten im Erzgebirge sowohl in der Nachbarschaft der spätassyntischen (Rotgneis-) Biotitgranite (s. KIRSCH 1956) wie auch in den Kontakthöfen der variscischen Plutone (z. B. Berggießhübel) auf. Sie sind besonders an kalkig-dolomitische Sedimente, bzw. an kalkreiche Diabastuffe (REH 1931, ZEMÁNEK 1959) gebunden. Derartige Gesteine erscheinen in der höheren Spilit-Stufe sowie im Kambrium und im Devon — soweit die letzten beiden Serien im Erzgebirge überhaupt vorhanden sind. Für die kaledonisch geprägten Teile der Westsudeten scheidet dieser Lagerstättentyp aus, da zu dieser Zeit die granitoiden Magmatitkörper fehlen. Die im Kontakthof des asturischen Riesengebirgsgranits liegende Skarnlagerstätte von Obří dul [Südhang der Sněžka (Schneekoppe)] zeichnet sich durch Na-Zufuhr vom Granit aus (KRÁLOVÁ & KRÁL 1961).

c) Der Reichtum der variscischen Granite, besonders der erzgebirgischen Plutone, an erzabscheidenden flüchtigen Phasen ist hinreichend bekannt. Innerhalb der Intrusionsperioden ist eine Veränderung der Metallführung festzustellen.

Der im Anschluß an die sudetische Phase aufgestiegene, palingen aus der nachspilitischen Grauwackenserie entstandene Lausitzer Granodiorit ist steril in bezug auf Erzabscheidungen. Die nach der erzgebirgischen Phase intrudierten Granite des Erzgebirges, z. B. Niederbobritsch bei Freiberg und der Granit von Fláje (Fleyh; SATTRAN 1959b), sind lagerstättenarm. Bezogen auf die folgenden jüngeren Granite zeigen sie einen geringeren Grad der Gesteinsdifferentation. Ein reichliches Erzganggefolge ist an die Granitkörper gebunden, die auf die asturische Phase bezogen werden. Besonders kennzeichnend ist die Führung von Kupfer, Blei, Silber, Zink sowie Wismut, Kobalt und Nickel (BAUMANN 1958).

Im westsudetischen Raum gehört altersmäßig der Riesengebirgsgranit hierher, der Erzlagerstätten bildet. Für diese ist der Reichtum an Arsen und das häufige Auftreten kleiner Mengen von Wismut, Kobalt und Zinn charakteristisch (W. E. PETRASCHEK 1933, S. 198). Auch die ebenfalls im Anschluß an die asturische Phase erstarrten Stockgranite der Lausitz (Königshain und Stolpen) führen Erzmineralien und gaben zur Entstehung von kleinen Ganglagerstätten Anlaß (z. B. Quarz-Kupfergang von Ludwigsdorf bei Görlitz; E. W. PETRASCHECK 1934). Den wirtschaftlich unbedeutenden Erzvorkommen der Lausitz ist ein geringer Gehalt von Nickelerzen eigen (W. E. PETRASCHECK 1933, S. 196). Eine Lagerstättenprospektion nach modernen kombinierten Untersuchungsmethoden erscheint in diesem Raum notwendig.

In die saalische Phase gehören die z. T. im subvulkanischen Niveau liegenden Zinngranite, die nur aus dem Erzgebirge bekannt sind.

Pneumatolytische bis hydrothermale Lagerstätten aus der assyntischen Zeit kommen in dem sog. Glimmerschieferzug von Stara Kamienica (Altkemnitz)-Świeradów Zdrój (Bad Flinsberg) im nördlichen Riesengebirge vor. Es handelt sich um Greisenbildungen sowie um kobalt-, kupfer- und zinnführende Lagerstätten. Genetisch dürften sie etwa mit der Entstehung der Leukogranite bzw. mit dem Rumburger Granit in Verbindung zu bringen sein.

Im Erzgebirge konnten bisher keine Ganglagerstätten mit Sicherheit erkannt werden, die an die spätassyntischen Biotitgranite (Rotgneise) gebunden sind.

Sedimentäre oolithische Eisenerzlagerstätten von oberdevonischem Alter sind neuerdings durch Bohrungen im nordwestlichen, größtenteils oberflächlich verdeckten Teil des Görlitzer Schiefergebirges gefunden worden (BRAUSE & HIRSCHMANN 1964). Ihre Entstehung wird vermutlich — wie in den ähnlichen Vorkommen im Ordovizium von Thüringen — an ein Hochgebiet in der Nähe (Mitteldeutsche Schwelle, Lausitzer Schwelle ?) gebunden sein.

IV. Schlußbetrachtung

Vier Gebirgsbildungen haben nachweislich ihre Spuren in dem betrachteten Raum hinterlassen: die moldanubische, assyntische, kaledonische und variscische Orogenese.

Von den Gesteinseinheiten, die seit der moldanubischen Zeit keine durchgreifende Regeneration mehr erfahren haben, sind nur noch Reste erhalten. Hierher gehört westlich der Elbe das Sächsische Granulitgebirge und eventuell das Nordböhmische Granulitgebiet (?). Eine größere Verbreitung dieser katazonal geprägten Serien wird südlich des Böhmischen Algonkiums im eigentlichen „Moldanubikum" angenommen. In den Westsudeten gehört das Gebiet des Eule-Gneises zu den Resten des moldanubischen Gebirges, dessen Relief vermutlich zu Beginn der algonkischen Sedimentation weitgehend eingeebnet war.

Die algonkische Sedimentationsfolge, für deren stratigraphische Einstufung die Gliederung in Böhmen (Vorspilit-, Spilit-, Nachspilit-Stufe) herangezogen wird, beginnt mit einer einförmigen pelitisch-psammitischen Serie von grauwackenartiger Zusammensetzung (Vorspilit-Stufe).

Im Zusammenhang mit dem Erscheinen eines initialen Magmatismus wird die sedimentäre Fazies differenzierter. Besonders kennzeichnend sind Gesteine, die zu Kieselschiefern und Pyritschiefern wurden. In den höheren Teilen der Spilit-Stufe sind auch geringmächtige kalkige Einlagerungen vorhanden. Das Geosynklinalstadium der assyntischen Orogenese wird durch die intra-algonkische Phase abgeschlossen, die — im Sinne von SCHATSKI & BOGDANOW (1958) — als tektonische Hauptphase anzusprechen ist, da mit ihr der initiale Magmatismus abschließt.

Voraus ging diesen Bewegungen eine anatektisch-metasomatische Mobilisation tieferer Bereiche der bis dahin zum Absatz gekommenen mächtigen Gesteinsserien. Im Erzgebirge entstand zu dieser Zeit ein reliktreiches, kleinkörniges Gestein mit granodioritischem Chemismus. Zu einer syntektonischen Texturflächenbildung dürfte es im Erzgebirge dabei nur örtlich gekommen sein. In den Westsudeten bildete sich durch frühassyntische Granitisation der Iser-Riesengebirgsgneis, dessen flächenhafte Textur bereits am Ende der intra-algonkischen Phase vorhanden gewesen sein dürfte. Reliktische Bereiche aus der Vorspilit- bzw. Spilit-Stufe fehlen im Erzgebirge. Im westsudetischen Raum sind sie in Form der sog. Glimmerschieferzüge von Jelenia Góra (Hirschberg) in westlicher Richtung bis in das nördlichste Ještěd(Jeschken)Gebirge/ČSSR zu verfolgen. In Böhmen ist die vorspilitische und spilitische Sedimentationsfolge nicht bzw. nur schwach metamorph verändert (phyllitisiert).

Als Auswirkung der orogenetischen Hauptphase (intra-algonkische Phase) setzte eine Heraushebung ein, und in den entstehenden Vortiefen des aufsteigenden Gebirges kam die mächtige, sehr einförmige pelitisch-psammitische Nachspilit-Stufe zum Absatz. Die gelegentlich in den grauwackeartigen Sedimenten enthaltenen Gerölleinlagerungen sagen aus, daß zu der Zeit ihrer Schüttung im wesentlichen die niedrigmetamorphen Gesteinsserien des assyntischen Gebirges freilagen, in deren Bereich die Kopfteile einiger Granodioritplutone bzw. ihre Kontakthöfe angeschnitten waren. Saure Ganggesteine sind reichlicher von der Erosion erfaßt worden.

Bei den erodierten Granodioriten dürfte es sich um palingene Magmatite handeln, die im Anschluß an die intra-algonkische Phase in höhere Bereiche aufgestiegen waren.

Die nachspilitischen Grauwackensedimente sind im ganzen Betrachtungsgebiet mit Ausnahme der Westsudeten vorhanden, wo sie vielleicht abgetragen sind. Große Ausdehnung erlangen sie im Lausitzer Grundgebirge, aus dessen Bereich — im Gegensatz zu den Westsudeten und zum Erzgebirge — keine älteren sedimentären Bildungen bekannt sind.

Die Faltung der nachspilitischen Grauwacken erfolgte vermutlich im Anschluß an ihre Sedimentation, und zwar in der jungassyntischen Phase vor Beginn des Kambriums.

Fossilführendes höheres Unterkambrium ist in vorzugsweise kalkiger Ausbildung aus dem Görlitzer Schiefergebirge bekannt. Mit diesen Bildungen werden die Kalke des Bober-Katzbachgebirges parallelisiert.

In Böhmen ist fossilführendes Mittelkambrium nachgewiesen, welches von mächtigen, ebenfalls kambrischen klastischen Serien unterlagert wird. In den Konglomeraten erscheinen metamorphe Gesteine sowie Magmatite in einem höheren Prozentsatz als in den Gerölllagen der Nachspilit-Serie. Sie machen wahrscheinlich, daß die Heraushebung des assyntischen Gebirges weiterging und nun bereits tiefere Horizonte erfaßte (?).

Frühestens im Anschluß an die jungassyntische Phase intrudierten im Erzgebirge Biotitgranite sowohl in die intra-algonkisch mobilisierten als auch in die nachspilitischen, gefaltet vorliegenden Serien. Die statischen Kontakte zu den letztgenannten Gesteinseinheiten sind reliktisch örtlich erhalten geblieben.

In den Westsudeten gehört hierher die Entstehung des Rumburger Granites, dessen Kontakte gegen den beanspruchten Iser-Riesengebirgsgneis (?) bzw. gegen die reliktischen Schollen aus der Zeit der Spilit-Stufe (Grauwackenschollen) zum Teil noch zu erkennen sind.

Im höheren Kambrium — zeitlich durch die sardische Phase am Ende des Kambriums begrenzt — erfolgt im Erzgebirge eine Durchbewegung sämtlicher bisher zur Bildung gekommener Gesteinsserien (?). Es entstanden im wesentlichen die Texturformen, in denen die erzgebirgischen Gneise heute vorliegen. Die katazonale bis mesozonale Vergneisung ist auf den Raum des Erzgebirges — d. h. auf das Gebiet zwischen Sächsischem und Nordböhmischem (?) Granulitgebirge — beschränkt geblieben. In Böhmen (Raum Prag–Pilsen) und im Bereich nördlich des Sächsischen Granulitgebirges (Raum Leipzig–Clanzschwitz) liegt die nachspilitische Grauwackenserie unvergneist vor. Scharf kommt der Metamorphoseunterschied in der Elbtalzone zum Ausdruck, wo nördlich von Dresden nachspilitische Grauwacken (sog. Grauwackengneise) zusammen mit anderen Serien des Erzgebirges (Graugneise, Rotgneise) entlang der Westlausitzer Störung an die unvergneist gebliebenen, lithologisch und altersmäßig gleichen Nachspilit-Grauwacken der Lausitzer Grundgebirgsscholle grenzen. Das Nebeneinander katazonal bis mesozonal geprägter Serien einerseits und nicht metamorpher Einheiten andererseits wird auf spätassyntische Bewegungen in generell nord-südlicher Richtung zurückgeführt, die die ältesten nachweisbaren Bewegungen des Elbtallineamentes sind(?). Ihrem tektonischen Charakter nach dürfte es sich um Blattverschiebungen handeln, die — nach geophysikalischen Daten — zu einem Versatz der Lausitzer Grundgebirgscholle bis etwa 40 km nach Südosten geführt haben könnten. In den assyntischen Gneisen ist mit Annäherung an die vermutete spätassyntische Störung eine Schleppung der Gneistexturen in die Nordwest–Südost-Richtung festzustellen.

Auf den entstandenen Strukturformen drang nach Abschluß der Bewegungen in der Elbtalzone ein Nordnordwest–Südsüdost gerichteter gangförmiger Turmalingranit auf.

Mit dem Ordovizium (Tremadoc) beginnt ein neuer Entwicklungsabschnitt. Zu dieser Zeit war das östliche Erzgebirge bis zu den frühassyntisch mobilisierten algonkischen Serien (Obere Freiberger Gneise) und den darin enthaltenen palingenen Granodioriten (Unterer Freiberger Gneis) entblößt (?). Reste der transgressiven Auflagerung des nachkambrischen Altpaläozoikums sind in der Scholle von Altenberg im Osterzgebirge erhalten geblieben. Im westlichen Erzgebirge lagern die ordovizischen Sedimente relativ niedrigen metamorphen algonkisch-kambrischen Serien auf, so daß während der variscischen Tektogenese eine weitgehende Verschleifung der ursprünglichen Sedimentations- und Metamorphosediskordanz erfolgte. Erschwerend für eine tektonische Analyse ist, daß der variscische Bauplan mit dem assyntischen in der Regel konform geht.

In dem Ordovizium der Westsudeten (Bober-Katzbachgebirge, südliches Iser-Riesengebirge) sind Abtragungsprodukte der assyntisch geformten Serien enthalten.

Im großen gesehen ist die ordovizisch-silurische Sedimentation im ganzen betrachteten Raum lithologisch recht einheitlich. Das gilt besonders für die Kieselschiefer–Alaunschiefer-Fazies des Silurs. Basische Magmatite sind örtlich in mehr oder weniger großer Mächtigkeit vorhanden.

Die jungkaledonische Orogenese der Westsudeten wurde im wesentlichen durch die Lücke im Anschluß an das bekannte Silur belegt. Nachdem im Görlitzer Schiefergebirge, im westlichen Bober-Katzbachgebirge und im Warthaer Gebirge das tiefe Unterdevon bekannt geworden ist, werden jungkaledonische falten- und metamorphosebildende Prozesse für das gesamte Gebiet östlich der Elbe (Lugikum) sehr fraglich. Hinzu kommt, daß anscheinend der Metamorphosesprung zwischen ordovizisch-silurischen und devonischen Gesteinen überbewertet wurde und somit die Phyllitisierung eventuell erst während variscischer Zeit erfolgt sein kann. Dafür spricht u. a., daß im Oberdevon des Ještěd-(Jeschken) Gebirges, wahrscheinlich ebenfalls im Oberdevon von Świebodzice (Freiburg), initiale Magmatite vorhanden sind. Auch auf Grund ihrer Lithologie sind die oberdevonischen Sedimente kaum als Molassebildungen anzusprechen. Synorogene und subsequente granitoide Gesteine kaledonischen Alters fehlen überhaupt.

Die Auswirkungen der jungkaledonischen Orogenese in England und Skandinavien werden sich zwischen Erzgebirge und Sudeten bevorzugt in epirogenetischen Bewegungen geäußert haben, die zu Sedimentationslücken unterschiedlichen Ausmaßes und zu Faziesänderungen Anlaß geben.

Eine solche Schichtlücke scheint nach den bisherigen Angaben im Elbalschiefergebirge und im südlichen Iser- und Riesengebirge vorzuliegen. Im Görlitzer Schiefergebirge, im Warthaer Gebirge, vermutlich auch im eigentlichen Bober-Katzbachgebirge ist ein Übergang vom Silur in das Devon vorhanden (s. o.). In der thüringischen Fazies westlich der Elbe ist er seit einigen

Jahren gesichert. Die Verhältnisse an der Silur/Devon-Grenze in den Westsudeten ähneln jedoch stärker der Ausbildung der bayrischen Fazies in der Umrandung der Münchberger Masse.

Insgesamt betrachtet ist das kaledonische Geschehen in den Westsudeten nicht mit dem in der assyntischen oder variscischen Orogenese zu vergleichen. Eine Ursache für örtlich stärkere Bodenunruhen zu kaledonischer Zeit ist vielleicht die Lage des betrachteten Gebietes in einer großen Nordwest–Südost streichenden Schwächezone am Rande der fennosarmatischen Tafel.

Der initiale Magmatismus der variscischen Orogenese setzt schlagartig mit Beginn des Oberdevons ein (reußische Phase). Mit ihm ist eine stärkere Faziesdifferenzierung verbunden. Im Unterkarbon wird die im höheren Oberdevon meist kalkige Sedimentation überwiegend klastisch (z. B. Grauwacken, Kieselschiefer-Konglomerate). Stärkere Bewegungen während der bretonischen Phase sind nicht nachzuweisen.

Die Hauptphase der variscischen Orogenese ist die sudetische Phase. Sie ist in Sachsen auf einen relativ geringen Zeitraum im höheren Unterkarbon (höhere Glyphyoceras-Stufe) einzuengen. Sie bewirkte die Phyllitisierung der altpaläozoischen Sedimente in der Umrandung der älteren Blöcke (Erzgebirge, Sächsisches Granulitgebirge). Ferner entstand westlich des Elbelineamentes ein Nordost–Südwest streichender Großfaltenbau. Der von der assyntischen Anlage abhängige Streichrichtungswechsel des isoklinal gefalteten Paläozoikums aus der Nordost–Südwest-Richtung im Erzgebirge in die Nordwest–Südost-Richtung der Elbtalzone (Elbtalschiefergebirge) bewirkte vermutlich im erzgebirgischen Kristallin das Entstehen von Gneiskuppeln, die von den variscischen Graniten weiter ausgebaut wurden.

Im Lausitzer Grundgebirge gehört wahrscheinlich in die frühvariscische Zeit eine anatektisch-metasomatische Mobilisation der nachspilitischen, vorher nicht metamorph veränderten Lausitzer Grauwacke zu dem hybriden Lausitzer Zweiglimmergranodiorit. In größerer Tiefe scheint diese Granitisation weiter gegangen zu sein. Sie führte zu der Entstehung des palingenen Lausitzer Granodiorites, der im Anschluß an die sudetische Phase aufstieg. Er nimmt die Hauptgebiete des Lausitzer Grundgebirges ein und steht im Intrusivkontakt mit dem Zweiglimmergranodiorit und mit der nicht mobilisierten Grauwacke. Letztere ist bis in die Elbtalzone südwestlich von Pirna zu verfolgen. Zu seiner Intrusion in die Dachbereiche verwendete der Pluton in der sudetischen Phase entstandene Nordwest–Südost streichende Störungen.

Im Erzgebirge dürfte durch Granitisierung in frühvariscischer Zeit in unbekannter Tiefe ebenfalls ein ausgedehnter granitoider, palingener Schmelzkörper entstanden sein, von dem — ausgelöst durch tektonische Phasen — in zeitlich verschiedenen Abschnitten ein Aufstieg von Granitoiden in höhere Krustenbereiche erfolgte. Die petrographisch-chemische Zusammensetzung dieser Magmatite läßt eine fortschreitende Differentation des vermuteten Tiefenkörpers erkennen.

Auf die erzgebirgische Phase sind vorzugsweise Nordwest–Südost-streichende Bruchstörungen zurückzuführen (Bereich Elbtalzone, Görlitzer Schiefergebirge), an die z. T. südwestvergente Bewegungen (Aufschiebungen, Überschiebungen) gebunden sind. Die kataklastisch-mylonitische Verformung der Randgebiete des Lausitzer Granitmassives und des Erzgebirges wird durch den im Anschluß an die erzgebirgische Phase in der Elbtalzone aufgestiegenen Meißener Syenodiorit rekristallisiert. Das syenodioritische Gestein folgt in seinem Verlauf dem Elbtallineament und zeichnet mit seinen Texturflächen die assyntisch angelegten Richtungen in den erzgebirgischen Gneisen nach. Zeitlich etwas jünger ist der sog. Meißener Hauptgranit. Im Erzgebirge stiegen im Anschluß an die erzgebirgische Phase u. a. die lagerstättenarmen Granite von Niederbobritsch bei Freiberg und von Fláje (Fleyh) auf.

Zeitlich schließt an diese Intrusionsphase die Platznahme der lamprophyrischen Ganggesteine an, die besonders im Lausitzer Grundgebirge reichlich zu finden sind und die dort durch die Anordnung ihrer Streichrichtungen eine Aufwölbung abzeichnen, deren Zentrum südlich von Löbau zu suchen ist.

Die Rekristallisationserscheinungen im Kontakthof des Meißener Plutons werden durch Bewegungen entlang der altangelegten Westlausitzer Störung abgebaut. Die tektonischen Daten (Rillungen, Schichtschleppungen) sprechen für Horizontalbewegungen, die ein Ausmaß bis etwa 10 km erreicht haben können, wobei — wiederum in Nachzeichnung der alten Anlagen — ein relativer Versatz der Lausitzer Grundgebirgsscholle nach Südosten erfolgte.

Jünger als diese Bewegungen sind Nordost-Südwest streichende Blattverschiebungen, die auf Grund ihrer Beziehungen zu den oberkarbonischen, sedimentären Relikten im Osterzgebirge (z. B. Vorkommen von Westphal B (C) bei Schönfeld) in die asturische Phase gestellt werden. Zu dieser Zeit beginnt ein porphyrischer Gangmagmatismus, der oft den asturischen Blattverschiebungen folgt (z. B. Sayda–Berggießhübeler Gangschwarm im Osterzgebirge; Rumburk–Löbauer Gangzug in der Oberlausitz).

Im Anschluß an die asturische Phase intrudierten die Stockgranite von Königshain und Stolpen in der Lausitz, für die ein Zusammenhang in der Tiefe vermutet wird. Ebenso wie der gleichalte (?) Riesengebirgsgranit der Westsudeten verwenden sie regional vorgezeichnete Störungszonen zu ihrem Aufstieg. Im Erzgebirge haben eventuell die lagerstättenbildenden Granite von Kirchberg–Eibenstock, der oberflächlich nicht angeschnittene Freiberger Granit und einige andere Plutone asturisches Alter.

Der porphyrische, effusive Magmatismus ist besonders im höheren Oberkarbon bis zum Ende des Unterrotliegenden verbreitet. In der Elbtalzone und in der tektonischen Schwächezone, die das Görlitzer Schiefergebirge abbildet, sind auch sedimentäre Folgen des Oberkarbons und des Rotliegenden erhalten geblieben.

Die saalische Phase zeichnet sich durch weithin zu verfolgende, Nordwest–Südost streichende Störungen aus. In Verbindung mit ihr drangen im Erzgebirge zinnführende Granitstöcke bis in ein subvulkanisches Niveau empor (z. B. Granit von Altenberg und von Geyer).

Mit dem Oberrotliegenden, das kontinuierlich in den Zechstein übergeht, endet die orogene Entwicklungsgeschichte in dem betrachteten Bereich. In der Folgezeit werden während der sog. saxonischen Tektonik in der Regel keine neuen größeren Störungen angelegt, sondern nur ältere Zonen posthum belebt und in das Deckgebirge durchgepaust.

Die Übernahme älterer Richtungen beginnt schon früher und ist von den ältesten Anlagen an zu verfolgen. In ihren Grundzügen lassen sich alle tektonischen Richtungen auf eine annähernd Nord–Süd gerichtete Hauptbeanspruchung zurückführen, der die tektonischen Ost–West-Elemente zuzuordnen sind. Die Nordwest–Südost-Richtung (Elbelineament, Westsudetenlineament) und die Nordwest–Südwest-Richtung (z. B. Gneiszonen am Ostrand des Riesengebirgsgranites) erscheinen als Scherspannungsrichtungen, wobei im gesamten Gebiet die, dem westlichen Außenrand Fennosarmatias parallele, Nordwest–Südost gerichtete Komponente stärker und deutlicher ausgebildet ist.

V. Literaturverzeichnis

Ahrens, W.: Gefüge und Entstehungsgeschichte der Gneisgranite des Isergebirges. — Mitt. Abt. Gesteins-Erz-Kohle- u. Salzuntersuchung. Preuss. Geol. Landesanst., H. 2, S. 1—23, Berlin 1926.

Alberti, G.: Unterdevonische Trilobiten aus dem Frankenwald und Rheinischen Schiefergebirge (Ebbe- und Remscheider Sattel). — Geol. Jahrb. **81**, S. 135—156, Hannover 1963.

Ansilewski, J.: The Keratophyres of the Kaczawa Mts. (engl. Resumé). — Archiw. Mineralog., **18**, S. 162—164, Warszawa 1951.

Bartsch, L.: Geologische Untersuchungen im Nordsächsischen Sattel unter Berücksichtigung neuer Fossilfunde aus dem entstehenden Gestein. — Unveröffentl. Dipl.-Arb. Univ. Greifswald, Greifswald 1956.

Baumann, L.: Tektonik und Genesis der Erzlagerstätte von Freiberg (Zentralteil). — Freiberg. Forschungsh. C 46, 208 S., Berlin 1958.

BAUMANN, L.: Neue tektonische und paragenetische Erkundungsergebnisse im Freiberger Lagerstättenbezirk. – Freib. Forschungsh. C 163, S. 13–43, Leipzig 1963.

BAUMANN, L. & G. WEINHOLD: Zum Neuaufschluß des sog. „Felsithorizontes" von Halsbrücke. – Z. angew. Geologie, **9**, S. 338–345, Berlin 1963.

BAUTSCH, H. J.: Über die Sulfide in den Lamprophyren der Lausitz und ihre genetische Ableitung. – Z. Geologie, **12**, S. 362–364, Berlin 1963.

BECKER, H.: Stratigraphie, Tektonik und Lagerungsverhältnisse der Rotliegendscholle von Weißig bei Dresden (Autorref.). – Z. Geologie, **8**, S. 340, Berlin 1959.

BEDERKE, E.: Das Devon in Schlesien und das Alter der Sudetenfaltung. – Fortschr. d. Geol. u. Paläont., **2**, H. 7, Berlin 1924.

BEDERKE, E.: Zum Gebirgsbau der mittleren Sudeten. – Geol. Rundschau, **18**, S. 225–229, Berlin 1927.

BEDERKE, E.: Probleme der Sudetengeologie. – Jahresbericht. Schles. Vaterländ. Cultur, **105**, S. 191–193, Breslau 1932.

BEDERKE, E.: Die kaledonische Gebirgsbildung in Mitteleuropa. – Z. deutsch. geol. Ges., **91**, S. 770–771, Berlin 1939.

BEDERKE, E.: Zum Problem der Lamprophyre. – Akad. d. Wiss. Göttingen, Math.-Phys. Kl., **2**, S. 53–57, Göttingen 1947.

BEDERKE, E.: Die Granitgenerationen des Riesengebirges. – Geotekton. Symposium zu Ehren von H. STILLE, S. 349–359, Stuttgart 1956.

BEGER, P. J.: Culmkohle aus der Nordsächsischen Grauwackenformation. – Centralbl. Min., Geol. u. Paläont., Jahrg. 1914, S. 361–365, Stuttgart 1914a.

BEGER, P. J.: Lausitz: Sammlung geologischer Führer, **20**, 319 S., Berlin (Borntraeger) 1914b.

BEGER, P. J.: Beiträge zur Kenntnis der Kalkalkalireihe der Lamprophyre im Gebiet des Lausitzer Granitlakkolithen. – N. Jahrb. f. Mineral. etc., BB, **40**, S. 583–654, Stuttgart 1916.

BEHR, H. J.: Beiträge zur petrographischen und tektonischen Analyse des sächsischen Erzgebirges. – Freiberg. Forschungsh. C 119, S. 5–64, Berlin 1961.

BENEŠ, K.: Geologisch-petrographische Verhältnisse in der weiteren Umgebung von Hora Sv. Sebastiána in den Krušné hory (Erzgebirge); (deutsch. Resumé). – Sborník ÚÚG, **23**, S. 105–109, Praha 1957.

BENEŠ, K.: Zum Problem der moldanubischen und assyntischen Faltung im Kerne der böhmischen Masse. – Z. Krystalinikum, **1**, S. 11–29, Praha 1962.

BERG, G.: Erl. Geol. Karte v. Preuß., 1:25000, Bl. Flinsberg–Strickerhäuser, Lfg. 262, 38 S., Berlin 1926a.

BERG, G.: Erl. Geol. Karte v. Preuß., 1:25000, Bl. Wigandsthal–Tafelfichte, Lfg. 262, 55 S., Berlin 1926b.

BERG, G.: Erl. Geol. Karte v. Preuß., 1:25000, Bl. Greiffenberg a. Queis, Lfg. 333, 47 S., Berlin 1935.

BERG, G.: Erl. Geol. Karte d. Deutsch. Reich. Bl. „Seidenberg"; Neue Nr. 4956, 36 S., Berlin 1943.

BEYER, E.: Tektonische Untersuchungen im Bereich der Annaberger Graugneiskuppel. – Z. Geologie, **9**, S. 738–758, Berlin 1960.

BLOCK, W.: Das Altpaläozoikum des östlichen Bober-Katzbach-Gebirges. – Geotekt. Forschung., H. 2, S. 56–104, Berlin 1938.

BORKOWSKA, M.: On the granitoids of Kudowa, as compared with the main types of the acid intrusions of the Sudeten Mts. and the Sudetic Foreland. – Archiw. Mineralog., **21**, S. 229–382, Warszawa 1957.

BRAUSE, H.: Ein Unterdevonvorkommen bei Litschen (Lausitz). – Monatsber. Deutsch. Akad. Wiss., **6**, S. 316–320, Berlin 1964.

BRAUSE, H. & G. HIRSCHMANN: Lausitz und Görlitzer Schiefergebirge. – Exkursionsführ. 11. Jahrestag. d. Geol. Ges. i. d. DDR, S. 187–204, Berlin 1964.

BRAUSE, H., G. HIRSCHMANN & K. A. TRÖGER: Einige neue Ergebnisse aus dem Paläozoikum der Lausitz (Die Kartierungsbohrungen am Caminaberg). – Z. Geologie, **11**, S. 792–817, Berlin 1962.

BRÜLL, E.: Zur Altersfrage des Isergebirgsgneises und des Gneises von Groß-Wandriß. – Zentralbl. Mineralog. etc., Jahrg. 1942, Abt. B, S. 8–11, Stuttgart 1942.

v. BUBNOFF, S.: Die westfälische Sedimentation und die asturische Phase in der innersudetischen Mulde. – Fortschr. Geol. Paläont., **9**, H. 29, 91 S., Berlin 1931.

CHALOUPSKÝ, J.: Geologisch-petrographische Verhältnisse im Isertal zwischen Harrachov und Dolné Rokytnice (Isergebirge); (deutsch. Resumé). – Sborník ÚÚG, **24**, S. 189–236, Praha 1958.

CHALOUPSKÝ, J.: Krystalinikum Krkonoš a Jizerských hor. – Sjezdový pruvodce, 13. Sjezd ČS. společnosti pro mineralog. a geolog. v Hradci Králové, S. 4–19, Praha 1962.

CHALOUPSKÝ, J.: Die Konglomerate im Kristallin von Krkonoše (Riesengebirge); (deutsch. Resumé). – Sborník ÚÚG, **28**, S. 143–190; Praha 1963.

CHATTERJEE, N. D.: Die Lamprophyre des Spessarts und das Lamprophyrproblem. – Nachr. Akad. Wiss. Göttingen, 2. math.-phys. Kl., 1959, Nr. 1, Göttingen 1959.

CHLUPÁČ, I.: Nález graptolitu v metamorfovaném siluru u Železného Brodu v Podkrkonosi. – Vestník ÚÚG, **28**, Praha 1953.

CHLUPÁČ, I.: Ein neuer Faunenfund im schwach metamorphierten Paläozoikum von Jestedskeho pohorí (Jeschkengebirge, Nordböhmen); (deutsch. Resumé). — Casopis pro mineral. a. geol., **9**, S. 27—35, Praha 1964.

CLOOS, H.: Einführung in die tektonische Behandlung magmatischer Erscheinungen (Granittektonik). Das Riesengebirge in Schlesien. — 194 S., Berlin (Borntraeger) 1925.

DABER, R.: Die Mittel-Visé-Flora der Tiefbohrungen von Doberlug-Kirchhain. — Beih. Geologie, **26**, Berlin 1959.

DAHLGRÜN, F.: Zur Altersdeutung des Vordevons im westsudetischen Schiefergebirge. — Z. deutsch. geol. Ges., **86**, S. 385—392, Berlin 1934.

DAHLGRÜN, F.: Bemerkungen zum kaledonischen Bau der Westsudeten. — Geotekt. Forschung., **2**, S. 105 bis 106, Berlin 1938.

DATHE, E. & E. ZIMMERMANN: Erl. Geol. Karte v. Preuß., 1:25000, Bl. Freiburg, Lfg. 145, 136 S., Berlin 1912.

DEUBEL, F.: Orogenetische und magmatische Vorgänge im Paläozoikum Thüringens. — Beitr. Geol. v. Thüringen, **1**, S. 16—48, Jena 1927/28.

DEUBEL, F.: Erl. Geol. Kart. v. Preuß., 1:25000, Bl. Gräfenthal, Nr. 3181, II. Aufl., 139 S., Berlin 1929.

DEUBEL, F.: Über die Grenze Vorpaläozoikum/Paläozoikum in Böhmen und Thüringen. — Z. Geologie, **8**, S. 818—827, Berlin 1959.

DUDEK, A. & F. FEDIUK: Zur Altersfrage der Metamorphose im barrandienischen Proterozoikum. — Z. Geologie, **4**, S. 397—403, Berlin 1955.

EBERT, H.: Der variskische Untergrund zwischen Erzgebirge und Jeschken. — Z. deutsch. geol. Ges., **84**, S. 703—717, Berlin 1932.

EBERT, H.: Das Grundgebirge im Elbtal nördlich von Tetschen. — Abh. Sächs. Geol. Landesanst., **14**, 78 S., Leipzig 1934.

EBERT, H.: Hornfelsbildung und Anatexis im Lausitzer Massiv. — Z. deutsch. geol. Ges., **87**, S. 129—147, Berlin 1935.

EBERT, H.: Das vortertiäre Grundgebirge. — In Erl. z. Geol. Kart. v. Sachsen, 1:25000, Bl. Ostritz, Nr. 73, II. Aufl., S. 6—23, Freiberg 1939.

EBERT, H.: Das granitische Grundgebirge der östlichen Lausitz. — Preisschr. d. Fürstl. Jablonowskischen Ges. z. Leipzig, Nr. 58, S. 1—119, Leipzig 1943.

EBERT, H. & R. GRAHMANN: Erl. Geol. Karte v. Sachsen, 1:25000, Bl. Hirschfelde, Nr. 89, 136 S., Leipzig 1937.

EBERT, H., R. GRAHMANN & K. PIETZSCH: Erl. Geol. Karte v. Sachsen, 1:25000, Bl. Dresden, Nr. 66, 3. Aufl., 181 S., Leipzig 1934.

EIGENFELD, R.: Die granitführenden Konglomerate des Oberdevons und Kulms im Gebiete altkristalliner Sattelanlagen in Ostthüringen, Frankenwald und Vogtland. — Abh. Sächs. Akad. Wiss. Leipzig, **42**, Nr. 7, Leipzig 1938.

ENGERT, P.: Die Diabas-Kalkstein-Serie im Elbtalschiefergebirge zwischen Seidewitz- und Bahratal. — Unveröffentl. Dipl.-Arb., Geol. Inst. Univ. Halle, Halle 1954.

ENGERT, P.: Einige neue, bedeutungsvolle Arbeiten über Kambrium und Ordovizium in Mittelböhmen. — Z. Geologie, **5**, S. 13—21, Berlin 1956a.

ENGERT, P.: Beiträge zur Stratigraphie und Tektonik des Elbtalschiefergebirges. — Beih. Geologie, **16**, 72 S., Berlin 1956b.

ERDMANNSDÖRFER, O. H.: Neuere Arbeiten über Metamorphismus und seine Grenzgebiete. — Fortschr. Mineral., Kristallogr., Petrogr., **20**, S. 143—167, Berlin 1936.

ERZBERGER, E.: Die Kartierung und Beschreibung der Kontaktzone des Laaser Granodiorits; (Autorreferat). — Z. Geologie, **8**, S. 325, Berlin 1959.

FEDIUK, F.: The Geological und Petrographical conditions in the Valley of the Jizera between Spálow and Bitouchov (S. District of Železný Brod); (engl. Resumé). — Sborník ÚÚG., **20**, S. 570—576, Praha 1953.

FEDIUK, F.: Volcanic rocks of the Železný Brod Metamorphic region; (engl. Resumé). — Rozpravy ÚÚG, **29**, S. 99—116, Praha 1962.

FEDIUK, F., J. LOSERT, P. RÖHLICH & J. ŠILAR: Die geologischen Verhältnisse des Gebietes der Lausitzer Störung in der Umgebung von Krasna Lipa; (deutsch. Resumé). — Rozpravy Českosl. Akad. VĚD, **68**, S. 37—42, Praha 1958.

FIALA, F.: Some Phenomena of Migmatisation and Granitisation accompanying the "Mountain Granite" from the Cisarský Les (Kaiserwald); (engl. Resumé). — Sborník ÚÚG, **24**, S. 452—459, Praha 1958.

FIALA, F. & J. SVOBODA: The problem of the subcambrian and the subcambrian glaciation in Železné hory (Eastern Bohemia); (engl. Resumé). — Sborník ÚÚG, **22**, S. 299—309, Praha 1956.

FREYER, G.: Neue Untersuchungsergebnisse im Bereich des nordwestlichen Görlitzer Schiefergebirges. — Ber. Geol. Ges., **2**, S. 177—182, Berlin 1957.

FREYER, G. & I. UHLIG: Conodontenfunde aus den Hornsteinen des Gebietes von Nenntmannsdorf (Elbtalschiefergebirge). — Z. Geologie, **12**, S. 621—622, Berlin 1963.

v. GAERTNER, H. R.: Schichtenfolge und Tektonik im mittleren Teile des Schwarzburger Sattels. — Jahrb. Preuß. Geol. Landesanst., **54**, S. 1—36, Berlin 1934.

v. GAERTNER, H. R.: Die Schichtgliederung der Phyllitgebiete in Thüringen und Nordbayern und ihre Einordnung in das stratigraphische Schema. — Jahrb. Reichst. Bodenforsch., **62**, S. 54—80, Berlin 1942.

v. GAERTNER, H. R.: Probleme des Saxothuringikums. — Geol. Jahrb., **65**, S. 409—450, Hannover 1951.

GALLWITZ, H.: Geologie des Jeschkengebirges in Nordböhmen. — Abh. Sächs. Geol. Landesamt., H. 10, 63 S., Leipzig 1930.

GALLWITZ, H.: Die Altersfolge der Intrusionen in der Elbtalzone. — Ber. math.-phys. Kl. sächs. Akad. d. Wiss., **86**, S. 352—382, Leipzig 1934.

GALLWITZ, H.: Die spätvariscische Tektonik und das Magma in Ostsachsen. — Geol. Rundschau, **26**, S. 141—143, Stuttgart 1935.

GALLWITZ, H.: Stratigraphie und tektonische Stellung der Elbtalzone. — Z. deutsch. geol. Ges., **105**, S. 208—213, Hannover 1955.

GOTHAN, W.: Über einige Kulmpflanzen vom Koßberg bei Plauen i. V. — Abh. Sächs. Geol. Landesamt, **5**, S. 1—20, Leipzig 1927.

GOTHAN, W.: Die Altersstellung des Karbons von Flöha (Sachs.) im Karbonprofil auf Grund der Flora. — Abh. sächs. Geol. Landesamt, **12**, 16 S., Leipzig 1932.

GOTHAN, W.: Der „Florensprung“ und die „Erzgebirgische Phase“ Kossmats. — Geologica, **11**, S. 41—49, Berlin 1952.

GOTHAN, W. & F. ZIMMERMANN: Die Oberdevonflora von Liebichau und Bögendorf (Niederschlesien). — Arb. a. d. Inst. f. Paläobotanik u. Petrogr. d. Brennsteine, **2**, S. 103—131, Berlin 1932.

GOTTE, W.: Über Fossilfunde in der Diabas-Kalkstein-Serie der Elbtalzone. — Z. Geologie, **2**, S. 266—267, Berlin 1953.

GOTTE, W.: Beiträge zur Stratigraphie und Tektonik des Wilsdruff-Nossener Schiefergebirges unter besonderer Berücksichtigung der Kalksteinvorkommen. — Unveröffentl. Dipl.-Arb., Geol.-Paläont. Inst. Humboldt-Univ. Berlin, 108 S., Berlin 1954.

GOTTE, W.: Beiträge zur Stratigraphie und Tektonik des Wilsdruff-Nossener Schiefergebirges unter besonderer Berücksichtigung der Kalksteinvorkommen. — Z. Geologie, **4**, S. 198, Berlin 1955.

GOTTE, W.: Ein Beitrag zur Kenntnis der Freiberger Gneiskuppel. — Geotekt. Symposium z. Ehren v. H. STILLE, S. 371—378, Stuttgart 1956.

GRAHMANN, R.: Erl. Geol. Karte v. Sachsen, 1:25000, Bl. Oschatz-Wellerswalde, Nr. 15, 2. Aufl., 68 S., Leipzig 1927.

GRAHMANN, R. & K. PIETZSCH: Erl. Geol. Karte v. Sachsen, 1:25000, Bl. Leipzig, Nr. 11, 2. Aufl., 87 S., Leipzig 1925.

GREILING, L.: Das Gotlandium des Frankenwaldes (Bayrische Entwicklung). — Geol. Jahrb., **73**, S. 301 bis 356, Hannover 1958.

GREILING, L.: Die Grenze Gotlandium/Devon in Lyditfazies (bayrische Entwicklung des Frankenwaldes). — Geol. Rundschau, **49**, S. 389—412, Stuttgart 1960.

GROSSE, S., CH. OELSNER & H. BREMER: Über die gravimetrische Vermessung des Vogtlandes und des Erzgebirges. — Z. angewandt. Geologie, **7**, S. 357—362, Berlin 1961.

GRUHL, H.: Bemerkenswerte Funde von Graptolithen bei Rengersdorf OL. — Z. Geologie, **3**, S. 462—471, Berlin 1954.

GRUHL, H.: Neue Graptolithenfunde in der Oberlausitz. — Abh. u. Berichte d. Naturkundemuseums — Forschungsstelle — Görlitz, **34**, S. 189—191, Görlitz 1955.

GRUHL, H.: Die Graptolithenfunde von Rengersdorf/OL. — Z. deutsch. geol. Ges., **112**, S. 385—388, Hannover 1961.

HAASE, I.: Die Deformation der osterzgebirgischen Gneise südlich der Mittelsächsischen Überschiebung. (Autorref.). — Z. Geologie, **8**, S. 324, Berlin 1959.

HÄNDEL, D.: Das höhere Ordovizium im sächsischen Vogtland. — Ber. Geol. Ges., **4**, S. 93—111, Berlin 1959.

HÄRTEL, F.: Erl. z. Geol. Karte v. Sachsen, 1:25000, Bl. Königsbrück, Nr. 35, 141 S., Leipzig 1929.

HÄRTEL, F.: Über den Bau des Nordwestabschnittes der Erzgebirgisch-Lausitzer-Grenzzone zwischen Roßwein und Riesa in Sachsen. — N. Jahrb. f. Mineral. etc., BB, **72**, Abt. B, S. 488—502, Stuttgart 1934.

HAZARD, J.: Erl. geol. Specialkarte d. Königreichs Sachsen, 1:25000, Sect. Lausigk., Bl. 43, 70 S., Leipzig 1881.

HAZARD, J.: Erl. geol. Specialkarte d. Königreichs Sachsen, Sect. Löbau-Reichenbach, Bl. 56, 36 S., Leipzig 1895.

HEMPEL, G.: Zeitliche Beziehung zwischen variskischer Tektonik und initialen Magmatismus in Ostthüringen. — Geol. Rundschau, **51**, S. 567—573, Stuttgart 1962.

HERRE, R. & H. SCHEUMANN: Steinindustrie im Meißener Raum (Exkursion d. Exkursionstagung 1959 in Dresden). — Ber. Geol. Ges, **5**, S. 95—96, Berlin 1960.

HIBSCH, J. E.: Erl. geol. Karte d. Umgebung von Böhmisch-Kamnitz. — Knihovna státniho geologického ústavu československé republiky, **10**, 99 S., Praha 1927.

HIRSCHMANN, G.: Zur Frage des Seidenberger Granodiorits. — Z. Geologie, **11**, S. 620—621, Berlin 1962.

HOFMANN, J.: Das Geröll eines Pfeifenquarzites aus dem Karbon von Karl-Marx-Stadt–Hainichen (Meßtischblatt Freiberg–Langhennersdorf). — Z. Bergakademie, **14**, S. 69—70, Berlin 1962.

HOLUBEC, J.: Strukturdiskordanz des variscischen und assyntischen Baues im Gebirgssystem von Krušné Hory–Smrčiny (Erzgebirge-Fichtelgebirge). — Věstník UÚG, **36**, S. 393—396, Praha 1961.

HOLUBEC, J.: Superposition der Deformationsakte, Stadien und tektonischen Zyklen. — Z. Krystalinikum, **1**, S. 51—69, Praha 1962.

HOPPE, G.: Das Erscheinungsbild der akzessorischen Zirkone des Lausitzer Granodiorits von Wiesa bei Kamenz und seine petrogenetische Auswertung. — Z. Geologie, **6**, S. 289—305, Berlin 1957.

HOPPE, G.: Akzessorische Zirkone aus dem Granitkomplex der Lausitz (Sachsen). — Freiberg. Forschungsh. C 129, S. 35—50, Berlin 1962.

JAEGER, H.: Über die Silur/Devon-Grenze in Thüringen. — Z. Geologie, **4**, S. 426—432, Berlin 1955.

JAEGER, H.: Gotlandium Thüringens. — Z. deutsch. Geol. Ges., **109**, S. 639—641, Hannover 1957/58.

JAEGER, H.: Graptolithen und Stratigraphie des jüngsten Thüringer Silurs. — Abh. Deutsch. Akad. d. Wiss. z. Berlin, Kl. f. Chemie, Geol. u. Biol., Jg. 1959, H. 2, Berlin 1959.

JAEGER, H.: Das höhere Silur in Thüringen. — Prager Arbeitstagung über die Stratigraphie des Silurs und Devons (1958) — Ústredni Ústav Geologický, S. 329—341, Praha 1960.

JAEGER, H.: Das Silur (Gotlandium) in Thüringen und am Ostrand des Rheinischen Schiefergebirges (Kellerwald, Marburg, Gießen). — Symposium-Band d. 2. Internat. Arbeitstag. über die Silur/Devon-Grenze usw., S. 108—135, Stuttgart 1962.

JAEGER, H.: *Monograptus hercynicus* in den Westsudeten und das Alter der Westsudeten-Hauptfaltung. — Z. Geologie, **13**, S. 249 — 277 u. 377 — 394, Berlin 1964.

JASKOLSKI, ST.: Versuch einer Klärung des Entstehens der in Wieściszowice (Niederschlesien) vorkommenden pyritischen Schiefer (Rohnau). — Bull. Acad. Polonaise Science., Sér. géol.-géogr., **9**, S. 245—248, Varsovie 1962.

JERZMANSKI, J.: The new locality of graptolites in the Góry Kaczawskie (Katzbachgebirge). — Instytut Geologiczny, **95**, S. 169—176, Warszawa 1955.

JERZMANSKI, J. & J. MILEWICZ: Querschnitt durch den nördlichen Teil des Kaczawa-Gebirges (Katzbach-Gebirges) zwischen Świerzawa und Zlotoryja (Proterozoikum und Paläozoikum der Sudeten). — Exkursionsführer, hrsg. v. Geol. Inst., Zweigstelle Niederschlesien, S. 21—31, Wroclaw 1960.

JOHANNSEN, A.: A descriptive petrography of igneous rocks, II. — 428 S., Chicago 1952.

JUSKOWIAK, O.: Glaucophane metamorphic facies in the eastern border of the plutonic instrusion of Jelenia Góra (Lower Silesia); (engl. Resumé). — Kwartalnik Geologiczny, **1**, S. 131—132, Warszawa 1957.

KETTNER, R.: Über die Beziehungen der Glimmerschiefer zu den Phylliten und Gneisen in der Umgebung von Luditz in Westböhmen. — Bull. internat. d. l'Académie d. scienc. d. Bohème, **18**, Praha 1913.

KETTNER, R.: Versuch einer stratigraphischen Einteilung des böhmischen Algonkiums. — Geol. Rundschau, **8**, S. 169—188, Leipzig 1917.

KETTNER, R.: Über einige Probleme des böhmischen Algonkiums und Kambriums. — Freiberg. Forschungsh., C 17, S. 54—66, Berlin 1955.

KIRSCH, H.: Die metasomatische Skarn-Zink-Lagerstätte von Gelbe-Birke-Fundgrube bei Schwarzenberg im Erzgebirge. — N. Jahrb. Mineral., Abh., **89**, S. 210—257, Stuttgart 1956.

KLEIN, V.: Der Untergrund der Kreideformation im NW-Teil von Polomené hory und im Senkungsfeld von Česká Lípa; (deutsch. Resumé). — Sborník ÚÚG, **28**, S. 419—434, Praha 1963.

KODYM, O.: Die regionale Metamorphose des böhmischen Massivs. — Freiberg. Forschungsh., C 102, S. 14—19, Berlin 1961.

KODYM, O. & J. SVOBODA: The Caledonian nappe structure of Krkonose and Jizerske Hory; (engl. Resumé). — Sborník Stan. Geol. Ust. ČSR, **15**, S. 146—160, Praha 1948.

KÖLBEL, H.: Große Seitenverschiebungen und Horizontalflexuren im deutschen Grundgebirge und ihre lagerstättenkundliche Bedeutung. — Z. Geologie, **3**, S. 445—450, Berlin 1954.

KOPF, M.: Studien zur Methodik der geologischen Auswertung geomagnetischer Untersuchungsergebnisse, dargelegt am Beispiel des Elbtalschiefergebirges. — Geophysik u. Geologie, **1**, S. 48—59, Leipzig 1959.

KOPF, M.: Dichtebestimmungen an Gesteinen des Osterzgebirges. — Freiberg. Forschungsh., C 144, S. 5 bis 36, Berlin 1963.

KOSSMAT, F.: Übersicht der Geologie von Sachsen. — II. Aufl., 130 S., Leipzig 1925.

KOSSMAT, F.: Paläogeographie und Tektonik. — 413 S., Berlin (Borntraeger), 1936.

KOSSMAT, F. & K. PIETZSCH: Geol. Übersichtskarte v. Sachsen, 1:400000. — hrsg. v. Sächs. Geol. Landesamt, Leipzig 1930.

KOZLOWSKA, M.: Metasomatic Evolution of the Granite-Gneis of Wadroze Wielkie. — Bull. Acad. Polonaise Scienc., Sér. géol. et géogr., **5**, S. 551—554, Varsovie 1957.

KOZLOWSKA-KOCH, M.: On the Granite-Gneiss of Wadroze-Wielkie, (engl. Resumé). — Archiw. Mineralog., **21**, S. 405—408, Warszawa 1959.

KOZLOWSKA-KOCH, M.: Some New Petrologic Observations Concerning the Iser Granite-gneisses of West-Sudeten. — Bull. Acad. Polonaise Scienc., Sér. géol. et géogr., **8**, 181—190, Varsovie 1960.

KOZLOWSKA-KOCH, M.: On the Origin of the Iser Gneisses of Leśna in the West Sudetes. — Bull. Acad. Polonaise Scienc. Sér. géol. et géogr., **9**, S. 143—148, Varsovie 1961.

KRÁLOVÁ, M. & R. KRÁL: Der Chemismus von Silikaten als geochemischer Indikator in Skarnlagerstätten. — Z. Geologie, **10**, S. 141—151, Berlin 1961.

KULP, L. J.: The Geological Time Scale. — Report of the Twenty-First Sess. Norden 1960, Part 3, S. 18 bis 27, Copenhagen 1960.

KURZE, M.: Mitteilung über zwei Fossilfunde (Foraminiferen) aus Kalken der Arnsdorfer Schuppenzone. — Monatsber. Deutsch. Akad. Wiss. Berlin, **4**, S. 134—138, Berlin 1962.

LANDGRAF, K. F.: Petrographische Untersuchungen der Grauwacke von Kamenz (Sachsen); (Autorref.). — Wiss. Z. Martin-Luther-Univ. Halle-Wittenberg, math.-naturwiss. Reihe, **10**, S. 176—177, Halle 1961.

LANGE, H.: Genetische Probleme der Skarnerzlagerstätten im Erzgebirge. — Z. Bergakademie, **14**, S. 65 bis 68, Berlin 1962.

LAUTERBACH, R.: Beiträge zur tektonischen Deutung der geomagnetischen Übersichtskarte der DDR. — Wiss. Z. d. Karl-Marx-Univ. Leipzig, math.-nat. Reihe, **3**, S. 271—279, Leipzig 1953/54.

LEE, CH.: Schichtenfolge und Bau des Oberlausitzer Schiefergebirges. — Geotekt. Forschung., **2**, S. 1—55, Berlin 1938.

LINDERT, W.: Petrographische und tektonische Untersuchungen im Bereich des Königshainer Stockgranites. — Unveröffentl. Dipl.-Arb., Geol. Inst. d. Humboldt-Universität Berlin, 77 S., Berlin 1963.

LÖFFLER, K.: Petrologische Studien an einem Gangkreuz Lausitzer Lamprophyre bei Niederfriedersdorf. — Ber. Geol. Ges., **6**, S. 72—84, Berlin 1962.

LORENZ, W.: Zur Petrographie und systematischen Stellung pelitischer Gesteine aus der Nordlausitzer Grauwackenformation. — Z. Geologie **11**, S. 197—207, Berlin 1962.

LOTZE, F.: Über sardische Bewegungen in Spanien und ihre Beziehungen zur assyntischen Faltung. — Geotekt. Symposium z. Ehren v. H. STILLE, S. 128—139, Stuttgart 1956.

LYDKA, K.: Notes on the Geological Evolution of the Central Sudeten. — Bull. Acad. Polonaise Scienc., Sér. chem., géol. et géogr., **6**, S. 209—215, Varsovie 1958.

LYDKA, K.: Petrography and Palaeogeography of the Upper Devonian of the Pogorzala syncline (Middle Sudetes); (engl. Resumé). — Archiv. Mineralog., **24**, S. 141—223, Warszawa 1963.

MÁŠKA, M.: K tektonic ké analyse krystalinika. — Knihovna ÚÚG, **27**, 258 S., Praha 1954.

MÁŠKA, M.: The main features of the structure and the development of the Czech ("Bohemian") massif. — Tectonic Development of Czechoslovakia, S. 11—24, Praha 1960.

MÁŠKA, M. & C. ZOUBEK: Variscian structural territorial units of the Czech massif and their development. — Tectonic Development of Czechoslovakia, S. 25—51, Praha 1960.

MEHNERT, K. R.: Die Meta-Konglomerate des Wiesenthaler Gneiszuges im Sächs. Erzgebirge. — Mineralog. u. Petrogr. Mitt., Abt. B, N. F., **50**, S. 194—272, Leipzig 1939.

MEHNERT, K. R.: Argonbestimmungen an Kaliummineralien. — VI. Die geologische Entwicklung des Schwarzwald-Grundgebirges an Hand absoluter Altersbestimmungen nach der K-Ar-Methode. — Geochim. et Cosmochim. Acta, **14**, S. 105—113, London 1958.

MEHNERT, K. R.: Probleme des Tiefbaues im westlichen variszischen Gebirge. — Freiberg. Forschungsh. C 102, S. 7—13, Berlin 1961.

MEYER, O.: Zur Stratigraphie der Hainicher Schichten. — Ber. Geol. Ges., **2**, S. 233—241, Berlin 1956/57.

MÖBUS, G.: Das Gefüge des Lausitzer Granodiorits; ein Erstarrungsgefüge mit endoblastischer Nachphase. — Ber. Geol. Ges., **1**, S. 60—67, Berlin 1955.

MÖBUS, G.: Petrographisch-tektonische Untersuchungen im Lausitzer Granitmassiv. — Abh. Deutsch. Akad. d. Wiss. z. Berlin, Kl. f. Chemie, Geol. u. Biol., Jg. 1955, Nr. 8; zugl. Abh. z. Geotektonik Nr. 7, Berlin 1956a.

MÖBUS, G.: Zum Achsengefälle im Lausitzer Granitmassiv. — Z. Geologie, **5**, S. 22—25, Berlin 1956b.

MÖBUS, G.: Rekristallisationserscheinungen im Lausitzer Granodiorit bei Löbau/Sa. — Z. Geologie, **7**, S. 613—628, Berlin 1958.

MÖBUS, G.: Zur Tektonik der Ganggesteine im Lausitzer Granitmassiv. — Z. Geologie, **8**, S. 601—611, Berlin 1959.

MÖBUS, G.: Lausitzer Grundgebirge — Erzgebirge, ein petrogenetischer Vergleich. — Z. Geologie, **10**, S. 749—762, Berlin 1961.

MÖBUS, G.: Lausitzer Grundgebirge — Elbtalzone. Die geotektonische Entwicklung des Raumes zwischen Erzgebirge und Westsudeten. — Unveröff. Habil. Schrift, Univ. Jena, 184 S., Berlin 1962.

MÖBUS, G.: Der Hornblendegranodiorit von Wiesa bei Görlitz, eine randliche Ausbildung des Lausitzer Granodioritmassivs. — Z. Geologie, **11**, S. 509—528, Berlin 1962b.

MOENKE, H.: Spurenelemente in variskischen und praevariskischen deutschen Graniten. — Chemie d. Erde, **20**, S. 227—301, Jena 1960.

MOESTA, G.: Brüche und Porphyreffusionen im östlichen Erzgebirge. — Z. deutsch. geol. Ges., **80**, S. 343 bis 408, Stuttgart 1928.

MOSLER, H.: Petrographisch-tektonische Untersuchungen am Markersbacher Granit; (Autorref.). — Z. Geologie, **9**, S. 821, Berlin 1960.

MÜLLER, B.: Die geolog. Sektion Hohlen des Kartenblattes Böhmisch-Leipa/Dauba in Nordböhmen. — Sborník Státn. Geol. Ústav. ČSR, Prag 1925.

MURAWSKI, H.: Das Kambro-Silur am Nordrand der Innersudetischen Mulde. — Geol. Rundschau, **34**, S. 35—37, Berlin 1943.

NEUZILOVÁ, M. & Z. VEJNAR: Geologie und Petrogenese kristalliner Schiefer im nordwestlichen Teil von Slavkovský les, (deutsch. Resumé). — Sborník ÚÚG, **28**, S. 87—106, Praha 1963.

NIGGLI, P.: Gesteine und Minerallagerstätten. — **1**, 540 S., Basel (Birkhäuser) 1948.

OBERC, J.: Variscian Tectonic of the Sudetic Mountains illustrated by the example of the Bardo Mountains.—Congr. Géol. Intern. Compt. Rend. d. la 19. Sess. Alger 1952, Sect. XIII, S.123—**141**, Alger 1954.

OBERC, J.: Izerska seria suprakrustalna; (engl. Resumé). — Przeglad Geol., Nr. 8/9, Warszawa 1958.

OBERC, J.: „Übergänge" zwischen verschiedenaltrigen Formationen; (deutsch. Resumé). — Prirodovedný Casopis Slezský, **21**, S. 89—92, Opawa 1960.

OBERC, J.: An outline of the geology of the Karkonosze-Izera Block. — Zeszyty Naukowe Univ. Wroclawskiego, Ser. B, Nr. 8, S. 139—169, Wroclaw 1961.

OELSNER, CH.: Ergebnisse der Gravimetermessungen im Osterzgebirge. — Freiberg. Forschungsh. C 144, S. 37—82, Berlin 1963.

PALIVCOVÁ, M.: Geologisch-petrographische Verhältnisse in der Kozihory-Zone und deren nächsten Umgebung (Dobříš-Gebiet). — Sborník ÚÚG, **22**, S. 311—396, Praha 1956.

PATTEISKY, K.: Die phylogenetische Entwicklung der Arten von *Lyginopteris* und ihre Bedeutung für die Stratigraphie. — Mitt. Westf. Berggew. (KUKUK-Festschrift), S. 76, Bochum 1957.

PAWLIK, D.: Zur Stratigraphie des nördlichen Freiburger Oberdevongebietes (Schlesien). — N. Jahrb. f. Min. usw., B.B., **81**, Abt. B, S. 23—60, Stuttgart 1939.

PECK, D. & H. B. GEINITZ: Graptolithenschiefer bei Lauban. — N. Jahrb. f. Mineral. etc., S. 459, Stuttgart 1865.

PETRASCHECK, W. E.: Die Vererzung der Sudeten. — Mitt. Geol. Ges. Wien, **26**, S. 191—206, Wien 1933.

PETRASCHECK, W. E.: Die Kupferkieslagerstätte von Ludwigsdorf bei Görlitz. — Abh. Naturforsch. Ges. Görlitz, **32**, S. 55—61, Görlitz 1934.

PETZKE-LEHMANN, U.: Geochemische Untersuchungen an Glimmern des Freiberger Gneises; (Autorref.). — Z. Geologie, **9**, S. 946, Berlin 1960.

PFALZ, R.: Die Bedeutung der „Flammengneise" für die Tektonik des mittleren Erzgebirges. — Z. deutsch. geol. Ges., **78**, Monatsber., S. 291—299, Berlin 1926.

PFEIFFER, L.: Petrographische Probleme des Meißner Massivs. — Freiberg. Forschungsh. C 119, S. 135 bis 144, Berlin 1961.

PFEIFFER, L.: Zur Nomenklatur syenitischer Gesteine. — Ber. Geol. Ges., **7**, S. 226—232, Berlin 1962.

PIETZSCH, K.: Die geologischen Verhältnisse der Oberlausitz zwischen Görlitz, Weissenberg und Niesky. —Z. deutsch. geol. Ges., **61**, S. 35—133, Berlin 1909.

PIETZSCH, K.: Über das geologische Alter der dichten Gneise des sächsischen Erzgebirges. — Centralbl. f. Mineralog. 1914, S. 202—211 u. 225—241, Stuttgart 1914.

PIETZSCH, K.: Tektonische Probleme in Sachsen. — Geol. Rundschau, **5**, S. 161—174, Leipzig 1915a.

PIETZSCH, K.: Graptolithen aus dem Elbtalschiefersystem. — Ber. mat.-phys. Kl. sächs. Acad. d. Wiss., **67**, S. 270—289, Leipzig 1915b.

PIETZSCH, K.: Das Elbtalschiefergebiet südwestlich von Pirna. — Z. deutsch. Geol. Ges., Abh., **69**, S. 177 bis 286, Berlin 1918.

Pietzsch, K.: Erl. Geol. Karte v. Sachsen, 1:25000, Bl. Berggießhübel, Nr. 102, 122 S., Leipzig 1919.

Pietzsch, K.: Erl. Geol. Karte v. Sachsen, 1:25000, Bl. Tanneberg-Deutschenbora, Nr. 64, 2. Aufl., 100 S., Leipzig 1922.

Pietzsch, K.: Der Bau des erzgebirgisch-lausitzer Grenzgebietes. — Abh. Sächs. Geol. Landesamt., 2, S. 1—28, Leipzig 1927.

Pietzsch, K.: Das Schiefergebirge am Nordrand des Lausitzer Granitmassivs im Vergleich mit der stratigraphischen Entwicklung des Paläozoikums der benachbarten Gebiete. — Ber. u. Verh. sächs. Akad. Wiss. Leipzig, math.-phys. Kl., **90**, S. 3—24, Leipzig 1938.

Pietzsch, K.: Abriß der Geologie von Sachsen, 1. Aufl., 160 S., Berlin (Volk u. Wissen) 1951.

Pietzsch, K.: Die Gneise des Sächsischen Erzgebirges. — Z. Geologie, **3**, S. 391—412, Berlin 1954.

Pietzsch, K.: Zur Frage der Ausbildung des Devons und der jungkaledonischen Diskordanz in Mittel- und Ost-Sachsen. — Ber. Geol. Ges., **1**, S. 4—14, Berlin 1955.

Pietzsch, K.: Abriß der Geologie von Sachsen. — 2. Aufl., 200 S., Berlin (Deutsch. Verl. d. Wiss.) 1956a.

Pietzsch, K.: Die Elbtalzone. — Ber. Geol. Ges., **1**, S. 117—135, Berlin 1956b.

Pietzsch, K.: Kritische Betrachtung der Anschauungen über die Gebirgsbildungsphasen im sächsischen Grundgebirge. — Geotekton. Symposium z. Ehren v. H. Stille, S. 107—119, Stuttgart 1956c.

Pietzsch, K.: Der subsequente Magmatismus im sächsischen Varistikum. — Geol. Rundschau, **48**, S. 32 bis 42, Stuttgart 1959.

Pietzsch, K.: Nochmals zur Frage der Ausbildung des Devons in Mittel- und Ostsachsen. — Z. Geologie, **9**, S. 734—737, Berlin 1960.

Pietzsch, K.: Geologie von Sachsen. — 870 S., Berlin (Deutsch. Verl. d. Wiss.) 1962.

Prescher, H.: Beiträge zur Tektonik der Elbtalzone und des Dresdener Elbtalgrabens. — Z. Bergakademie **5**, S. 41—48, Berlin 1953.

Przewlocki, K., W. Magda, H. H. Thomas & H. Faul: Age of some granitic rocks in Poland. — Geochim et Cosmochim Acta, **26**, S. 1069—1075, London 1962.

Quitzow, H. W.: Der geologische Bau des nordöstlichen Bober-Katzbach-Gebirges usw. — Jahrb. Preuß. Geol. Landesanst., **59**, S. 558—586, Berlin 1939.

Radtke, H.: Die „Schwebenden" im Bereich der Marienberger Gneiskuppel. — Z. angewandt. Geologie, **5**, S. 299—303, Berlin 1959.

Read, H. H.: Granite series in mobile balts. — Geol. Soc. America, Spec. Paper, **62**, S. 409—429, Baltimore 1955.

Reh, H.: Beitrag zur Kenntnis der erzgebirgischen Erzlager. — N. Jahrb. f. Mineral., Abt. A, **65**, S. 1—86, Stuttgart 1931.

Reichel, W.: Untersuchungen der Konglomeratgneise von Boden bis Wolkenstein. — Unveröffentl. Meldearb., Geol. Inst. Bergakademie Freiberg, Freiberg 1956.

Reichert, H.: Tektonik des Meißener Syenit-Granitmassivs. — Abh. math.-phys. Kl. Sächs. Akad. Wiss. Leipzig, **39**, Nr. 5, 63 S., Leipzig 1926.

Reichstein, M.: Oberdevon-Kalkstein am Geiers-Berg bei Kunnersdorf nordwestlich von Görlitz. — Z. Geologie, **10**, S. 246—247, Berlin 1961.

Reichstein, M. & M. Schwab: Nachweis hochoberdevonischer Schichten und bretonischer Bewegungen im Nossen-Wilsdruffer Schiefergebirge. — Z. Geologie, **11**, S. 17—25, Berlin 1962.

Reinisch, R.: Erl. Geol. Karte v. Sachsen, 1:25000, Bl. Seifhennersdorf-Rumburg, Nr. 87, 2. Aufl., 52 S., Leipzig 1920.

Reinisch, R.: Erl. Geol. Karte v. Sachsen, Bl. Löbau-Herrnhut, Nr. 72, 2. Aufl., 44 S., Leipzig 1925.

Reinisch, R.: Erl. Geol. Karte v. Sachsen, 1:25000, Bl. Meißen, Nr. 48, 3. Aufl., 136 S., Leipzig 1928.

Rimann, E.: Der geologische Bau des Isergebirges und seines Vorlandes. — Jahrb. Preuß. Geol. Landesanst., **31**, S. 482—533, Berlin 1910.

Röhlich, P.: Objev granodioritového pně v algonkiu severně od Prahy. — Věstník ÚÚG, **35**, S. 73—76, Praha 1960.

Röhlich, P.: Abriß der Geologie des Algonkiums zwischen Dobříš und Uvaly; (deutsch. Resumé). — Věstník ÚÚG, **36**, S. 187—188, Praha 1961.

Röhlich, P.: Bemerkungen zur Geologie des Algonkiums im nördlichen Moldaugebiet; (deutsch. Resumé). — Časopis pro Mineralogii a Geologii, **7**, S. 145—157, Praha 1962.

Röhlich, P. & K.-A. Tröger: Bewegungen an der Wende Mitteldevon/Oberdevon im Bereich der Böhmischen Masse. — Z. Geologie, **10**, S. 119—130, Berlin 1961.

Roselt, G.: Karbonische Pflanzenreste in einem Tuffit aus der Lausitz. — Z. Geologie, **8**, S. 778—787, Berlin 1959.

Roselt, G. & G. Freyer: Pflanzenreste in „gotlandischen Schiefern" der Lausitz. — Z. Geologie, **8**, S. 778 bis 877, Berlin 1959.

RÖSLER, H. J.: Zur Entstehung der oberdevonischen Eisenerze vom Typ Lahn-Dill in Ostthüringen. — Freiberg. Forschungsh. C 138, Berlin 1962.

ROST, F.: Zur Stellung der Granatultrabasite des Sächsischen Grundgebirges. — Freiberg. Forschungsh. C 119, S. 119—134, Berlin 1961.

ROST, M.: Geologie des kristallinen Grundgebirges am Erzgebirgsrand zwischen Keilberg und Klösterle. — Abh. Sächs. Geol. Landesamt, 7, 112 S., Leipzig 1928.

RUCHIN, L. B.: Grundzüge der Lithologie. — 806 S., Berlin (Akad. Verl.) 1958.

SANNEMANN, D.: Ordoviz und Oberdevon der bayrischen Fazies des Frankenwaldes nach Conodontenfunden. — N. Jahrb. Geol. u. Paläont., Abh., **102**, S. 1—36, Stuttgart 1955.

SATTRAN, V.: Die Abtragung des Kristallins im Raume des östlichen Krušné Hory-Gebirges (Erzgebirge); (deutsch. Resumé). — Věstník ÚÚG, **32**, S. 322, Praha 1957.

SATTRAN, V.: Geologische und petrographische Verhältnisse des südlichen Teiles der Altenberger Scholle zwischen Niklasberg und Moldau im Erzgebirge; (deutsch. Resumé). — Sborník ÚÚG, **24**, S. 62—66, Praha 1959a.

SATTRAN, V.: Der Granit von Flája und der Granitporphyr von Loucná-Fláje in Krušné hory (Erzgebirge); (deutsch. Resumé). — Sborník ÚÚG, S. 95, Praha 1959b.

SATTRAN, V.: Neue Ergebnisse der geologischen Untersuchungen und Lagerstättenforschung in Krušné hory (Erzgebirge). — Freiberg. Forschungsh. C 102, S. 121—131, Berlin 1961.

SATTRAN, V.: Erzgebirgische Metakonglomerate und ihre genetische Bedeutung; (deutsch. Resumé). — Sborník Geol. VĚD, G, 2, S. 41—62, Praha 1963a.

SATTRAN, V.: Petrogenetische Kennzeichen der Phyllitserie von Krušné hory nördlich von Jáchymov; (deutsch. Resumé). — Sborník ÚÚG, **28**, S. 52—85, Praha 1963b.

SAUER, A.: Über Conglomerate in der Glimmerschieferformation des sächsischen Erzgebirges. — Z. gesamte Naturwiss., **52**, S. 706—736, Halle 1879.

SCHATSKI, N. S. & A. A. BOGDANOW: Grundzüge des tektonischen Baues der Sowjetunion. — Fortschr. sowjet. Geologie, **1**, 84 S., Berlin 1958.

SCHEUMANN, K. H.: Petrographische Untersuchungen an Gesteinen des Polzengebietes in Nordböhmen. — Abh. math.-phys. Kl. Sächs. Ges. Wiss., **32**, S. 607—776, Leipzig 1913.

SCHEUMANN, K. H.: Über die petrogenetische Ableitung des roten Erzgebirgsgneises. — Mineral. u. petrogr. Mitt., **42**, S. 413—454, Leipzig 1932.

SCHEUMANN, K. H.: Über die petrographische und chemische Substanzbestimmung der Gesteinsgruppe der roten Gneise des sächs. Erzgebirges u. der angrenzend. Räume. — Mineral. u. petrogr. Mitt., **50**, S. 391—440, Leipzig 1939.

SCHEUMANN, K. H.: Über Gneise des Erzgebirges — Einige Bemerkungen zum Aufsatz von K. Pietzsch (1954). — Z. Geologie, **6**, S. 3—40, Berlin 1957.

SCHMIDT, KL.: Untersuchungen am Westrand des Lausitzer Granodioritmassivs im Bereich der Westlausitzer Störung zwischen Klotzsche und Radeburg. — Unveröff. Dipl.-Arb., Geol.-Paläont. Inst. d. Humboldt-Univ. Berlin, Berlin 1951.

SCHMIDT, KL.: Beitrag zur Petrographie und Tektonik des Meißener Granit-Syenit-Massivs. — Ber. Geol. Ges., **1**, S. 50—59, Berlin 1955/56.

SCHMIDT, KL.: Die Granodiorite des Elbtales. — Abh. Deutsch. Akad. Wiss. Berlin, Kl. Chemie, Geol. u. Biol., Jg. 1955, Nr. 4; zugl. Abh. z. Geotektonik Nr. 8, 45 S., Berlin 1956.

SCHMIDT, KL.: Zum Altersverhältnis der Rot- und Graugneisgruppe des erzgebirgischen Gneiskerns. — Z. Geologie, **7**, (v. BUBNOFF-Festschrift), S. 586—596, Berlin 1958.

SCHMIDT, KL.: Zur tektonischen Analyse des sächsischen Erzgebirges. — Abh. Deutsch. Akad. Wiss. Berlin, Kl. Chemie, Geol. u. Biol., Jg. 1958, Nr. 2; zugl.: Abh. z. Geotektonik Nr. 18, 104 S., Berlin 1959.

SCHMIDT, KL.: Die Geröllführung algonkisch-kambrischer Grauwacken des Westlausitzer Zuges. — Freiberg. Forschungsh. C 91, 79 S., Berlin 1960a.

SCHMIDT, KL.: Zum Problem variscischer Störungen der Elbtalzone. — Freiberg. Forschungsh. C 80, S. 178—191, Berlin 1960b.

SCHMIDT, KL.: Der Magmatismus des sächsischen „Algonkiums" und seine tektonische Stellung. — N. Jahrb. f. Geol. Paläont., Monatsh., 1961, **2**, S. 71—87, Stuttgart 1961a.

SCHMIDT, KL.: Turmalinquarzit-Gerölle in den Collmberg-Quarziten des Nordsächsischen Sattels. — N. Jahrb. f. Geol. u. Paläont., Monatsh., 1961, 3, S. 161—169, Stuttgart 1961b.

SCHMIDT, W.: Die Grenzschichten Silur-Devon in Thüringen mit besonderer Berücksichtigung des Downtown-Problems. — Abh. Preuß. Geol. Landesanst., N. F., **195**, 99 S., Berlin 1939.

SCHÖNENBERG, R.: Initialer Magmatismus und Tektonik in Ostthüringen. — Geol. Rundschau, **39**, S. 119—121, Stuttgart 1951.

SCHÖNENBERG, R.: Stratigraphie, Tektonik und geosynklinaler Magmatismus der älteren Oberdevonzeit am Bergaer Sattel. — Geol. Jahrb., **66**, S. 15—63, Hannover 1952.

SCHROEDER, E.: Zur Stellung des Hirschberger Gneises. — Geologica Bavarica, **27**, S. 131—142, München 1956.

SCHROEDER, E.: Prävariszischer Magmatismus und Tektonik in den Sattelzonen Ostthüringens. — Abh. Deutsch. Akad. Wiss. Berlin, Kl. Chemie, Geol. u. Biol., Jg. 1957, Nr. 7; zugl.: Abh. z. Geotektonik Nr. 16, 60 S., Berlin 1958.

SCHÜLLER, A.: Die kristalline Scholle von Wildenfels, ihr Stoffbestand und ihr tektonischer Bau im Rahmen des variscischen Gebirges. — Z. Geologie, **3**, (PIETZSCH-Festschrift), S. 707—749, Berlin 1954.

SCHÜRMANN, H. M. E. u. a.: Preliminary note on age determinations of magmatic rocks by means of radio-activity. — Geologie en Mijnbouw, New Series, **17**, S. 217—223, 's-Gravenhage 1955.

SCHÜRMANN, H. M. E. u. a.: Second preliminary note on age determinations of magmatic rocks by means of radio-activity. — Geologie en Mijnbouw, New Series, **18**, S. 312—330, 's-Gravenhage 1956.

SCHÜRMANN, H. M. E. u. a.: Third preliminary note an age determinations of magmatic rocks by means of radioactivity. — Geologie en Mijnbouw, New Series, **19**, S. 398—413, 's-Gravenhage 1957.

SCHÜRMANN, H. M. E. u. a.: Fourth preliminary note on age determinations of magmatic rocks by means of radioactivity. — Geologie en Mijnbouw, New Series, **22**, S. 93—104, 's-Gravenhage 1960.

SCHÜTZEL, H., D. KUTSCHKE & G. WILDNER: Zur Problematik der Genese der „Grauen Gneise" des sächsischen Erzgebirges. — Freiberg. Forschungsh. C 159, Berlin 1963.

SCHÜTZENMEISTER, W.: Über zwei Conodontenfunde aus der Diabas-Kalkstein-Serie bei Mühlbach-Häselich (Elbtalschiefergebirge). — Z. Geologie, **12**, S. 615—620, Berlin 1963.

SCHWAB, G.: Die Nordlausitzer Grauwackenformation bei Kamenz/Sa. — Untersuchungen über die Tektonik und den stratonomischen Aufbau dieses Gesteins. — Unveröffentl. Dipl.-Arb., Geol.-Paläont. Inst. Humboldt-Univ. Berlin, 142 S., Berlin 1955.

SCHWAB, G.: Beitrag zur Tektonik des Görlitzer Schiefergebirges. Kleintektonische Untersuchungen in Quarziten der Hohen Dubrau und des Quarzitwerkes Sproitz bei Niesky (Oberlausitz). — Z. Geologie, **8**, S. 384—393, Berlin 1959.

SCHWAB, G.: Die Tektonik der Nordlausitzer Grauwackenformation in Sachsen (Feintektonische Untersuchungen unter besonderer Berücksichtigung der Gesteinsklüftung). — Diss. Math.-Nat. Fakultät Humboldt-Univ. Berlin, 98 S., Berlin 1960.

SCHWAB, G.: Klufttektonische Untersuchungen der Nordlausitzer Grauwackenformation unter Berücksichtigung der Gesteinsklüftung des Lausitzer Zweiglimmergranits. — Abh. Deutsch. Akad. Wiss. Berlin, Kl. Chemie, Geol. u. Biol., Jg. 1962, Nr. 2; zugl.: Abh. z. Geotektonik Nr. 21, Berlin 1962.

SCHWAB, M.: Die Nordlausitzer Grauwackenformation bei Weißenberg/Sa. — Tektonische Untersuchungen. — Unveröffentl. Dipl.-Arb., Geol.-Paläont. Inst. Humboldt-Univ. Berlin, 149 S., Berlin 1955.

SCHWAB, G. u. M.: Untersuchungen zur Tektonik der Nordlausitzer Grauwackenformation bei Kamenz und Weißenberg in Sachsen. — Z. Geologie, **6**, S. 400—422, Berlin 1957.

SCHWAN, W.: Zur tektonischen Stellung der Sächsischen Zwischengebirge. — Ber. Geol. Ges., **2**, S. 93—108, Berlin 1957.

SCHWARZBACH, M.: Das Cambrium der Oberlausitz. — Abh. naturf. Ges. Görlitz, **32**, S. 7—54, Görlitz 1934a.

SCHWARZBACH, M.: Beiträge zur Geologie des Bober-Katzbach-Gebirges. I. — Centralbl. Min. usw., BB, Jg. 1934, S. 401—413, Stuttgart 1934b.

SCHWARZBACH, M.: Beiträge zur Geologie des Bober-Katzbach-Gebirges. II. — Centralbl. Min. usw., Abt. B, Jg. 1935, S. 273—289, Stuttgart 1935.

SCHWARZBACH, M.: Oberlausitzer Schiefergebirge und Bober-Katzbach-Gebirge — ein stratigraphisch-tektonischer Vergleich. — Abh. Naturforsch. Ges. Görlitz, **32**, S. 31—63, Görlitz 1936.

SCHWARZBACH, M.: Die Tektonik des Bober-Katzbach-Gebirges. Alte und junge Gebirgsbildung in einem Teil der Sudeten. — Jahresber. Schles. Ges. Vaterländ. Cultur, **113**, Naturw.-mediz. Reihe, Nr. 8, 52 S., Breslau 1939.

SCHWARZBACH, M.: Das Bober-Katzbach-Gebirge im Rahmen des europäischen Paläozoikums. — Z. deutsch. geol. Ges., **92**, S. 164—172, Hannover 1940.

SCHWARZBACH, M.: Vulkanismus und Senkung in der kaledonischen Geosynklinale Mitteleuropas. — Geol. Rundschau ,**34**, S. 13—34, Stuttgart 1943.

SDZUY, KL.: Das Kambrium von Deutschland. — Report of the Twenty-First Session 1960, Part 8, S. 102—112, Copenhagen 1960.

SIEMENS, G.: Erdmagnetische Untersuchung der Elbtalzone zwischen Torgau und Dresden. — Beitr. z. phys. Erforschung d. Erdrinde, **7**, 53 S., Berlin 1935.

SIEMENS, G.: Die Schwerekarte der DDR. — Freiberg. Forschungsh. C 7, S. 21—29, Berlin 1953.

de Sitter, L. U.: Structural Geology. — 552 S., London (Hill) 1956.

Škvor, V.: The Principle of the Read's Granite Series and its application in the Krušné hory (Erzgebirge). — Věstnik ÚÚG, **32**, S. 343—344, Praha 1957.

Škvor, V.: Beitrag zu einigen Problemen des Kristallins von Krušné hory und Smrčiny; (deutsch. Resumé). — Sborník Geol. VĚD, **G**, 2, S. 63—77, Praha 1963.

Smulikowski, K.: Cataclasites in the neighbourhood of Cieszów (Lower Silesia). — Inst. Geol. Biul., **112**, S. 5—77, Warszawa 1956.

Smulikowski, K.: Mica-schists and granite-gneisess on the northern slopes of the Kamienica Mountain chain in Western Sudeten; (engl. Resumé). — Inst. Geol. Biul., **127**, S. 5—35, Warszawa 1958.

Solle, G.: *Hysteriolites hystericus* (Schlotheim) Brachiopoda; Unterdevon, die Einstufung der oberen Graptolithen-Schiefer in Thüringen und die stratigraphische Stellung der Zone des *Monograptus hercynicus*. — Geol. Jahrb., **81**, S. 171—220, Hannover 1963.

Sonntag, Kl.: Das Verhältnis der magnetischen ΔZ-Anomalien des assyntisch-variscischen Gebirgsbogens zur Elbelinie. — Wissenschaftl. Z. Karl-Marx-Univ., **5**, S. 457—461, Leipzig 1955/56.

Spengler, E.: Über die Abtragung des variscischen Gebirges in Sachsen. — Abh. Geol. Landesamt Berlin, N. F., H. 212, 101 S., Berlin 1949.

Stein, V.: Beitrag zur Graptolithenfauna der Oberlausitz. — Abh. u. Ber. Naturkundemus. Görlitz, **37**, S. 236—238, Leipzig 1962.

Stenzel, H.: Tektonik des Lausitzer Granitmassivs. — Abh. Preuss. Geol. Landesanst., N. F., H. 89, S. 1—46, Berlin 1922.

Stenzel, H.: Die Stellung des Lausitzer Massivs im Rahmen variscischer Tektonik. — N. Jahrb. f. Mineral. etc., BB., **63**, Abt. B, S. 475—496, Stuttgart 1930.

Stettner, G.: Erl. Geol. Karte v. Bayern, 1:25000, Bl. Fichtelberg, Nr. 5937, 116 S., München 1958.

Stettner, G.: Erl. Geol. Karte v. Bayern, 1:25000, Bl. Münchberg, Nr. 5836, 163 S., München 1960.

Stille, H.: Uralte Anlagen in der Tektonik Europas. — Z. deutsch. geol. Ges., **98**, S. 150—174, Stuttgart 1947.

Stille, H.: Die kaledonische Faltung Mitteleuropas im Bilde der gesamteuropäischen. — Z. deutsch. geol. Ges., **100**, S. 223—266, Hannover 1950.

Stille, H.: Die assyntische Tektonik im geologischen Erdbild. — Beitr. z. Geol. Jahrb., **22**, 255 S., Hannover 1958.

Svoboda, J.: Vápence Krkonos a Jizerských hor. — Geotechnica, **21**, Praha 1955.

Svoboda, J.: The Železné Hory — West-Sudetes Region. — Tectonic Development of Czechoslovakia S. 81—86, Praha 1960.

Svoboda, J. & F. Chaloupský: Vysvetlivky pre geol. mape ČSSR, 1:200000, M-33-X, Liberec, 124 S., Praha 1962.

Svoboda, J. & F. Prantl: Barrandium, Geologie des mittelböhmischen Silur und Devon in Bildern. — Nakladatelstvi Československé Akademie VĚD, 118 S., Praha 1958.

Szalamacha, M. & J. Szalamacha: Der geologische Aufbau des südöstlichen Teils der Hülle des Riesengebirgs-Granites. — Proterozoikum und Paläozoikum der Sudeten (Exkursionsführer). — Geol. Inst. Zweigst. Niederschlesien, S. 12—20, Wroclaw 1960.

Teisseyre, H.: Some remarks on the tectonic structure of Caledonides and Variscides in the Sudeten. — Bull. Acad. Polonaise Scienc., Cl. 3, **4**, Nr. 3, Varsovie 1956a.

Teisseyre, H.: Zwiebodzice Cepression as a Geological unit. — Instytut Geologiczny, Biul. 106, S. 5—60, Warszawa 1956b.

Teisseyre, H.: Zu dem Problem der Diskordanz zwischen den Waldenburger Schichten und dem Kulm in der Innersudetischen Mulde. — Z. Geologie, **8**, S. 3—12, Berlin 1959.

Teisseyre, H.: Exkursion in die Umgebung von Wojcieczów. (Proterozoikum und Paläozoikum der Sudeten) — Exkursionsführer. S. 32—39, Wroclaw 1960a.

Teisseyre, H.: Der Sattel von Bolków-Wojcieszów als charakteristisches Beispiel der kaledonischen Struktur der Westsudeten. — Jubiläumssitz. d. Geol. Inst. Warszawa 1960, S. 6, Warszawa 1960b.

Teisseyre, H.: The Principal Structural Features of the Sudetic Caledonides. — Report of the Twent First Session Norden 1960, Part 19, S. 108—119, Copenhagen 1960c.

Teisseyre, H.: The Bedrocks between Wroclaw and Jelenia Góra in Lower Silesia. — Zeszyty naukowe universitetu wroclawskiego, Ser. B, Nr. 8, S. 3—21, Warszawa/Wroclaw 1961.

Teller, L.: *Monograptus hercynicus* Zone from the Zdanów Beds of the Bardo Range (Sudeten); (engl. Resumé). — Acta Geol. Polonica, **10**, S. 325—338, Warszawa 1960.

Thursch, H.: Schichtlücken und Diskordanzen im Devon des Frankenwaldes. — Z. deutsch geol. Ges., **111**, S. 209—220, Hannover 1959.

Timofejew, B. W.: Über das Alter der sächsischen Grauwacken. — Z. Geologie, **7**, S. 826—845, Berlin 1958.

TRÖGER, E.: Über den Granit von Dohna und Niedergrund. — Sitzungsber. u. Abh. naturwiss. Ges. Isis Dresden, Jg. 1929 (JOH. DEICHMÜLLER gewidmet), S. 78—89, Dresden 1930.

TRÖGER, K. A.: Kaledonische und frühvariscische Phasen im Vogtland und den angrenzenden Gebieten. — Freiberg. Forschungsh. C 73, S. 1—152, Berlin 1959.

TRÖGER, K. A.: Die epirogenetische und orogenetische Entwicklung im Paläozoikum (Ordovizium–Unterkarbon) des Vogtlandes. — Freiberg. Forschungsh. C 80, S. 158—166, Berlin 1960.

VACL, J. & J. CADEK: Der geologische Bau des Hrádek-Teiles des Zittauer Beckens; (deutsch. Resumé). — Sborník ÚÚG, **27**, S. 377—383, Praha 1962.

WALLISER, O. H.: Conodontenchronologie des Silurs (= Gotlandiums) und des tieferen Devons mit besonderer Berücksichtigung der Formationsgrenze. — Symposiums-Bd., 2. Intern. Arbeitstagung Silur/Devon-Grenze etc. in Bonn-Bruxelles 1960, S. 281--287, Stuttgart (Schweizerbart) 1962.

WATZNAUER, A.: Der südliche Kontakt des Riesengebirgsgranites und das angrenzende Schiefergebiet. — Lotos, S. 112—164, Prag 1930.

WATZNAUER, A.: Zur Altersdeutung der Grauwacken des Jeschkengebirges. — Firgenwald, **8**, S. 97—101, Reichenberg 1935.

WATZNAUER, A.: Die geologischen Grundlagen der Therme von Johannisbad. — Firgenwald, **11**, S. 3—13 u. 101—111, Reichenberg 1938.

WATZNAUER, A.: Stratigraphie und Tektonik der kristallinen Schiefer des südlichen Riesengebirges. — Z. deutsch. geol. Ges., **91**, S. 773—774, Berlin 1939.

WATZNAUER, A.: Metamorphe Greisen, ein Betrag zur Frage kaledonischer Zinnlagerstätten in den Sudeten. — Firgenwald, **12**, S. 152—154, Reichenberg 1940.

WATZNAUER, A.: Zur Frage eines kaledonischen Deckenbaues der Westsudeten. — Z. Geologie, **2**, S. 305 bis 326, Berlin 1953.

WATZNAUER, A.: Die erzgebirgischen Granitintrusionen. — Z. Geologie, **3**, (PIETZSCH-Festschrift) S. 688 bis 706, Berlin 1954.

WATZNAUER, A.: Saxothuringikum-Lugikum, ein regional-tektonischer Vergleich. — Freiberg. Forschungsh. C 17, S. 30—53, Berlin 1955.

WATZNAUER, A.: Bemerkungen zum Altersverhältnis der erzgebirgischen Hauptgneise. — Monatsber. Deutsch. Akad. Wiss.,**1**, S. 246—252, Berlin 1959.

WATZNAUER, A.: Die kaledonische Orogenese in Sachsen und Thüringen. — Internat. Geol. Congr., Report of the 21. Sess., Part 19, S. 102—107, Copenhagen 1960.

WATZNAUER, A.: Das Präkambrium in Sachsen und Thüringen. — Unterlagen. Exkursionstag. „Nordrand der Böhmischen Masse", 37 Manuskripts., Freiberg 1962a.

WATZNAUER, A.: Tektonischer Bau der DDR. Das Gebiet südlich der mitteldeutschen Hauptlinie. — Vortrag, gehalten am 5. 6. 1962 im Wissenschaft.-Technisch. Kabinett d. Staatl. Geol. Kommission, Berlin 1962b.

WEISE, E.: Beitrag zur Geologie der nordsächsischen Grauwackenformation. — Z. deutsch. geol. Ges., **65**, S. 587—590, Berlin 1914.

WIEDEMANN, F.: Geologische und petrografische Situation der Serizit- und Chloritgneise der Elbtalzone. — Freiberg. Forschungsh. C 55, 89 S., Berlin 1958.

WIEDEMANN, F.: Beobachtungen an der Mittelsächsischen Überschiebung. — Z. Bergakademie, **11**, S. 181—186, Berlin 1959.

WINOGRADOW, A. P. u. a.: Über das Alter der Granite und Erzvorkommen in Sachsen. — Freiberg. Forschungsh. C 57, S. 73—85, Berlin 1959.

WINOGRADOW, A. P. u. a.: Über das Alter der kristallinen Gesteine Zentraleuropas. — Freiberg. Forschungsh. C 124, S. 39—56, Berlin 1962.

WOLFF, F. v.: Gesteinskunde der Eruptivgesteine. — 205 S., Pößneck (Lang) 1951.

WOLF, L.: Ergebnisse einiger Bohrungen im Gebiet des Steinkohlenvorkommens Schönfeld (Osterzgebirge). — Z. angewandt. Geologie, **6**, S. 341—344, Berlin 1960.

WURM, A.: Hundert Jahre Forschung im Grundgebirge Mitteleuropas. — Z. deutsch. geol. Ges., **100**, S. 213—222, Hannover 1950.

WURM, A.: Geologie von Bayern. — 2. Aufl., 555 S., Berlin (Borntraeger) 1961.

ZEMÁNEK, V.: Skarns in the Area of Přísečnice and Medenec. — Sborník ÚÚG, **24**, S. 241—312, Praha 1959 (referiert v. REH in Z. Geologie, **8**, S. 799—800, Berlin 1959).

ZOUBEK, V.: Remarks on the Geology of the Crystalinicum of the Bohemian Mass; (engl. Resumé). — Sborník ÚÚG, **15**, S. 381—398, Praha 1948.

Anschrift des Verfassers: Doz. Dr. habil. GÜNTER MÖBUS
Geotektonisches Institut, Deutsche Akademie der Wissenschaften zu Berlin
Berlin W 8, Otto-Nuschke-Straße 22/23

ABHANDLUNGEN DER DEUTSCHEN AKADEMIE DER WISSENSCHAFTEN ZU BERLIN

Klasse für Bergbau, Hüttenwesen und Montangeologie

Jahrgang 1958

Nr. 1 JENARO GONZÁLEZ-REYNA

Erupcion del „Volcán de Fuego de Colima“

1958. 19 Seiten — 8 Abbildungen im Text — 14 Abbildungen auf 8 Kunstdrucktafeln — 2 Tabellen — 4° — DM 5,50

Nr. 2a **Internationale Gebirgsdrucktagung 1958**

Leipzig, 14.—16. Oktober 1958. Vorträge

1958. 168 Seiten — 224 Abbildungen auf 140 Seiten — 27 Abbildungen und 11 Tabellen im Text — 2 Falttafeln — 4° — DM 37,50

Nr. 2b **Internationale Gebirgsdrucktagung 1958**

Leipzig, 14.—16. Oktober 1958. Diskussionen

1959. 203 Seiten — 98 Abbildungen — 5 Tabellen — 4° — DM 21,—

Jahrgang 1959 nicht erschienen

Jahrgang 1960

Nr. 1 ADOLF WATZNAUER

Festschrift zum 70. Geburtstag von Ernst Kraus

1960. 378 Seiten — 140 Abbildungen — 24 Tafeln — 1 Titelbild
6 Tabellen — 28 Landkarten — 4° — DM 70,—

Jahrgang 1961

Nr. 1 **Bericht über das 1. Ländertreffen des Internationalen Büros für Gebirgsmechanik**

Leipzig, 3.—7. November 1959

Herausgegeben von Georg Bilkenroth

1961. 148 Seiten — 71 Abbildungen — 4° — DM 16,—

Nr. 2 **Bericht über das 2. Ländertreffen des Internationalen Büros für Gebirgsmechanik**

Rahmenthema: Methodik der Festigkeitsuntersuchungen in den verschiedenen Ländern

Leipzig, 10.—14. November 1960

Herausgegeben von Georg Bilkenroth

1961. 178 Seiten — 93 Abbildungen, davon 1 Falttafel — 4° — DM 21,50

Jahrgang 1962

Nr. 1 **Bericht über das 3. Ländertreffen des Internationalen Büros für Gebirgsmechanik**

Rahmenthema: Kritische Einschätzung gebirgsmechanischer Modellversuche und die Grenzen ihrer praktischen Aufwendbarkeit

Leipzig, 31. Oktober bis 4. November 1961

Herausgegeben von Georg Bilkenroth

1962. 206 Seiten — 124 Abbildungen, davon 38 auf 1 Falttafel und 18 Tafeln
15 Tabellen — 4° — DM 32,—

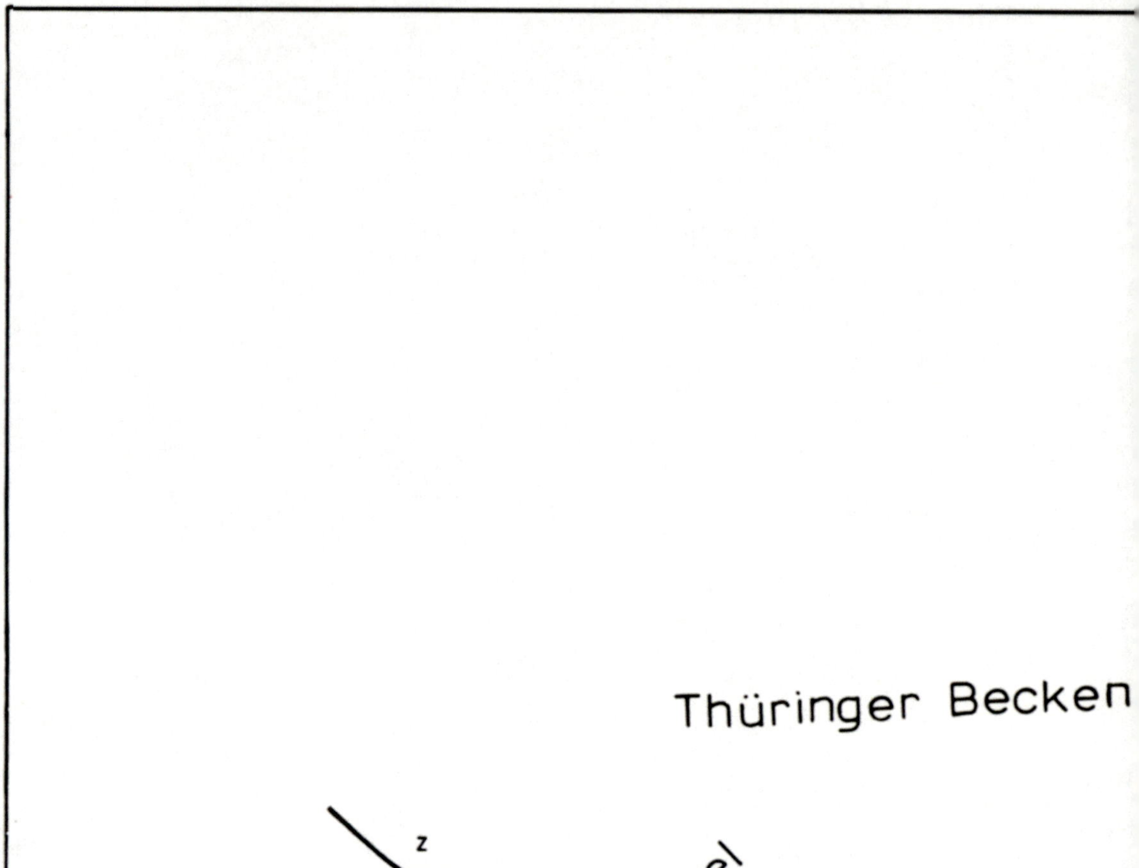

Thüringer Becken
z
Jlmenau
Sattel
Saalfeld
z
Schleiz
Hirschberg
Schwarzburger

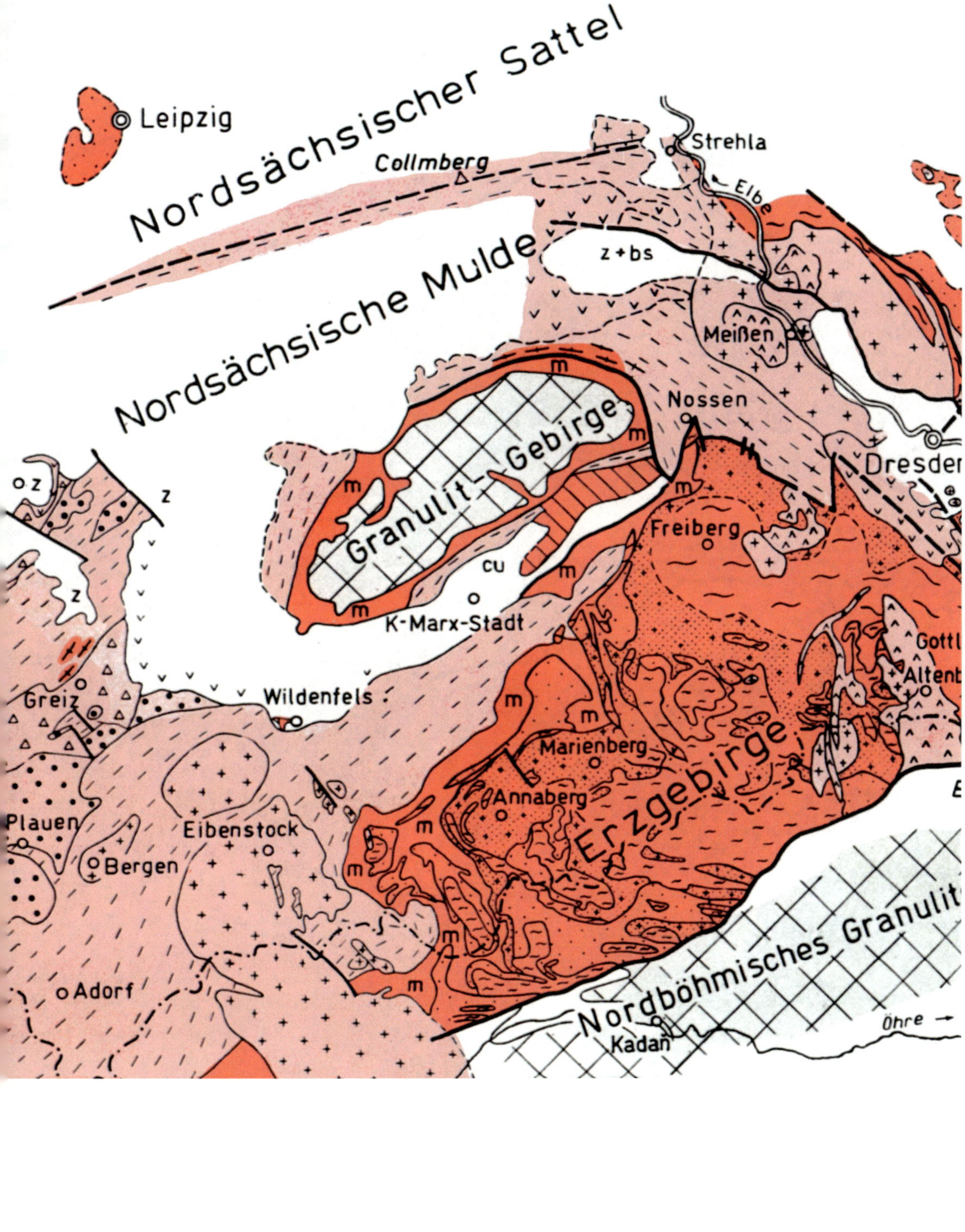

Leipzig
Nordsächsischer Sattel
Collmberg
Strehla
Elbe
Nordsächsische Mulde
z+bs
Meißen
Nossen
Dresden
Granulit-Gebirge
Freiberg
cu
K-Marx-Stadt
Gottl
Altenb
Greiz
Wildenfels
Marienberg
Erzgebirge
Annaberg
Plauen
Eibenstock
Bergen
Adorf
Nordböhmisches Granulit
Kadaň
Öhre

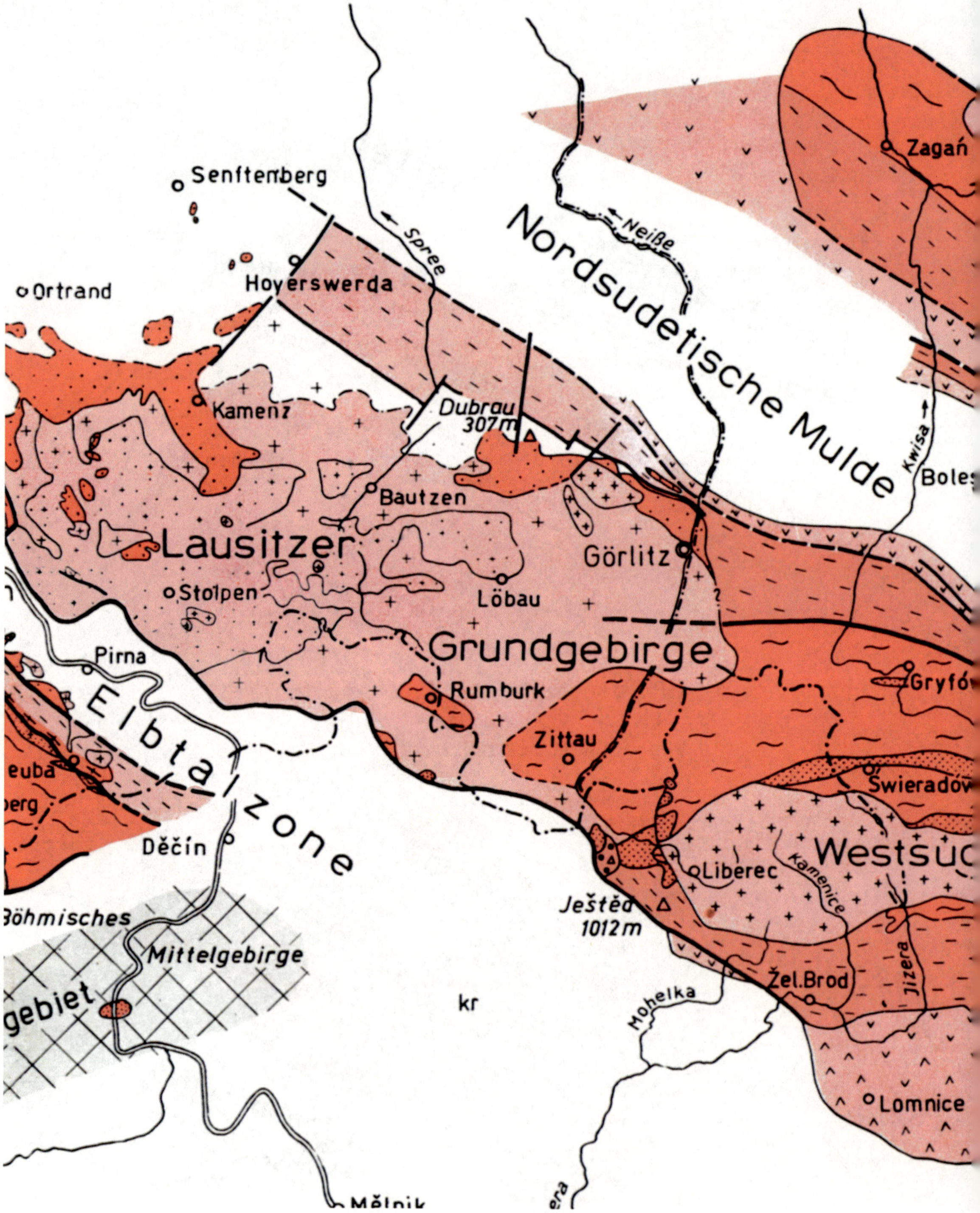

Senftenberg
Hoyerswerda
Ortrand
Spree
Neiße
Nordsudetische Mulde
Zagań
Kamenz
Dubrau
307m
Bautzen
Kwisa
Boles
Lausitzer
Görlitz
Stolpen
Löbau
Grundgebirge
Pirna
Rumburk
Gryfó
Elbtalzone
Zittau
Swieradów
euba
berg
Děčín
Liberec
Kamenice
Westsu
Böhmisches
Ještěd
1012m
Mittelgebirge
Žel.Brod
Jizera
gebiet
kr
Mohelka
Lomnice
Mělnik

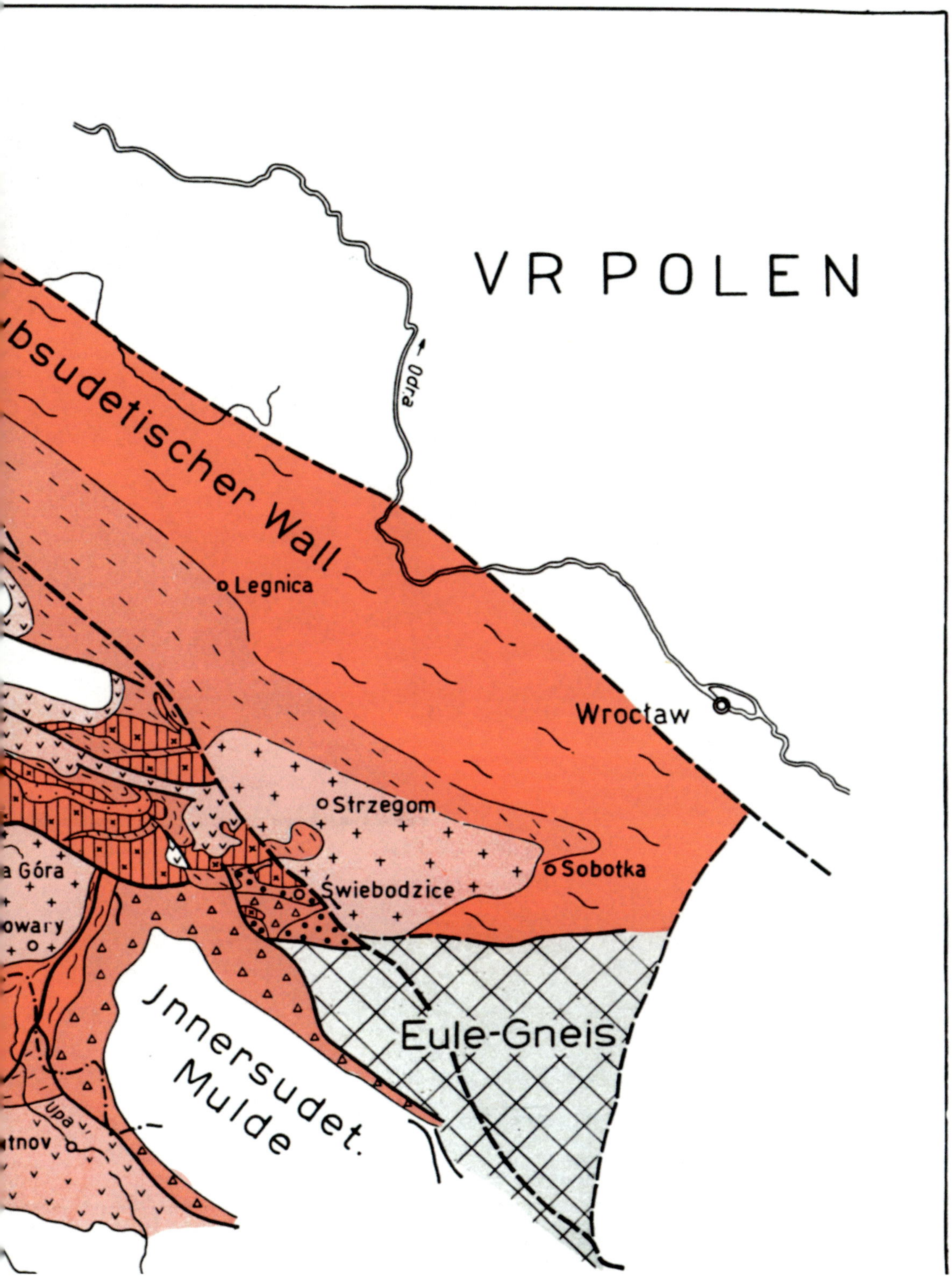

VR POLEN
Odra
ubsudetischer Wall
Legnica
Wrocław
Strzegom
Sobotka
Świebodzice
a Góra
owary
Eule-Gneis
Jnnersudet.
Mulde
Upa
tnov

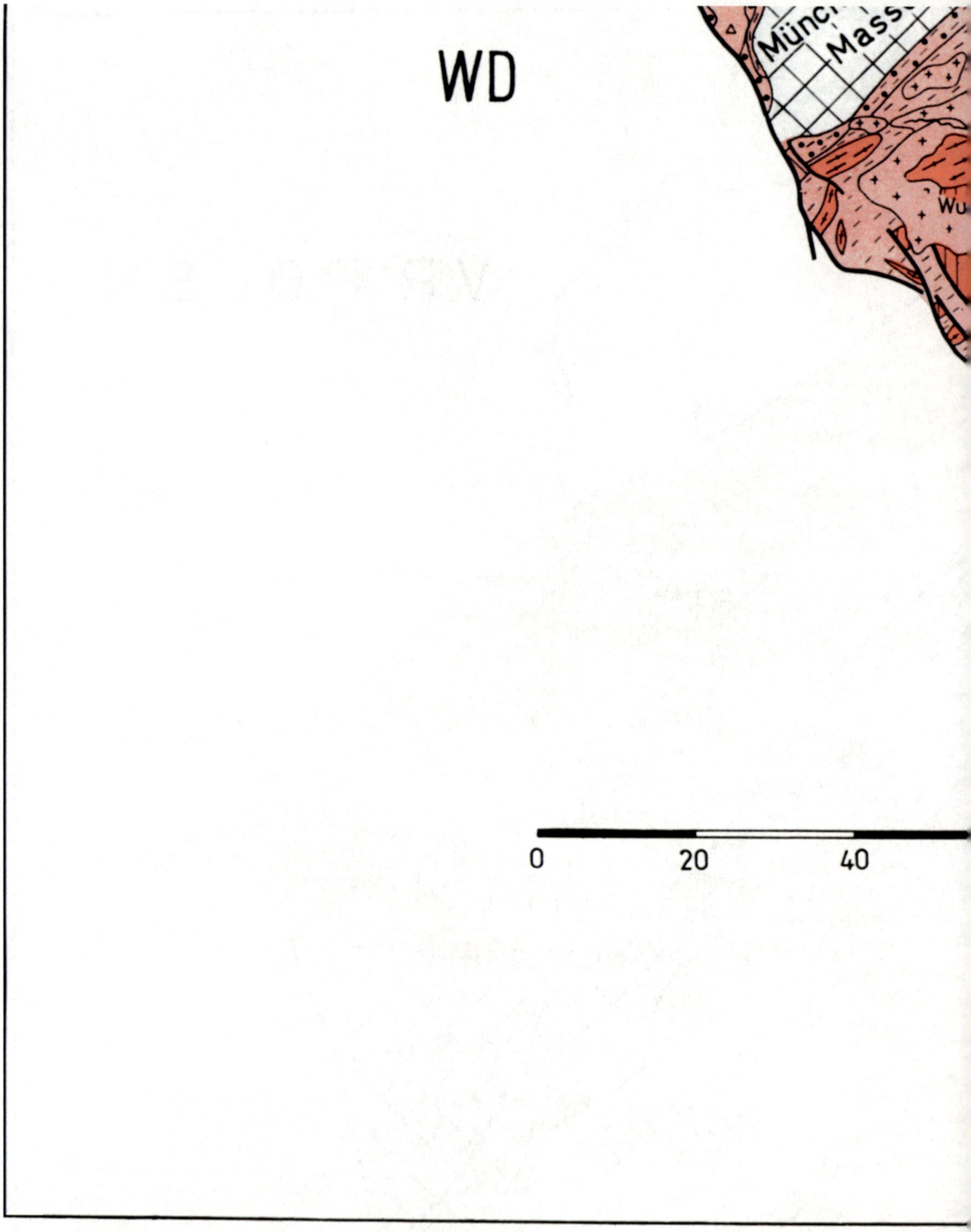

Karte aus: Möbus, Die geotektonische Entwicklung des Grundgebirges im Raum Erzgebirge–Elbtalzone–Lausitzer Grundgebirge–Westsudeten

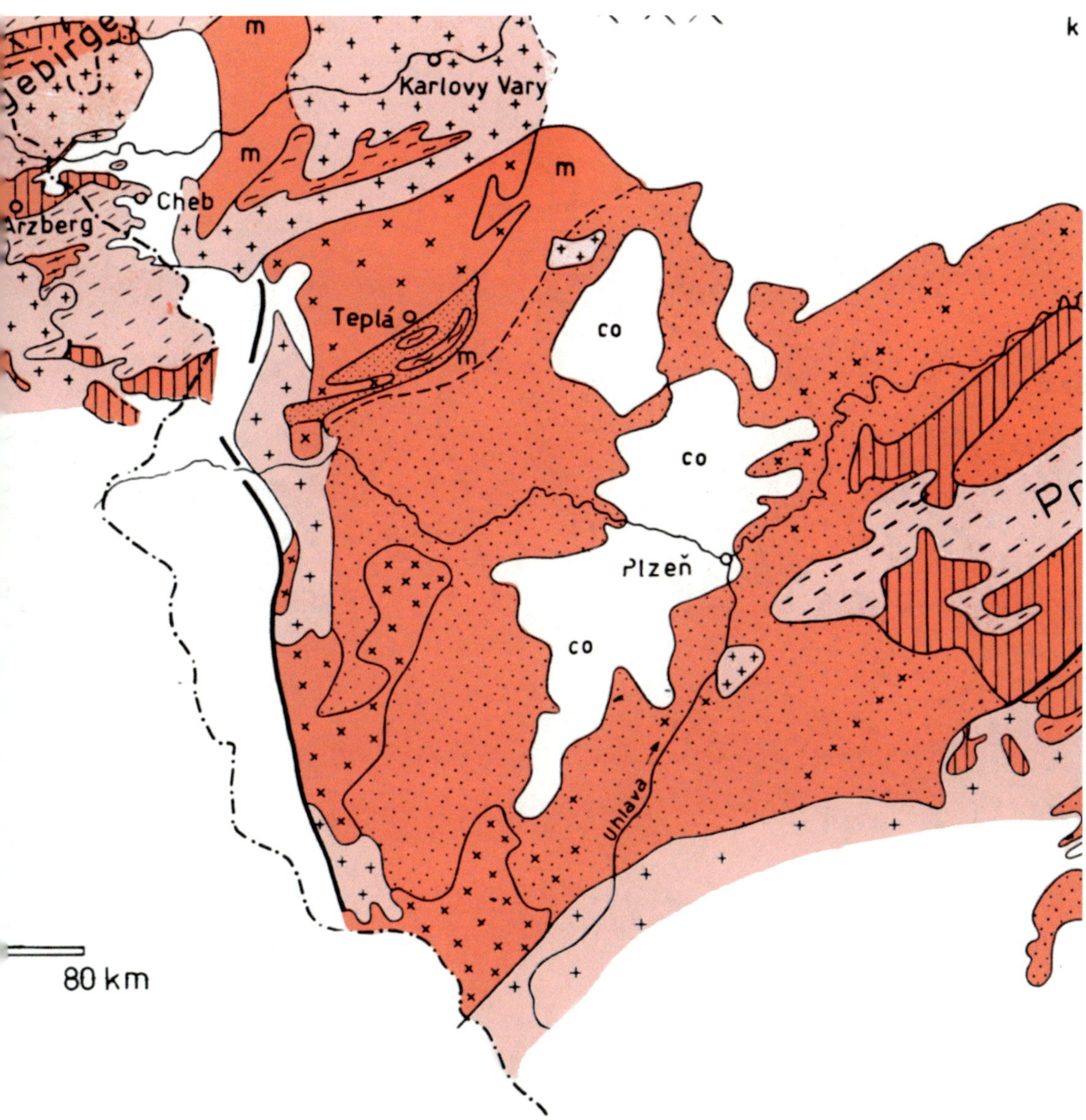

zu Kaledonikum: Nach den letzten Untersuchungen (siehe Text)
mit einer folgenden Molassebildung (Oberdevon,

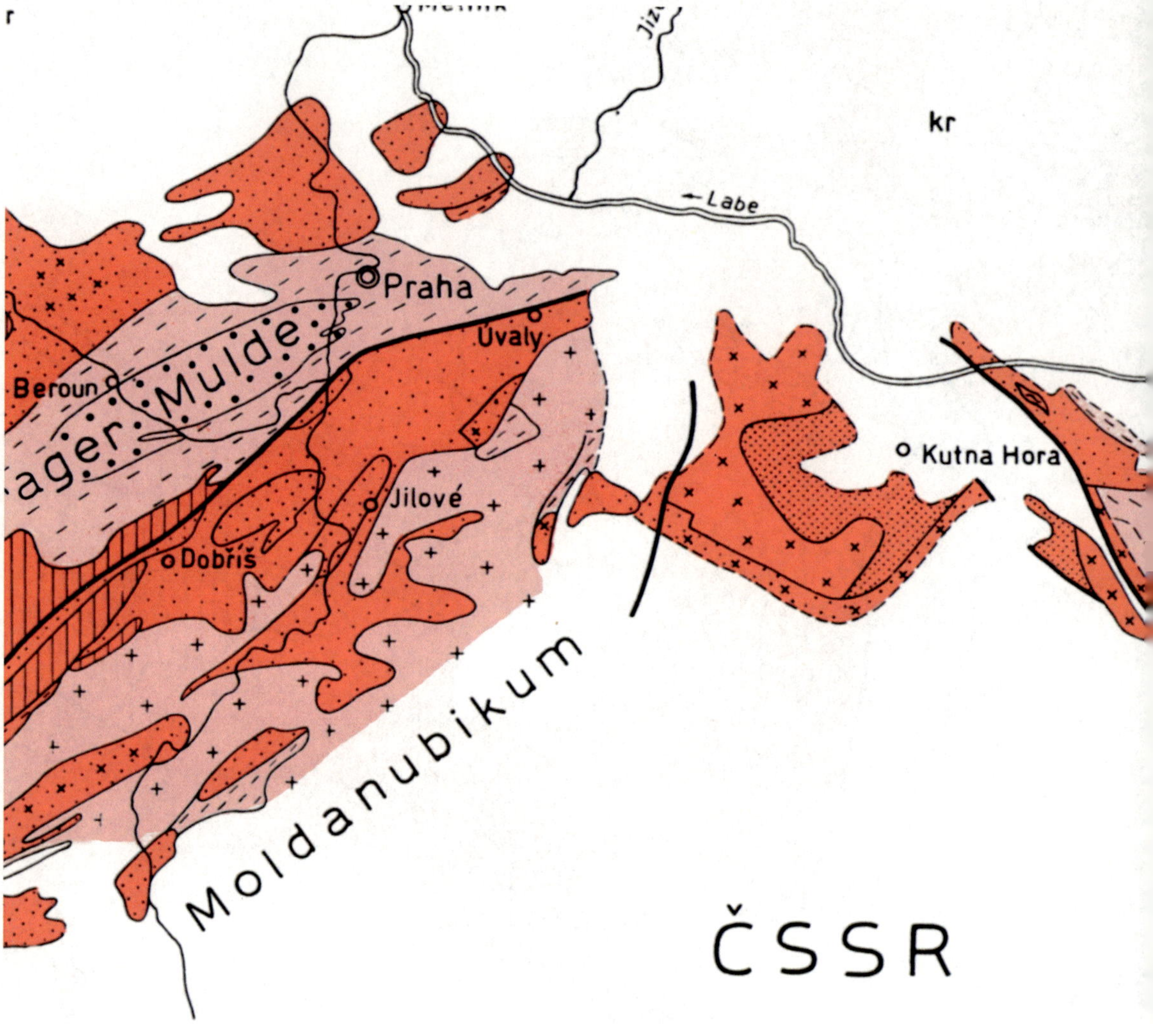

ist eine jungkaledonische Faltung in den Westsudeten
Unterkarbon) fraglich geworden.

Moldanubikum

1 moldanubisch (algomisch) erstmalig geformte Gesteinsverbände

Assyntikum

2 Vorspilit-, Spilit-, Nachspilit-Stufe (ungegliedert)

3 Spilit-Stufe (im wesentlichen)

4 initiale Magmatite der Spilit-Stufe

5 Vorspilit- und Spilit-Stufe, früh intra-algonkisch, anatektisch-metasomatisch mobilisiert

6 intra-algonkische, palingene Granitoide (in den Westsudeten vom jungassyntischen Rumburger Granit nicht getrennt)

7 Nachspilit-Stufe

8 spätassyntische Magmatite (sog. Rotgneise)

9 Kambrium

10 oberkambrische (?) Grünschieferserie der Westsudeten

11 nachassyntische (?) Porphyroide (im Ordovizium)

12 Glimmerschieferhülle des Erzgebirges und Sächsischen Granulitgebirges

13 Sächsische Zwischengebirge

Kaledonikum

14 Ordovizium bis Unterkarbon

15 Oberdevon (östlich der Neiße)

16 Unterkarbon

Variscikum

17 Ordovizium bis Unterkarbon

18 Devon

19 Unterkarbon

20 variscisch anatektisch-metasomatisch veränderte Lausitzer Grauwacke (= Laus. Zweiglimmergranodiorit)

21 variscische Magmatite (syntektonisch)

22 variscische Magmatite (posttektonisch)

23 Rotliegendes, vorzugsweise sedimentär

24 Rotliegendes, effusive Magmatite

Erschienen im Akademie-Verlag GmbH, Berlin. — Kartengenehmigung Nr. 372/64.
Offsetdruck: VEB Druckerei „Thomas Müntzer" Bad Langensalza

PETER NITZSCHE

Zur Theorie der Geoisothermen-Verschiebung in der Umgebung von heißen Intrusivkörpern

(Abhandlungen der Sächsischen Akademie der Wissenschaften zu Leipzig, mathematisch-naturwissenschaftliche Klasse, Band 48, Heft 3)

1964. 71 Seiten – 41 Abbildungen – 4° – 13,80 DM

Die Arbeit behandelt die Auskühlung von heißen Intrusivkörpern im Erdinnern, die als Schichten oder geometrisch begrenzte Körper (Prisma, Kreiszylinder, Kugel) in ein Material gleicher thermischer Konstanten eingelagert sind, als reines Wärmeleitungsproblem. Im Gegensatz zu zahlreichen ähnlichen Untersuchungen, die sich in der Literatur finden, wird hier in jedem Falle die Randbedingung konstanter Temperatur an der Erdoberfläche streng berücksichtigt. Das führt zu einer erheblichen Reduzierung der „Abkühlungszeit", wenn diese so definiert wird, daß das hydrothermale Temperaturregime im Inneren des Körpers oder in seiner nächsten Umgebung erreicht wird. Die sich daraus ergebenden Schlußfolgerungen geologischer Art dürften recht weittragend sein.

HANS-JÜRGEN BEHR

Die Korngefügefazies der Zweigürteltektonite im kristallinen Grundgebirge Sachsens

(Abhandlungen der Deutschen Akademie der Wissenschaften zu Berlin, Klasse für Bergbau, Hüttenwesen und Montangeologie, Jahrgang 1964, Nr. 1)

1964. 46 Seiten – 29 Abbildungen – 3 Tabellen – 4° – 7,80 DM

Der Verfasser versucht, die für Korngefügefaziesbetrachtungen notwendige, arbeitsintensive Kornanalyse für rein geologische Fragen besser auszuwerten. So analysiert der Autor hier verschiedene Beispiele von Zweigürteltektoniten und bespricht die Ergebnisse anschließend im Hinblick auf den Regelungsmechanismus und die geologischen Schlußfolgerungen.

Bestellungen durch eine Buchhandlung erbeten

THEORIA CUM PRAXI

A K A D E M I E - V E R L A G   B E R L I N

FSC
www.fsc.org
MIX
Papier | Fördert gute Waldnutzung
FSC® C083411

Zeitfracht Medien GmbH
Ferdinand-Jühlke-Straße 7
99095 Erfurt, Deutschland
produktsicherheit@kolibri360.de